Hilke Dreyer · Richard Schmitt

Lehr- und Übungsbuch der deutschen Grammatik

VERLAG FÜR DEUTSCH

Lehr- und Übungsbuch der deutschen Grammatik

Lösungsschlüssel zu sämtlichen Übungen

Best.-Nr. 629

2 Audiocassetten

mit Aufnahmen aus dem Schlüssel
für das Hörverständnis und zur Übungskontrolle

Best.-Nr. 628

ComputerProgramm zur deutschen Grammatik
in Einzeldisketten und als Gesamtpaket
(Ende 1993)

ISBN 3-88532-608-6

Max-Hueber-Straße 8
D-85737 Ismaning/München
5. 4. 3. 2. Druck | Letzte Zahlen
1995 94 93 | gelten
Umschlaggestaltung: Erhard Dietl, Neubiberg
Satz: C. H. Beck, Nördlingen
Druck und Bindearbeiten: Clausen & Bosse, Leck
Printed in Germany
2. Auflage 1991

Vorwort

Die wirklich sichere Beherrschung einer Sprache ist ohne Einsicht in ihr Regelsystem nicht möglich. Das gilt sowohl für die Muttersprache als auch für jede Fremdsprache.

Das vorliegende Buch ist aus jahrelanger Praxis im Unterricht mit Ausländern entstanden und für alle gedacht, denen es an gründlichen und zusammenhängenden Kenntnissen in der deutschen Grammatik fehlt. Sie finden hier einfach formulierte, manchmal auch vereinfachte Regeln, außerdem Listen und Tabellen zum Nachschlagen sowie eine Fülle von Übungen zu jedem Kapitel.

Der Aufbau folgt dem Unterrichtsprinzip, zunächst das sprachlich Wichtigste, d.h. die Teile des einfachen Satzes und einfache Satzgefüge (Teil I und II), zu lehren; erst dann folgt die Adjektivdeklination und ihr Umfeld (Teil III) und der Konjunktiv (Teil IV). Der Gebrauch der Präpositionen ist eher ein semantisches als ein grammatisches Problem und deshalb kaum lehrbar. Dieser Teil V sollte zusammen mit den ersten beiden Teilen benutzt werden.
Außerdem ist versucht worden, die deutsche Grammatik so zu gliedern, daß sich zusammenhängende Lehr- und Lerneinheiten ergeben, die sich gegenseitig ergänzen und aufeinander beziehen. Dadurch sind die Vorteile einer progressiven mit denen einer systematischen Grammatik verbunden worden, denn jedes einzelne Problem ist vollständig dargestellt.

Grammatische Regeln sind nur Hilfen zum Verständnis: wichtiger ist die Anwendung. Dazu dienen die Übungen, die sich jeweils an die Darstellung des grammatischen Problems anschließen. Wo immer dies möglich war, sind die Übungen einzelnen Sachgebieten zugeordnet und in Sinneinheiten abgefaßt. In den meisten Fällen ergibt sich bei den Übungen ein Frage- und Antwortspiel in realitätsnahen Minidialogen.
Der im Beispiel- und Übungsmaterial dieses Buches verwendete Wortschatz hält sich zunächst in engen Grenzen, wird aber in den späteren Kapiteln erweitert. Übungen mit anspruchsvollerem Wortschatz oder höherem Schwierigkeitsgrad sind mit einem Sternchen gekennzeichnet.

Liste der verwendeten Abkürzungen

Akk. (A)	Akkusativ
bzw.	beziehungsweise
Dat. (D)	Dativ
f	feminin
Gen. (G)	Genitiv
ggf.	gegebenenfalls
Inf.-K.	Infinitivkonstruktion
jd.	jemand (Nominativ)
jdm.	jemandem (Dativ)
jdn.	jemanden (Akkusativ)
m	maskulin
Nom. (N)	Nominativ
n	neutral
n. Chr.	nach Christus (= nach unserer Zeitrechnung)
Nr.	Nummer
Pers.	Person
Pl.	Plural
S.	Seite
Sg.	Singular
u. a.	und andere
usw.	und so weiter
vgl.	vergleiche
z. B.	zum Beispiel
*	Übungen mit höherem Schwierigkeitsgrad

Inhalt

TEIL III

ANHANG

Teil I

§ 1 Deklination des Substantivs I

I Deklination mit dem bestimmten Artikel

Singular	maskulin	feminin	neutral
Nominativ	der Vater	die Mutter	das Kind
Genitiv	des Vater**s**	der Mutter	des Kind**es**
Dativ	dem Vater	der Mutter	dem Kind
Akkusativ	den Vater	die Mutter	das Kind
Plural			
Nominativ	die Väter	die Mütter	die Kinder
Genitiv	der Väter	der Mütter	der Kinder
Dativ	den Väter**n**	den Mütter**n**	den Kinder**n**
Akkusativ	die Väter	die Mütter	die Kinder

II Deklination mit dem unbestimmten Artikel

Singular	maskulin	feminin	neutral
Nominativ	ein Vater	eine Mutter	ein Kind
Genitiv	eines Vater**s**	einer Mutter	eines Kind**es**
Dativ	einem Vater	einer Mutter	einem Kind
Akkusativ	einen Vater	eine Mutter	ein Kind
Plural			
Nominativ	Väter	Mütter	Kinder
Genitiv	(Väter)	(Mütter)	(Kinder)
Dativ	Väter**n**	Mütter**n**	Kinder**n**
Akkusativ	Väter	Mütter	Kinder

Regeln

Bei der Deklination I sind zwei Endungen wichtig:
1. *–s* oder *–es* im Genitiv Singular maskulin und neutral:

a) *–s* steht bei mehrsilbigen Substantiven:
des Lehrer*s*, des Fenster*s*, des Kaufmann*s*

b) *–es* steht meist bei einsilbigen Substantiven:
des Mann*es*, des Volk*es*, des Arzt*es*

c) *–es* muß bei Substantiven auf *–s, –ß, –x, –z, –tz* gebraucht werden:
das Glas – des Glas*es*; der Fluß – des Fluss*es*; der Fuß – des Fuß*es*; der Komplex – des Komplex*es*; der Schmerz – des Schmerz*es*; das Gesetz – des Gesetz*es*

2. *–n* im Dativ Plural:
die Bäume – auf den Bäume*n*; die Frauen – mit den Fraue*n*

Ausnahmen: Substantive, die im Plural auf *–s* enden:
das Auto – die Auto*s* – in den Auto*s*; das Büro – die Büro*s* – in den Büro*s*

III Pluralbildung

Es gibt acht Möglichkeiten der Pluralbildung:

1. –	der Bürger	–	die Bürger
2. ⁻̈	der Garten	–	die Gärten
3. –e	der Film	–	die Filme
4. ⁻̈e	die Stadt	–	die Städte
5. –er	das Bild	–	die Bilder
6. ⁻̈er	das Amt	–	die Ämter
7. –(e)n	der Student	–	die Studenten; die Akademie – die Akademien
8. –s	das Auto	–	die Autos

Anmerkungen

1. Wörter auf *–nis* bilden den Plural auf *–nisse*: das Ergebnis – die Ergeb*nisse*
2. Feminina auf *–in* bilden den Plural auf *–innen*: die Freundin – die Freund*innen*; die Französin – die Französ*innen*

Regeln zur Rechtschreibung: ß oder *ss*?

1. *ß* steht am Ende eines Wortes oder einer Silbe:
der Fluß, der Gruß, er riß, er aß, die Großstadt, er mußte
2. *ß* steht zwischen zwei Vokalen nach einem *langen* Vokal oder Diphthong:
die Straße, die Grüße, stoßen, beißen, schließen
3. *ß* steht vor der Endung *–t* der Verbformen von *lassen, fassen, müssen* usw.:
du mußt, du läßt, er läßt, ihr müßt, ihr laßt
4. *ss* steht zwischen zwei Vokalen nach einem *kurzen* Vokal:
die Klassen, die Flüsse, essen, gegossen, gerissen

ÜBUNGEN

1 Welches Verb gehört zu welchem Substantiv? Bilden Sie sinnvolle Sätze im Singular und Plural mit dem Akkusativ.

Ich lese *die Zeitung*. – Wir lesen *die Zeitungen*.

	hören	der Hund (–e)	das Flugzeug (–e)
Ich	sehen	das Kind (-er)	der Lastwagen (–)
	rufen	das Buch (¨–er)	das Motorrad (¨–er)
Wir	lesen	die Verkäuferin (–nen)	der Autobus (–se)
	fragen	die Nachricht (–en)	die Lehrerin (–nen)

2 Bilden Sie den Akkusativ im Singular und Plural.

der Zug (¨–e)	Wir hören *den Zug*. – Wir hören *die Züge*.

1. der Hund (–e) 2. die Kuh (¨–e) 3. das Kind (–er) 4. das Flugzeug (–e) 5. der Lastwagen (–) 6. die Maschine (–n) 7. das Motorrad (¨–er) 8. der Autobus (–se) 9. die Glocke (–n) 10. das Radio (–s)

3 Bilden Sie den Genitiv, und vollenden Sie den Satz selbständig.

der Vertreter / die Regierung	*Der Vertreter der Regierung* ist bekannt.

1. das Fahrrad / der Mann
2. der Motor / das Auto
3. die Seiten / das Buch
4. der Grund / der Schmerz
5. das Büro / der Chef
6. die Abfahrt / der Bus
7. das Ergebnis / die Prüfung
8. die Lage / das Haus
9. die Farben / das Foto
10. das Wasser / der Fluß
11. das Geschäft / der Kaufmann
12. der Rat / der Fachmann
13. die Frage / die Berufswahl
14. das Ende / die Konferenz
15. die Höhe / die Schulden (Pl.)
16. die Hoffnung / die Eltern (Pl.)

4 Setzen Sie den Dativ Singular in den Plural. Die Pluralform im Nominativ ist in Klammern angegeben.

Er hilft dem Kind (–er). – Er hilft *den Kindern*.

1. Die Leute glauben dem Politiker (–) nicht. 2. Wir danken dem Helfer (–). 3. Der Bauer droht dem Apfeldieb (–e). 4. Die Wirtin begegnet dem Mieter (–). 5. Wir gratulieren dem Freund (–e). 6. Der Rauch schadet der Pflanze (–n). 7. Das Streusalz schadet dem Baum (¨–e). 8. Das Pferd gehorcht dem Reiter (–) nicht immer. 9. Er widerspricht dem Lehrer (–) oft. 10. Der Kuchen schmeckt dem Mädchen (–) nicht. 11. Die Polizisten nähern sich leise dem Einbrecher (–).

5 Üben Sie den Genitiv mit dem bestimmten und unbestimmten Artikel.

die Zeichnung / ein Lehrer	Das ist die Zeichnung *eines Lehrers.*
die Zeugnisse / die Abschlußklasse	Das sind die Zeugnisse *der Abschlußklasse.*

1. der Motor / der Lastwagen
2. die Hefte / ein Freund
3. der Hausmeister / die Schule
4. die Lehrerin / die Abiturienten
5. die Klassenarbeiten / die Schüler
6. die Entschuldigung / eine Schülerin
7. das Auto / ein Lehrer
8. das Ergebnis / die Arbeiten
9. die Noten / der Mathematiklehrer
10. das Zeugnis / ein Freund

§ 2 Deklination des Substantivs II (n-Deklination)

I Deklination mit dem bestimmten und dem unbestimmten Artikel

Singular	Nominativ	der Mensch	ein Mensch
	Genitiv	des Mensch**en**	eines Mensch**en**
	Dativ	dem Mensch**en**	einem Mensch**en**
	Akkusativ	den Mensch**en**	einen Mensch**en**
Plural	Nominativ	die Mensch**en**	Mensch**en**
	Genitiv	der Mensch**en**	(Mensch**en**)
	Dativ	den Mensch**en**	Mensch**en**
	Akkusativ	die Mensch**en**	Mensch**en**

Regeln

1. Alle Substantive der Deklination II sind maskulin.
2. Außer im Nominativ Singular steht in allen Kasus die Endung *–en*.
   Im Plural steht nie ein Umlaut.
3. Nur *–n* steht bei:
   der Bauer – des Bauer*n* – die Bauer*n*
   der Nachbar – des Nachbar*n* – die Nachbar*n*
   der Ungar – des Ungar*n* – die Ungar*n*
   Ausnahme: der Herr – des Herr*n* – die Herr*en*

II Liste der Substantive auf –(e)n

Die Zahl der Substantive auf *–(e)n* ist relativ klein. Die folgende Aufstellung enthält die wichtigsten Wörter:

1. der Affe, des Affen
   der Bär, des Bären
   der Bauer, des Bauern
   der Bote, des Boten
   der Bube, des Buben
   der Bulle, des Bullen
   der Bursche, des Burschen
   der Erbe, des Erben
   der Experte, des Experten
   der Fürst, des Fürsten
   der Gefährte, des Gefährten
   der Genosse, des Genossen

der Graf, des Grafen
der Hase, des Hasen
der Heide, des Heiden
der Held, des Helden
der Herr, des Herr*n* (Pl. die Herr*en*)
der Hirte, des Hirten
der Insasse, des Insassen
der Jude, des Juden
der Junge, des Jungen
der Kamerad, des Kameraden
der Knabe, des Knaben
der Kollege, des Kollegen
der Komplize, des Komplizen
der Kunde, des Kunden
der Laie, des Laien
der Lotse, des Lotsen
der Löwe, des Löwen
der Mensch, des Menschen
der Nachbar, des Nachbarn
der Nachkomme, des Nachkommen
der Narr, des Narren
der Neffe, des Neffen
der Ochse, des Ochsen
der Pate, des Paten
der Prinz, des Prinzen
der Rabe, des Raben
der Rebell, des Rebellen
der Riese, des Riesen
der Satellit, des Satelliten
der Sklave, des Sklaven
der Soldat, des Soldaten
der Zeuge, des Zeugen

2. Alle maskulinen Substantive auf
–and, –ant, –ent:
der Doktorand – des Doktoranden
der Elefant – des Elefanten
der Student – des Studenten
der Präsident – des Präsidenten
der Demonstrant – des Demonstranten
der Musikant – des Musikanten
der Produzent – des Produzenten
der Lieferant – des Lieferanten

–ist:
der Kommunist – des Kommunisten
der Polizist – des Polizisten
der Kapitalist – des Kapitalisten
der Journalist – des Journalisten
der Sozialist – des Sozialisten
der Terrorist – des Terroristen
der Utopist – des Utopisten
der Idealist – des Idealisten
der Christ – des Christen

3. Maskuline Substantive – meist Berufsbezeichnungen – aus dem Griechischen:
der Biologe – des Biologen
der Soziologe – des Soziologen
der Demokrat – des Demokraten
der Bürokrat – des Bürokraten
der Diplomat – des Diplomaten
der Automat – des Automaten
der Fotograf – des Fotografen
der Seismograph – des Seismographen
der Architekt – des Architekten
der Philosoph – des Philosophen
der Monarch – des Monarchen
der Katholik – des Katholiken

4. *Ausnahmen:* Einige Substantive bilden den Genitiv Singular zusätzlich mit *-s*:
der Buchstabe, -ns; der Gedanke, -ns; der Name, ns
das Herz – des Herzens, dem Herzen, das Herz, (Pl.) die Herzen
aber: der Professor, -s, (Pl.) -en; der Motor, -s, (Pl.) -en; der Staat, -(e)s, (Pl.) -en; der See, -s, (Pl.) -n

ÜBUNGEN

1 Hier ist etwas vertauscht. Bringen Sie die Sätze in Ordnung.

1. Der Automat konstruiert einen Ingenieur. 2. Der Bundespräsident beschimpft den Demonstranten. 3. Der Bauer befiehlt dem Fürsten. 4. Die Zeitung druckt den Drucker. 5. Der Zeuge vernimmt den Richter. 6. Der Hase frißt den Löwen. 7. Der

Student verhaftet den Polizisten. 8. Der Gefängnisinsasse befreit den Aufseher. 9. Der Diplomat befragt den Reporter. 10. In dem Buchstaben fehlt ein Wort. 11. Der Hund füttert den Nachbarn. 12. Das Buch liest den Studenten. 13. Der Junge sticht die Mücke. 14. Der Patient tut dem Kopf weh. 15. Der Erbe schreibt sein Testament für einen Bauern. 16. Der Kuchen bäckt den Bäcker. 17. Der Sklave verkauft den Herrn. 18. Ein Narr streitet sich niemals mit einem Philosophen. 19. Der Kunde fragt den Verkäufer nach seinen Wünschen. 20. Die Einwohner bringen dem Briefträger die Post.

2 Vollenden Sie die Sätze. Verwenden Sie dazu die passenden Wörter im richtigen Fall.

1. Der Wärter füttert (A)	der Neffe
2. Der Onkel antwortet (D)	der Bauer
3. Der Bulle verletzt (A)	der Zeuge
4. Der Bauer füttert gerade (A)	der Demonstrant
5. Die Polizisten verhaften (A)	der Laie
6. Der Fachmann widerspricht (D)	der Bär
7. Der Wissenschaftler beobachtet (A)	der Präsident
8. Das Parlament begrüßt (A)	der Ochse
9. Der Richter glaubt (D)	der Seismograph

3 Ebenso:

1. Der Professor berät (A)	der Lotse
2. Das Kind liebt (A)	der Hirt
3. Die Schafe folgen (D)	der Stoffhase
4. Der Kapitän ruft (A)	der Riese Goliath
5. Der Laie befragt (A)	der Kunde
6. Der Freund hilft (D)	der Doktorand
7. Der Kaufmann bedient (A)	der Fotograf
8. Der Fotohändler berät (A)	der Gefährte
9. David besiegt (A)	der Experte

III Bezeichnung der Einwohner von Ländern und Erdteilen

Deklination II	*Deklination I*
der Afghane – des Afghanen	der Libanese – des Libanesen
der Brite – des Briten	der Ägypter – des Ägypters
der Bulgare – des Bulgaren	der Algerier – des Algeriers
der Chilene – des Chilenen	der Araber – des Arabers
der Chinese – des Chinesen	der Argentinier – des Argentiniers
der Däne – des Dänen	der Belgier – des Belgiers
der Finne – des Finnen	der Brasilianer – des Brasilianers
der Franzose – des Franzosen	der Engländer – des Engländers
der Grieche – des Griechen	der Holländer – des Holländers
der Ire – des Iren	der Inder – des Inders
der Jugoslawe – des Jugoslawen	der Indonesier – des Indonesiers
der Kroate – des Kroaten	der Iraker – des Irakers

Deklination II

der Iraner – des Iraners
der Pole – des Polen
der Portugiese – des Portugiesen
der Rumäne – des Rumänen
der Russe – des Russen
der Schotte – des Schotten
der Schwede – des Schweden
der Slowake – des Slowaken
der Slowene – des Slowenen
der Sudanese – des Sudanesen
der Tscheche – des Tschechen
der Türke – des Türken
der Ungar – des Ungarn
der Vietnamese – des Vietnamesen
u. a.

der Asiate – des Asiaten

Deklination I

der Italiener – des Italieners
der Japaner – des Japaners
der Kanadier – des Kanadiers
der Kolumbianer – des Kolumbianers
der Libyer – des Libyers
der Marokkaner – des Marokkaners
der Norweger – des Norwegers
der Österreicher – des Österreichers
der Peruaner – des Peruaners
der Schweizer – des Schweizers
der Spanier – des Spaniers
der Syrer – des Syrers
der Tunesier – des Tunesiers
u. a.

der Afrikaner – des Afrikaners
der Amerikaner – des Amerikaners
der Australier – des Australiers
der Europäer – des Europäers

Ausnahmen

1. der Israeli – des Israeli*s* – (Pl.) die Israeli*s*
   der Saudi – des Saudi*s* – (Pl.) die Saudi*s*
   der Somali – des Somali*s* – (Pl.) die Somali*s*
   der Pakistani – des Pakistani*s* – (Pl.) die Pakistani*s*
2. *der Deutsche* wird wie ein Adjektiv dekliniert:
   mask.: der Deutsch*e* / ein Deutsch*er*; fem.: die Deutsch*e* / eine Deutsch*e*
   Plural: die Deutsch*en* / Deutsch*e*

Anmerkung

Abgesehen von *die Deutsche* wird bei Frauen immer die Endung *-in* gebraucht, z. B.:
die Pol*in,* die Russ*in,* die Französ*in* (!), usw.
die Spanier*in,* die Iraner*in,* usw.
die Asiat*in,* die Europäer*in,* usw.

ÜBUNGEN

1 Ergänzen Sie – gegebenenfalls im Gruppenwettstreit – nach dem folgenden Beispiel:

I	II	III	IV	V
Polen	der Pole	des Polen	die Polen	die Polin
Spanien	der Spanier	des Spaniers	die Spanier	die Spanierin
Afrika	?	?	?	?
Asien	?	?	?	?

usw. Vgl. Tabelle S. 18/19.

2 Üben Sie den Dativ.

A: Der Ire singt gern.	B: Ja, man sagt *vom Iren,* daß er gern singt.

Sie können Ihre Zustimmung verstärken: *Ja, das stimmt, man sagt vom Iren, ...* oder: *Ja, richtig, ...; Ja, da haben Sie / hast du recht, ...*

1. Der Grieche handelt gern. 2. Der Deutsche liebt die Ordnung. 3. Der Holländer ist sparsam. 4. Der Japaner ist besonders höflich. 5. Der Türke ist besonders tapfer. 6. Der Italiener liebt die Musik. 7. Der Chinese ist besonders fleißig. 8. Der Araber ist ein guter Reiter. 9. Der Pole tanzt gern und gut. 10. Der Spanier ist stolz. 11. Der Engländer ißt morgens gern gut und kräftig. 12. Der Ungar ist sehr musikalisch. 13. Der Franzose kocht gern und gut. 14. Der Österreicher liebt die Mehlspeisen. 15. Der Schweizer wandert gern.

3 Üben Sie nach folgendem Muster:

Grieche / Perser / helfen (D)	A: Hilft der Grieche *dem Perser*? B: Nein, der Perser hilft *dem Griechen.*

1. Pole / Russe / den Weg zeigen (D) 2. Amerikaner / Kanadier / Geld leihen (D) 3. Schwede / Spanier / den Brief übersetzen (D) 4. Portugiese / Engländer / informieren (A) 5. Japaner / Afrikaner / zu Hilfe rufen (A) 6. Franzose / Indonesier / die Wohnung kündigen (D) 7. Israeli / Türke / aus dem Gefängnis befreien (A) 8. Belgier / Däne / schützen (A) 9. Araber / Afghane / anrufen (A) 10. Österreicher / Rumänin (!) / beschenken (A) 11. Finnin / Schweizer / sich verlassen auf (A) 12. Engländer / Chilenin / durch die Stadt führen (A) 13. Ungar / Tscheche / trösten (A) 14. Slowake / Italiener / danken (D)

§ 3 Gebrauch des Artikels

I Der bestimmte Artikel

a) **Der** Lehrer schreibt **das** Wort an **die** Tafel.
Das Parlament hat **die** Gesetze über **den** Export geändert.
b) Der Mount Everest ist **der** höchste Berg der Erde.
c) Die Sonne geht **im** Osten auf und **im** Westen unter.
Wir gehen **am** Freitag **ins** Kino.

Regeln

zu a): Der bestimmte Artikel wird gebraucht, wenn eine Person oder Sache bekannt ist oder vorher genannt wurde, oder wenn es sich um allgemein bekannte Personen, Sachen oder Begriffe handelt.
zu b): Der bestimmte Artikel steht immer bei Superlativen (siehe § 40 I 2).

zu c): Der bestimmte Artikel kann mit einer Präposition zusammengezogen werden:
dem (Dat. Sg. m und n) + Präposition: *am, beim, im, vom, zum*
der (Dat. Sg. f) + Präposition: *zur*
das (Akk. Sg. n) + Präposition: *ans, ins*

II Der unbestimmte Artikel

a) Singular:	**Ein** Fahrrad kostet etwa 300 Mark.
	Sie nahm **eine** Tasse aus dem Schrank.
	Ein Bauer hatte **einen** Esel. **Der** Esel war alt und schwach.
	Der Bauer wollte ihn schlachten, usw.
b) Plural:	**Kinder** fragen viel.
	Er raucht nur **Zigarren.**
c) Genitiv Singular:	Man hört das Geräusch **eines Zuges.**
Genitiv Plural:	Man hört das Geräusch **von Zügen.**
d) Verneinung:	Im Hotel war **kein** Zimmer frei.
	Wir haben **keine** Kinder.

Regeln

zu a): Der unbestimmte Artikel wird gebraucht, wenn eine Person oder Sache unbekannt oder beliebig ist. – In Erzählungen werden Personen oder Sachen zunächst mit dem unbestimmten Artikel eingeführt; wenn sie einmal genannt sind, gebraucht man den bestimmten Artikel.
zu b): Im Plural werden unbestimmte Personen oder Sachen *ohne Artikel* gebraucht.
zu c): Der Genitiv Plural des unbestimmten Artikels wird nicht verwendet; man sagt statt dessen *von + Dativ Plural.*
zu d): In der Verneinung gebraucht man *kein-:* Damit wird etwas bezeichnet, was nicht vorhanden ist.

Singular			*Plural*
maskulin	feminin	neutral	m + f + n
kein Mann	keine Frau	kein Kind	keine Männer / Frauen / Kinder
keines Mannes	keiner Frau	keines Kindes	keiner Männer / Frauen / Kinder
keinem Mann	keiner Frau	keinem Kind	keinen Männern / Frauen / Kindern
keinen Mann	keine Frau	kein Kind	keine Männer / Frauen / Kinder

ÜBUNGEN

1 Üben Sie wie in folgendem Muster:

(m) Dosenöffner / im Küchenschrank
Ich brauche *einen Dosenöffner.* – *Der Dosenöffner* ist im Küchenschrank!
(Pl.) Stecknadeln / im Nähkasten
Ich brauche *Stecknadeln.* – *Die Stecknadeln* sind im Nähkasten!

Sie können die Notwendigkeit betonen: *Ich brauche unbedingt* ... In der Antwort können Sie leichte Ungeduld äußern: *Der Dosenöffner ist doch im Küchenschrank, das weißt du doch!*

1. (Pl.) Briefumschläge / im Schreibtisch 2. (Pl.) Briefmarken / in der Schublade 3. (m) Hammer / im Werkzeugkasten 4. (m) Kugelschreiber / auf dem Schreibtisch 5. (n) Feuerzeug / im Wohnzimmer 6. (Pl.) Kopfschmerztabletten / in der Hausapotheke 7. (n) Wörterbuch / im Bücherschrank 8. (m) Flaschenöffner / in der Küche

2 Im Warenhaus

a

(m) Schal
Ich möchte bitte *einen Schal.* – Wie gefällt Ihnen *der Schal* hier?
(Pl.) Taschentücher
Ich möchte bitte *Taschentücher.* – Wie gefallen Ihnen *die Taschentücher* hier?

1. (n) Sporthemd 2. (f) Cordhose 3. (m) Wollrock 4. (m) Hut 5. (Pl.) Handschuhe 6. (Pl.) Wollsocken 7. (m) Pullover 8. (m) Mantel 9. (f) Jacke

b

(n) Fahrrad / DM 450,–
Hier haben wir *ein Fahrrad* für 450 Mark. – Nein, *das Fahrrad* ist mir zu teuer!

1. (m) Gebrauchtwagen / 2500,–
2. (f) Lederjacke / 250,–
3. (m) Elektroherd / 620,–
4. (n) Motorrad / 3000,—
5. (f) Kaffeemaschine / 180,–
6. (f) Waschmaschine / 950,–

3 Bilden Sie den Plural.

Er schenkte mir ein Buch.	Ich habe das Buch noch nicht gelesen.
Er schenkte mir *Bücher.*	Ich habe *die Bücher* noch nicht gelesen.

1. Ich schreibe gerade einen Brief. Ich bringe den Brief noch zur Post. 2. Morgens esse ich ein Brötchen. Das Brötchen ist immer frisch. 3. Ich kaufe eine Zeitung. Ich lese die Zeitung immer abends. 4. Ich rauche eine Zigarette. Wo habe ich die Zigarette nur gelassen? 5. Sie hat ein Pferd. Sie füttert das Pferd jeden Tag. 6. Ich suche einen Sessel. Der Sessel soll billig sein. 7. Die Firma sucht eine Wohnung. Sie vermietet die Wohnung an Ausländer. 8. Er kaufte ihr einen Brillanten. Er hat den Brillanten noch nicht bezahlt.

4 Bilden Sie den Singular.

Die Mücken haben mich gestochen.	*Die Mücke* hat mich gestochen.
Die Firma sucht Ingenieure.	Die Firma sucht *einen Ingenieur.*

1. Ich helfe den Schülern. 2. Sie hat Kinder. 3. Er liest Liebesromane. 4. Sie gibt mir die Bücher. 5. Er hat Hunde und Katzen im Haus. 6. Sie füttert die Tiere. 7. Wir leihen uns Fahrräder. 8. Er besitzt Häuser. 9. Er vermietet Wohnungen. 10. Er sucht noch Mieter. 11. Aber die Wohnungen sind zu teuer. 12. Vermieten Sie Zimmer? 13. Sind die Zimmer nicht zu teuer? 14. Hunde bellen, Katzen miauen.

5 Ergänzen Sie den bestimmten oder unbestimmten Artikel im richtigen Fall.

1 In ... (f) Seeschlacht fand ... (m) Matrose Zeit, sich am Kopf zu kratzen, wo ihn ... (n) Tierlein belästigte. ... Matrose nahm ... (n) Tierchen und warf es zu Boden. Als er sich
3 bückte, um ... (n) Tier zu töten, flog ... (f) Kanonenkugel über seinen Rücken. ... Kugel hätte ihn getötet, wenn er sich nicht gerade gebückt hätte. „Laß dich nicht noch einmal
5 bei mir sehen!" meinte ... Matrose und schenkte ... Tier das Leben.

6 Bilden Sie Sätze.

(Briefmarken / sammeln) ist ein beliebtes Hobby. *Das Sammeln von Briefmarken* ist ein beliebtes Hobby.

1. (Bäume / fällen) ist nicht ungefährlich.
2. (Militäranlagen / fotografieren) ist oft nicht erlaubt.
3. (Fernseher / reparieren) muß gelernt sein.
4. (Kraftwerkanlagen / betreten) ist verboten.
5. (Hunde / mitbringen) ist untersagt.
6. (Rechnungen / schreiben) ist nicht meine Aufgabe.
7. (Schnecken / essen) überlasse ich lieber anderen.
8. (Landschaften / malen) kann man erlernen.
9. (Fotokopien / anfertigen) kostet hier zwanzig Pfennig pro Blatt.
10. (Pilze / sammeln) ist in manchen Gebieten nicht immer erlaubt.

7 Üben Sie den Genitiv Singular und den Dativ Plural des unbestimmten Artikels.

der Lärm / ein Motorrad (¨–er)	Man hört den Lärm *eines Motorrads.* Man hört den Lärm *von Motorrädern.*

1. Das Singen / ein Kind (–er)
2. das Sprechen / eine Person (–en)
3. das Laufen / ein Pferd (–e)
4. das Pfeifen / ein Vogel (¨–)
5. das Hupen / ein Autobus (–se)
6. das Bellen / ein Hund (-e)
7. das Miauen / eine Katze (-n)
8. das Brummen / ein Motor (–en)
9. das Ticken / eine Uhr (–en)
10. das Klatschen / ein Zuschauer (–)

8 Verwenden Sie die Wörter der Übungen 1 und 2.

a

Hier hast du den Dosenöffner. – Danke, aber ich brauche *keinen Dosenöffner* mehr. Hier hast du die Stecknadeln. – Danke, aber ich brauche *keine Stecknadeln* mehr.

b

Möchtest du einen Schal? – Nein danke, ich brauche *keinen Schal.* Möchtest du Taschentücher? – Nein danke, ich brauche *keine Taschentücher.*

c

Hier haben wir ein Fahrrad für 450 Mark. – Sehr schön, aber ich brauche *kein Fahrrad.*

III Der Singular ohne Artikel

Ohne Artikel werden gebraucht:

1. Personennamen, Namen von Städten, Ländern und Kontinenten:
   Gerhard ist der Bruder von *Klaus.*
   (*Anmerkung:* Bei artikellosen Substantiven im Singular gebraucht man statt des Genitivs oft *von* + Dativ.)
   Goethe wurde 82 Jahre alt.
   Dr. Meyer ist als Forscher bekannt.
   Berlin war eine geteilte Stadt.
   Deutschland ist ein Industrieland.
   Afrika und *Asien* sind Kontinente.
   auch: *Gott* ist groß.

   Beachten Sie: Wird ein Adjektiv- oder Genitivattribut gebraucht, steht der bestimmte Artikel:
   der alte Goethe, der Goethe der Weimarer Zeit
   das geteilte Berlin, das Berlin der zwanziger Jahre
   im Polen der Nachkriegszeit
   der liebe Gott

   Ausnahmen: Einige Ländernamen haben den bestimmten Artikel:

maskulin	*feminin*		*Plural*	*Abkürzungen*
der Libanon der Sudan (der) Irak (der) Iran	die Bundesrepublik Deutschland [die Deutsche Demokratische Republik]*	die Schweiz die Slowakische Republik (die Slowakei) [die Sowjetunion]** die Türkei die Tschechische Republik die Antarktis	die Niederlande die Vereinigten Staaten von Amerika	[die DDR]* (die UdSSR)** die GUS (Gemeinschaft unabhängiger Staaten) die USA (Pl.)
	* 1949–1990			** 1923–1991

2. a) unbestimmte Mengenbegriffe ohne nähere Bestimmung, z.B. *Brot* (n), *Geld* (n), *Energie* (f), *Elektrizität* (f), *Wasserkraft* (f), *Luft* (f), *Wärme* (f):
   Hast du *Geld* bei dir?
   Die Hungernden schreien nach *Brot.*
   Eisbären fühlen sich bei *Kälte* wohl.
   Aus *Wasserkraft* wird *Energie* gewonnen.

   Beachten Sie: Ist der Begriff näher bestimmt, z. B. durch Attribute oder adverbiale Angaben, steht der bestimmte Artikel:
   die verseuchte Luft, die Wärme in diesem Raum

   b) Flüssigkeiten und Materialangaben ohne nähere Bestimmung, z.B. *Wasser* (n), *Milch* (f), *Bier* (n), *Wein* (m), *Öl* (n), *Benzin* (n), *Alkohol* (m); *Holz* (n), *Glas* (n), *Kohle* (f), *Stahl* (m), *Beton* (m), *Kupfer* (n), *Kalk* (m):
   Zum Frühstück trinkt man *Tee, Kaffee* oder *Milch.*
   Zum Bau von Hochhäusern braucht man *Beton, Stahl* und *Glas.*

   Beachten Sie: das schmutzige Meerwasser, das Gold der Münze

   c) Eigenschaften und Gefühle ohne nähere Bestimmung, z.B. *Mut* (m), *Kraft* (f), *Freundlichkeit* (f), *Intelligenz* (f), *Ehrgeiz* (m), *Nachsicht* (f); *Angst* (f), *Freude* (f), *Liebe* (f), *Trauer* (f), *Hoffnung* (f), *Verzweiflung* (f).

   im Akkusativ:
   Sie hatten *Hunger* und *Durst.*
   Er fühlte wieder *Mut* und *Hoffnung.*

   mit Präposition:
   Mit Freundlichkeit kann man viel erreichen.
   Sie war sprachlos *vor Freude.*
   Aus Angst reagierte er völlig falsch.

   Beachten Sie: die Freude des Siegers, die Verzweiflung nach der Tat

3. Angaben zur Nationalität und zum Beruf mit den Verben *sein* und *werden,* aber auch nach *als:*
   Ich bin *Arzt.*
   Er ist *Türke.*
   Mein Sohn wird *Ingenieur.*
   Er arbeitet als *Lehrer.*

   Beachten Sie: Wird ein Adjektivattribut gebraucht, muß ein Artikel stehen:
   Er ist *ein guter Verkäufer.*
   Das ist *der bekannte Architekt Dr. Meyer.*

4. Substantive nach Maß-, Gewichts- und Mengenangaben:
   Ich kaufe ein Pfund *Butter.*
   Wir besitzen eine große Fläche *Wald.*
   Er trinkt ein Glas *Milch.*
   Wir hatten 20 Grad *Kälte.*

5. viele Sprichwörter und feste Wendungen:
   Ende gut, alles gut.
   Kommt *Zeit,* kommt *Rat.*
   Pech haben; *Farbe* bekennen; *Frieden* schließen, *Widerstand* leisten, *Atem* holen, usw.
   Er arbeitet *Tag* und *Nacht; Jahr* für *Jahr*

6. Substantive, wenn ein Genitivattribut vorangestellt wird:
   Der Sohn des Ministers wurde Direktor. – Des Ministers *Sohn* wurde Direktor.
   Wir haben gestern *den Bruder* von Eva getroffen. – Wir haben gestern Evas *Bruder* getroffen.

Anmerkung

Nach den Präpositionen *ohne, zu, nach, vor* u. a. steht oft kein Artikel (siehe § 58–60):
ohne Arbeit, ohne Zukunft, ohne Hoffnung, usw.
zu Weihnachten, zu Ostern, zu Silvester, usw.
zu Fuß gehen; zu Besuch kommen; zu Boden fallen; zu Mittag essen, usw.
nach / vor Feierabend; nach / vor Beginn; nach / vor Ende, usw.

ÜBUNGEN

1 Ergänzen Sie den bestimmten Artikel im richtigen Fall, aber nur, wo es notwendig ist.

1. ... Rom ist die Hauptstadt von ... Italien. 2. Er liebt ... Deutschland und kommt jedes Jahr einmal in ... Bundesrepublik. 3. ... Dresden, ... Stadt des Barocks, liegt in ... Sachsen. 4. ... schöne Wien ist ... Österreichs Hauptstadt. 5. ... Bern ist die Hauptstadt ... Schweiz, aber ... Zürich ist die größte Stadt des Landes. 6. Die Staatssprachen in ... Tschechischen und Slowakischen Republik sind Tschechisch und Slowakisch. 7. ... Ankara ist die Hauptstadt ... Türkei; ... schöne Istanbul ist die größte Stadt des Landes. 8. ... GUS ist ungefähr 62mal größer als ... Deutschland. 9. ... Mongolei, genauer ... Mongolische Republik, liegt zwischen ... Rußland und ... China. 10. In ... Nordamerika spricht man Englisch, in ... Mittel- und Südamerika spricht man hauptsächlich Spanisch, außer in ... Brasilien; dort spricht man Portugiesisch. 11. In ... Vereinigten Staaten leben 250 Millionen Menschen. 12. In ... Nordafrika liegen die arabischen Staaten, das Gebiet südlich davon ist ... sogenannte Schwarzafrika. 13. ... Arktis ist im Gegensatz zu ... Antarktis kein Erdteil. 14. Der offizielle Name von ... Holland ist „... Niederlande".

2 Ebenso:

1. Morgens trinke ich ... Tee, nachmittags ... Kaffee. 2. Schmeckt dir denn ... kalte Kaffee? 3. Er ist ... Engländer und sie ... Japanerin. 4. Siehst du ... Japaner dort? Er arbeitet in unserer Firma. 5. Ich glaube an ... Gott. 6. Allah ist ... Gott des Islam. 7. ... Arbeit meines Freundes ist hart. 8. Ich möchte ohne ... Arbeit nicht leben. 9. Du hast doch ... Geld! Kannst du mir nicht 100 Mark leihen? 10. Die Fabrik ist ... Tag und ... Nacht in Betrieb. 11. Wollen Sie in eine Stadt ohne ... Motorenlärm? Dann gehen Sie nach Zermatt in ... Schweiz; dort sind ... Autos und Motorräder für Privatpersonen nicht zugelassen. 12. Zu ... Ostern besuche ich meine Eltern, in ... Ferien fahre ich in ... Alpen. 13. Wenn du ... Hunger hast, mach dir ein Brot. 14. Mein Bruder will ... Ingenieur werden; ich studiere ... Germanistik. 15. Sie als ... Mediziner haben natürlich bessere Berufsaussichten!

§ 4 Deklination der Personalpronomen

	Singular					*Plural*			
Person:	1.	2.	3.			1.	2.	3.	Anrede
Nom.	ich	du	er	sie	es	wir	ihr	sie	Sie
Gen.	(mei- ner)	(dei- ner)	(sei- ner)	(ihrer)	(sei- ner)	(unser)	(euer)	(ihrer)	(Ihrer)
Dat.	mir	die	ihm	ihr	ihm	uns	euch	ihnen	Ihnen
Akk.	mich	dich	ihn	sie	es	uns	euch	sie	Sie

Regeln

1. Die Personalpronomen *ich, du, wir, ihr, Sie* bezeichnen im Nominativ, Dativ und Akkusativ immer Personen:
   Ich habe *dich* gestern gesehen. – *Wir* haben *euch* gut verstanden.
   Ich habe *Ihnen* geschrieben. – *Wir* rufen *Sie* wieder an.
2. Die Personalpronomen *er, sie, es,* (Pl.) *sie* beziehen sich im Nominativ, Dativ und Akkusativ auf vorher genannte Personen oder Sachen:
   Der Professor ist verreist. *Er* kommt heute nicht.
   Die Verkäuferin bedient mich oft. Ich kenne *sie* schon lange.
   Die Blumen sind vertrocknet. Ich habe *ihnen* zu wenig Wasser gegeben.
   Das Ergebnis ist jetzt bekannt. *Es* ist negativ ausgefallen.

Anmerkungen

1. a) Die Anrede mit *du* und *ihr* wird bei Kindern, Verwandten und befreundeten Personen gebraucht.
   b) Die Anrede mit *Sie* wird zum Ausdruck der Höflichkeit bei fremden erwachsenen Personen gebraucht. *Sie* kann sich auf eine Einzelperson oder auf mehrere Personen beziehen.
2. a) Man schreibt *du, dich, ihr, euch* usw. mit kleinen Anfangsbuchstaben. Nur in Briefen und Mitteilungen wird *Du, Ihr, Deine Antwort* usw. groß geschrieben.
   b) In der höflichen Anrede schreibt man *Sie, Ihnen, Ihren Brief* usw. immer mit großen Anfangsbuchstaben.

ÜBUNGEN

1 Ersetzen Sie die schräg gedruckten Substantive durch die entsprechenden Pronomen.

1 Einem alten Herrn war sein Hündchen entlaufen, das er sehr liebte. *Der alte Herr* suchte
das Hündchen in allen Straßen und Gärten, aber *der alte Herr* konnte *das Hündchen*
3 nirgendwo finden. Darum ließ *der alte Herr* in der Zeitung eine Belohnung ausschreiben. Wer *dem alten Herrn* das Hündchen wiederbringt, bekommt 500 Mark Belohnung.
5 Als *das Hündchen* nach drei Tagen noch nicht zurückgebracht war, rief der alte Herr

wütend bei der Zeitung an. Aber der Pförtner konnte *den alten Herrn* nicht beruhigen
7 und konnte *dem alten Herrn* auch keine genaue Auskunft geben, weil niemand von den Angestellten der Zeitung anwesend war. „Wo sind *die Angestellten* denn", schrie der alte
9 Herr aufgeregt, „warum kann ich mit keinem von *den Angestellten* sprechen?" „*Die Angestellten* suchen alle nach Ihrem Hündchen", antwortete der Pförtner.

2 Ebenso:

1. In den nächsten Ferien wollen wir mit unseren Verwandten verreisen, wir wissen aber noch nicht, wann es *unseren Verwandten* paßt.
2. Ich habe bei Herrn Schmidt schon zweimal angerufen, aber ich kann *Herrn Schmidt* nicht erreichen.
3. Deine Freundin redet zuviel. Du kannst *deiner Freundin* nichts anvertrauen.
4. Ich habe viele Nachbarn, aber ich kenne *die Nachbarn* nicht.
5. Wir hatten zwei Häuser, aber wir haben *die Häuser* im Krieg verloren.
6. Die Sekretärin hat viel zu tun. Wir wollen *die Sekretärin* jetzt nicht stören.
7. Meine Freunde glauben den Politikern gar nichts, aber *meine Freunde* tadeln *die Politiker* auch nicht.
8. Das Herz des Patienten schlägt sehr schwach. Der Arzt versucht, *das Herz des Patienten* wieder in Bewegung zu bringen.
9. Seit drei Stunden spricht der Professor über das Problem. Aber den Studenten ist *das Problem* immer noch nicht klar.
10. Der Professor versuchte, den Studenten alles genau zu erklären, aber das nützte *den Studenten* gar nichts.
11. Er ärgerte sich über seinen Sohn, deshalb half er *seinem Sohn* nicht.
12. Warum kann dir die Ärztin nicht helfen? Du hast *der Ärztin* doch alles gesagt.
13. Du verstehst die Wörter nicht, aber ich verstehe *die Wörter.*
14. Kinder wollen alles genau wissen. Was man sagt, genügt *den Kindern* meistens nicht.

3 Ergänzen Sie die fehlenden Personalpronomen. Machen Sie die Übung schriftlich, und achten Sie auf die Groß- bzw. Kleinschreibung.

1. Kommst du morgen? Dann gebe ich ... das Buch. ... ist sehr interessant. Gib ...... zurück, wenn du ... gelesen hast.
2. Besuchst ... deinen Bruder? Gib ... bitte dieses Geschenk. ... ist von meiner Schwester. Ich glaube, sie mag ... .
3. Du hast noch meine Schreibmaschine. Gib ...... bitte zurück; ich brauche ... dringend.
4. Hört mal, ihr zwei, ich habe so viele Blumen im Garten; ... könnt euch ruhig ein paar mitnehmen. ... verwelken sonst doch nur.
5. Hier sind herrliche Äpfel aus Tirol, meine Dame. Ich gebe ...... für drei Mark das Kilo. ... sind sehr aromatisch!
6. „Kommst du morgen mit in die Disko?" „... weiß noch nicht. ... rufe ... heute abend an und sage ... Bescheid."
7. Wenn du das Paket bekommst, mach ... gleich auf. Es sind Lebensmittel darin. Leg ... gleich in den Kühlschrank, sonst werden ... schlecht.
8. Geh zu den alten Leuten und gib ... die Einladung. ... freuen sich bestimmt, wenn ...... bekommen.

9. „Also, Herr Maier, ich sage ... jetzt noch einmal: Drehen ... das Radio etwas leiser!" „Aber ich bitte ..., Herr Müller, stört ... das denn?"
10. „Schickst ... den Eltern eine Karte?" „Ich schicke ... keine Karte, ... schreibe ... einen Brief."

§ 5 Possessivpronomen

I Possessivpronomen der 1.–3. Person Singular und Plural im Nominativ

	Singular			*Plural*
	maskulin	feminin	neutral	m + f + n
1.	mein	mcinc	mein	meine
2.	dein	deine	dein	deine
3.	sein	seine	sein	seine
	ihr	ihre	ihr	ihre
	sein	seine	sein	seine
1.	unser	uns(e)**re**	unser	uns(e)**re**
2.	euer	eu(e)**re**	euer	eu(e)**re**
3.	ihr	ihre	ihr	ihre
	Ihr	Ihre	Ihr	Ihre

Regeln

1. Das Possessivpronomen gibt an, zu wem eine Person oder wem eine Sache gehört, d. h., wer der Besitzer ist:
   Das ist meine Tasche = Sie gehörl *mir.*
   Das ist seine Tasche = Sie gehört *dem Chef.*
   Das ist ihre Tasche = Sie gehört *der Kollegin.*
   Das ist unsere Tasche = Sie gehört *uns.*
   Das ist ihre Tasche = Sie gehört *den beiden Kindern.*
2. Die höfliche Anrede *Ihr, Ihre, Ihr* kann sich auf einen oder mehrere Besitzer beziehen:
   Ist das Ihre Tasche? – Ja, sie gehört *mir.*
   Ist das Ihre Tasche? – Ja, sie gehört *uns.*

II Deklination der Possessivpronomen

Singular	maskulin		feminin		neutral	
Nom.	mein	Freund	meine	Freundin	mein	Haus
Gen.	meines	Freundes	meiner	Freundin	meines	Hauses
Dat.	meinem	Freund	meiner	Freundin	meinem	Haus
Akk.	meinen	Freund	meine	Freundin	mein	Haus

Plural	maskulin		feminin		neutral	
Nom.	meine	Freunde	meine	Freundinnen	meine	Häuser
Gen.	meiner	Freunde	meiner	Freundinnen	meiner	Häuser
Dat.	meinen	Freunden	meinen	Freundinnen	meinen	Häusern
Akk.	meine	Freunde	meine	Freundinnen	meine	Häuser

Regeln

1. Die Endung des Possessivpronomens bezieht sich immer auf die Person oder Sache, die *hinter* dem Possessivpronomen steht:
   a) auf den Kasus (Nominativ, Genitiv, Dativ, Akkusativ)
   b) auf das Geschlecht (maskulin, feminin, neutral)
   c) auf die Zahl (Singular oder Plural)

   Das ist mein*e Tasche.* (Nom. Sg. f)
   Ich kenne ihr*en Sohn.* (Akk. Sg. m)
   aber: Ich kenne ihr*e Söhne.* (Akk. Pl. m)

2. Zusammenfassung: Beim Gebrauch des Possessivpronomens müssen Sie also immer zwei Fragen stellen:
   a) Wer ist der „Besitzer"?
   b) Wie ist die richtige Endung?

   Ich hole den Mantel *der Kollegin.* = 3. Person Sg. f
   Ich hole ihr*en* Mantel. = Akk. Sg. m

ÜBUNGEN

1 Üben Sie nach folgenden Mustern. Das Possessivpronomen steht im Nominativ. Führen Sie die Übung selbständig weiter.

a

Wo ist dein Lexikon? – *Mein Lexikon* ist hier!

Wo ist deine Tasche?
Wo ist dein Kugelschreiber?
Wo ist dein Deutschbuch?
Wo ist . . . ?
Wo sind deine Arbeiten?
Wo sind deine Aufgaben?
Wo sind deine Hefte?
Wo sind . . . ?

b

Wo ist mein Mantel? – *Dein Mantel* ist hier!

Sie können Ihre Ungeduld – etwa nach längerem Suchen – äußern: *Wo ist denn nur mein Mantel?*

Wo ist mein Hut?
Wo ist meine Tasche?
Wo sind meine Handschuhe?
Wo ist . . . ?
Wo ist mein Portemonnaie?
Wo ist meine Brieftasche?
Wo sind meine Zigaretten?
Wo sind . . . ?

2 Nehmen Sie die Fragen der Übung 1, und üben Sie.

Wo ist Ihr Lexikon? – *Mein Lexikon* ist hier! Wo ist mein Mantel? – *Ihr Mantel* ist hier!

3 Ergänzen Sie das Possessivpronomen im Dativ.

Das ist Herr Müller mit ...
seiner Familie (f).
... Frau.
... Sohn.
... Töchtern (Pl.).
... Kind.
... Nichte.

Das ist Frau Schulze mit ...
... Freundinnen (Pl.).
... Schwester.
... Tochter.
... Söhnen.
... Mann.
... Enkelkindern.

Das sind Thomas und Irene mit ...
... Spielsachen (Pl.).
... Eltern (Pl.).
... Lehrer (m).
... Fußball (m).
... Freunden (Pl.).
... Mutter.

4 Üben Sie nach folgendem Muster:

Haus (n) / Tante	Das Haus gehört *meiner Tante.*

1. Wagen (m) / Schwiegersohn
2. Garten (m) / Eltern
3. Möbel (Pl.) / Großeltern
4. Fernseher (m) / Untermieterin
5. Bücher (Pl.) / Tochter
6. Teppich (m) / Schwägerin
7. Schmuck (m) / Frau
8. Schallplatten (Pl.) / Sohn

5 Üben Sie nach folgendem Muster. Das Possessivpronomen steht im Akkusativ.

Wo hab' ich nur *meinen Kugelschreiber* hingelegt? (... auf den Tisch gelegt.) *Deinen Kugelschreiber?* Den hast du auf den Tisch gelegt.

In der Antwort können Sie leichte Verwunderung oder Ungeduld ausdrücken: *Den hast du doch auf den Tisch gelegt!* („doch" bleibt unbetont.)
Wo hab' ich nur ...
1. ... Brille (f) hingelegt? (... auf den Schreibtisch gelegt.)
2. ... Jacke (f) hingehängt? (... an die Garderobe gehängt.)
3. ... Handschuhe (Pl.) gelassen? (... in die Schublade gelegt.)
4. ... Schirm (m) hingestellt? (... da in die Ecke gestellt.)
5. ... Bleistift (m) gelassen? (... in die Jackentasche gesteckt.)
6. ... Briefmarken (Pl.) gelassen? (... in die Brieftasche gesteckt.)
7. ... Brief (m) hingetan? (... in den Briefkasten geworfen.)

6 Üben Sie mit den Fragen der Übung 5 jetzt in dieser Weise:

Wo hab' ich nur *meinen Kugelschreiber* hingelegt?
Ihren Kugelschreiber? Den haben Sie auf den Tisch gelegt.

7 Setzen Sie die Possessivpronomen mit den richtigen Endungen ein.

1. Der Minister ist zurückgetreten. Es war ... Entscheidung (f). 2. Wir sind in ein anderes Hotel gezogen. ... altes Hotel (n) war zu laut. 3. Frau Kramm läßt dich grüßen. Sie hat sich über ... Karte (f) sehr gefreut. 4. Müllers ziehen jetzt aus. Nächste Woche ziehen wir in ... Wohnung (f) ein. 5. Sie haben uns beim Umzug sehr geholfen. Wir sind Ihnen sehr dankbar für ... Hilfe (f). 6. Der alte Professor ist gestorben. Seine Frau verkauft jetzt ... Bücher (Pl.). 7. Du telefonierst zuviel! ... Telefonrechnung (f) wird zu hoch. 8. Bald besuchen wir unsere Freunde. Dann sehen wir auch ... neues Haus (n). 9. Jetzt studiert er schon zehn Semester. Im Januar wird er endlich ... Examen (n) machen. 10. Leider haben Sie bisher nicht geantwortet. Wir erwarten dringend ... Antwort (f) auf ... Schreiben (n) vom 3.5. 11. Mein Bruder hat in den Ferien zuviel Geld ausgegeben. ... Schulden (Pl.) bezahle ich nicht! 12. Meine Schwester ist umgezogen. Ich gebe dir ... neue Telefonnummer (f).

8 Setzen Sie die Endungen des Possessivpronomens ein – aber nur da, wo es nötig ist.

Frankfurt, den 30. Mai 198...

Lieber Hans,
Dein__ Antwort (f) auf mein__ Brief (m) hat mich sehr gefreut. So werden wir also unser__ Ferien (Pl.) gemeinsam auf dem Bauernhof mein__ Onkels verbringen.
Sein__ Einladung (f) habe ich gestern bekommen. Er lädt Dich, Dein__ Bruder und mich auf sein__ Bauernhof (m) ein. Mein__ Freude (f) kannst du dir vorstellen. Es war ja schon lange unser__ Plan (m), zusammen zu verreisen.
Mein__ Verwandten (Pl.) haben auf ihr__ Bauernhof (m) allerdings ihr__ eigene Methode (f): Mein__ Onkel verwendet keinen chemischen Dünger, er düngt sein__ Boden (m) nur mit dem Mist sein__ Schafe und Kühe (Pl.). Ebenso macht es sein__ Frau: ihr__ Gemüsegarten (m) düngt sie nur mit natürlichem Dünger. Ihr__ Gemüse (n) und ihr__ Obst (n) wachsen völlig natürlich! Sie braucht keine gefährlichen Gifte gegen Unkraut oder Insekten, und ihr__ Obstbäume (Pl.) wachsen und gedeihen trotzdem. Deshalb schmecken ihr__ Äpfel und Birnen (Pl.) auch besser als unser__ gekauften Früchte (Pl.). Ihr__ Hühner und Gänse (Pl.) laufen frei herum; nur abends treibt sie mein__ Onkel in ihr__ Ställe (Pl.). Dort legen sie Eier und brüten ihr__ Küken (Pl.) aus; das wird dein__ kleinen Bruder interessieren!
Die Landwirtschaft mein__ Verwandten (Pl.) ist übrigens sehr modern. Ihr__ Haushalt (m) versorgen sie mit Warmwasser aus Sonnenenergie; sogar die Wärme der Milch ihr__ Kühe (Pl.) verwenden sie zum Heizen! Die Maschinen sind die modernsten ihr__ Dorfes (n).
Mein__ Verwandten sind noch sehr jung: mein__ Onkel ist 30, mein__ Tante 25 Jahre alt. Ich finde ihr__ Leben (n) und ihr__ Arbeit (f) sehr richtig und sehr gesund. Aber Du wirst Dir Dein__ Meinung (f) selbst bilden.

Herzliche Grüße Dein__ Klaus

§ 6 Konjugation der Verben

I Vorbemerkungen

1. Das Verb besteht aus einem *Stamm* und einer *Endung*:
   lach-en, folg-en, trag-en, geh-en
2. Es gibt *schwache* und *starke* Verben sowie einige Mischverben.
3. Die *schwachen* Verben werden *regelmäßig* konjugiert. Die meisten deutschen Verben sind schwach.
   Die *starken* Verben und die *Mischverben* werden *unregelmäßig* konjugiert. Diese Gruppe von Verben ist kleiner; man sollte sie lernen (siehe Anhang).
4. Man lernt die Verben mit Hilfe der *Stammformen.* Aus ihnen kann man alle anderen Formen ableiten. Die Stammformen sind:
   a) Infinitiv — lachen, tragen
   b) Imperfekt — er lachte, er trug
   c) Partizip Perfekt — gelacht, getragen
5. Das Partizip Perfekt wird mit der Vorsilbe *ge-* und der Endung *–t* (= schwache Verben) oder *–en* (= starke Verben) gebildet:
   lachen – *ge*lach*t,* einkaufen – ein*ge*kauf*t*
   tragen – *ge*trag*en,* anfangen – an*ge*fang*en*
   (Partizip Perfekt ohne *ge,* siehe § 8)
6. Die meisten Verben bilden das Perfekt und das Plusquamperfekt mit dem Hilfsverb *haben,* einige mit dem Hilfsverb *sein* (siehe § 12).

II Konjugation der schwachen Verben

mit **haben**

	Präsens	*Imperfekt*	*Perfekt*	*Plusquamperfekt*
Singular	ich lach**e**	ich lach**te**	ich habe gelach**t**	ich hatte gelach**t**
	du lach**st**	du lach**test**	du hast gelach**t**	du hattest gelach**t**
	er / sie / es lach**t**	er / sie / es lach**te**	er / sie / es hat gelach**t**	er / sie / es hatte gelach**t**
Plural	wir lach**en**	wir lach**ten**	wir haben gelach**t**	wir hatten gelach**t**
	ihr lach**t**	ihr lach**tet**	ihr habt gelach**t**	ihr hattet gelach**t**
	sie lach**en**	sie lach**ten**	sie haben gelach**t**	sie hatten gelach**t**

	Futur I	*Futur II*
Singular	ich werde lachen	ich werde gelacht haben
	du wirst lachen	du wirst gelacht haben
	er / sie / es wird lachen	er / sie / es wird gelacht haben

	Futur I	Futur II
Plural	wir werden lachen ihr werdet lachen sie werden lachen	wir werden gelacht haben ihr werdet gelacht haben sie werden gelacht haben

mit **sein**

	Präsens	*Imperfekt*	*Perfekt*	*Plusquamperfekt*
Singular	ich folg**e**	ich folg**te**	ich bin gefolg**t**	ich war gefolg**t**
	du folg**st**	du folg**test**	du bist gefolg**t**	du warst gefolg**t**
	er / sie / es folg**t**	er / sie / es folg**te**	er / sie / es ist gefolg**t**	er / sie / es war gefolg**t**
Plural	wir folg**en**	wir folg**ten**	wir sind gefolg**t**	wir waren gefolg**t**
	ihr folg**t**	ihr folg**tet**	ihr seid gefolg**t**	ihr wart gefolg**t**
	sie folg**en**	sie folg**ten**	sie sind gefolg**t**	sie waren gefolg**t**

	Futur I	*Futur II*
Singular	ich werde folgen	ich werde gefolgt sein
	du wirst folgen	du wirst gefolgt sein
	er / sie / es wird folgen	er / sie / es wird gefolgt sein
Plural	wir werden folgen	wir werden gefolgt sein
	ihr werdet folgen	ihr werdet gefolgt sein
	sie werden folgen	sie werden gefolgt sein

Regeln

1. Die schwachen Verben ändern den Vokal in den Stammformen nicht.
2. Die Endungen im Imperfekt werden mit *–te-* gebildet.
3. Im Partizip Perfekt haben die schwachen Verben die Endung *–t.*
4. Das Futur I wird mit *werden* und dem Infinitiv des Vollverbs gebildet. (Gebrauch, siehe § 21)
5. Das Futur II wird mit *werden* und dem Infinitiv Perfekt (= Partizip Perfekt + *haben* oder *sein*) gebildet. (Gebrauch, siehe § 21)

Anmerkungen

1. Zur Frageform *(Lachst du? Lacht ihr? Lachen Sie?)* siehe § 17.
2. Zum Imperativ *(Lach! Lacht! Lachen Sie!)* siehe § 11.

ÜBUNGEN

1 Konjugieren Sie die Reihen 1 bis 3 im Präsens (ich schicke, du heilst, usw.), im Imperfekt und im Perfekt.

	1	2	3
Sg. 1. Person	schicken	glauben	zählen
2.	heilen	kaufen	schicken
3.	fragen	jagen	kochen
Pl. 1.	legen	weinen	drehen
2.	führen	lachen	stecken
3.	stellen	bellen	rühren

2 Üben Sie a) nach dem linken, b) nach dem rechten Muster.

Benutzt du ein Wörterbuch? Ja, *ich benutze* ein Wörterbuch. *Er benutzt* ein Wörterbuch!	Benutzt ihr ein Wörterbuch? Ja, *wir benutzen* ein Wörterbuch. *Sie benutzen* ein Wörterbuch!

Ihr Interesse können Sie verstärkt ausdrücken: *Benutzt du eigentlich ein Wörterbuch?* Sie können in der Antwort auf das Selbstverständliche hinweisen: *Ja, natürlich benutze ich ein Wörterbuch.* Oder noch stärker: *Ja, selbstverständlich benutze ich ...*

1. Reparierst du das Rad selbst? 2. Holst du den Koffer mit dem Taxi? 3. Machst du den Kaffee immer so? 4. Brauchst du heute das Auto? 5. Wiederholst du die Verben? 6. Übst du immer laut? 7. Kletterst du über die Mauer? 8. Sagst du es dem Wirt?

3 Machen Sie die Übung 2 jetzt im Perfekt.

4 Geben Sie dem Verb in der Klammer die richtigen Präsensendungen. Sprechen und schreiben Sie die Sätze.

1. Er (zeigen) ihr den Weg. Wir ... euch die Lösung. Ich ... dir das Fotoalbum. Wann ... du mir die Bilder? Sie ... uns Haus und Garten. Warum ... ihr uns die Arbeiten nicht? ... Sie mir Ihren Plan?
2. Wo (kaufen) Sie die Getränke? ... du das Brot auch hier? Wir ... es immer bei Lehmann. Aber Hans ... es bei Prüfer. Wo ... ihr die Lebensmittel? Ich ... sie im Kaufhaus.
3. Was (sagen) er? Herr Maier, ... Sie wirklich die Wahrheit? Wer ... es ihm? Ich ... es ihm nicht. ... du es ihm?
4. Er (hören) nicht gut. ... du mich? Warum ... die Leute nichts? Ich ... ein Flugzeug. ... ihr den Vogel? Nein, wir ... ihn nicht.

5 Üben Sie mit obigen Sätzen jetzt das Perfekt.

Er *hat* ihr den Weg *gezeigt.* Wir ...

III Konjugation der starken Verben*

mit **haben**

	Präsens	*Imperfekt*	*Perfekt*	*Plusquamperfekt*
Singular	ich trag**e**	ich trug	ich habe getrag**en**	ich hatte getrag**en**
	du träg**st**	du trug**st**	du hast getrag**en**	du hattest getrag**en**
	er	er	er	er
	sie träg**t**	sie trug	sie hat getrag**en**	sie hatte getrag**en**
	es	es	es	es
Plural	wir trag**en**	wir trug**en**	wir haben getrag**en**	wir hatten getrag**en**
	ihr tragt	ihr trugt	ihr habt getrag**en**	ihr hattet getrag**en**
	sie trag**en**	sie trug**en**	sie haben getrag**en**	sie hatten getrag**en**

mit **sein**

	Präsens	*Imperfekt*	*Perfekt*	*Plusquamperfekt*
Singular	ich geh**e**	ich ging	ich bin gegang**en**	ich war gegang**en**
	du geh**st**	du ging**st**	du bist gegang**en**	du warst gegang**en**
	er	er	er	er
	sie geh**t**	sie ging	sie ist gegang**en**	sie war gegang**en**
	es	es	es	es
Plural	wir geh**en**	wir ging**en**	wir sind gegang**en**	wir waren gegang**en**
	ihr geh**t**	ihr ging**t**	ihr seid gegang**en**	ihr wart gegang**en**
	sie geh**en**	sie ging**en**	sie sind gegang**en**	sie waren gegang**en**

Regeln

1. Die starken Verben ändern den Stammvokal im Imperfekt und meistens im Partizip Perfekt:
   f*i*nden, f*a*nd, gef*u*nden — tr*a*gen, tr*u*g, getr*a*gen

   Bei manchen Verben ändert sich der gesamte Stamm:
   gehen, *ging, gegangen* — sein, *war, gewesen*

2. In der 1. und 3. Person Singular Imperfekt haben die starken Verben keine Endung:
   ich/er trug; ich/er ging

3. Einige starke Verben haben in der 2. und 3. Person Singular Präsens eine Sonderform. Diese besonderen Präsensformen muß man mitlernen, z. B.:
   ich gebe – du g*i*bst, er g*i*bt
   ich nehme – du n*i*mmst, er n*i*mmt
   ich lese – du l*ie*st, er l*ie*st
   ich schlafe – du schl*ä*fst, er schl*ä*ft
   ich lasse – du l*ä*ßt, er l*ä*ßt
   ich stoße – du st*ö*ßt, er st*ö*ßt
   ich laufe – du l*äu*fst, er l*äu*ft

---
* Alphabetische Liste, siehe Anhang.

4. Im Partizip Perfekt haben die starken Verben die Endung *-en*.
5. Das Futur I wird mit *werden* und dem Infinitiv des Vollverbs *(ich werde tragen/gehen)*, das Futur II mit *werden* und dem Infinitiv Perfekt *(ich werde getragen haben / gegangen sein)* gebildet.

ÜBUNGEN

1 Ergänzen Sie Verben mit Vokaländerung in der 2. Person Singular Präsens.

Ich esse Fisch. Was ... du? Ich esse Fisch. Was *ißt* du?

1. Ich brate mir ein Kotelett. Was ... du dir? 2. Ich empfehle den Gästen immer das „Hotel Europa". Was ... du ihnen? 3. Ich fange jetzt mit der Arbeit an. Wann ... du an? 4. Ich gebe dem Jungen eine Mark. Was ... du ihm? 5. Ich halte mir einen Hund. ... du dir auch einen? 6. Ich helfe ihr immer montags. Wann ... du ihr? 7. Ich verlasse mich nicht gern auf ihn. ... du dich denn auf ihn? 8. Ich laufe hundert Meter in 14 Sekunden. Wie schnell ... du? 9. Ich lese gern Krimis. Was ... du gern? 10. Ich nehme ein Stück Kirschtorte. Was ... du? 11. Ich rate ihm zu fliegen. Was ... du ihm? 12. Ich schlafe immer bis sieben. Wie lange ... du? 13. Ich spreche sofort mit dem Chef. Wann ... du mit ihm? 14. Ich sehe das Schiff nicht. ... du es? 15. Ich trage den Koffer. ... du die Tasche? 16. Ich treffe sie heute nicht. ... du sie? 17. Ich vergesse die Namen so leicht. ... du sie auch so leicht? 18. Ich wasche die Wäsche nicht selbst. ... du sie selbst? 19. Ich werde im Mai 25. Wann ... du 25? 20. Ich werfe alte Flaschen nicht in den Mülleimer. ... du sie in den Mülleimer?

2 Sagen Sie die Sätze im Singular.

1. Die Kinder (n) blasen die Flöte. 2. Die Türken empfangen die Radionachrichten aus Ankara erst abends. 3. Die Münzen (f) fallen in den Automaten. 4. Die Löwen (m) fressen die Schafe (n). 5. Die Fischer geraten in einen Sturm. 6. Es geschehen leider keine Wunder (n) mehr. 7. Die Arbeiter graben ein Loch. 8. Die Demonstranten tragen Schilder (n). 9. Die Räuber laden die Pistolen (f). 10. Die Schüler messen die Temperaturen (f) der Flüssigkeiten (f). 11. Die Eiszapfen (m) schmelzen in der Sonne schnell. 12. Die Diebe stehlen ein Auto. 13. Die Patienten sterben nicht an der Vergiftung. 14. Die Truppen (f) stoßen auf Widerstand. 15. Die Gäste (m) betreten die Wohnung. 16. Die Fische (m) verderben in der Hitze schnell. 17. Die Pflanzen (f) wachsen bei der Kälte nicht. 18. Die Firmen (die Firma) werben für ihre Waren (f).

3 Setzen Sie die Übung 1 (ohne die Fragen!) ins Perfekt und die Übung 2 ins Imperfekt.

IV Konjugation der Verben mit Hilfs-e

Schwache Verben

	Präsens	*Imperfekt*	*Perfekt*
Singular	ich antworte	ich antwortete	ich habe geantwortet
	du antwortest	du antwortetest	du hast geantwortet
	er antwortet	er antwortete	er hat geantwortet
Plural	wir antworten	wir antworteten	wir haben geantwortet
	ihr antwortet	ihr antwortetet	ihr habt geantwortet
	sie antworten	sie antworteten	sie haben geantwortet

Starke Verben

	Präsens	*Imperfekt*	*Perfekt*
Singular	ich biete	ich bot	ich habe geboten
	du bietest	du botest	du hast geboten
	er bietet	er bot	er hat geboten
Plural	wir bieten	wir boten	wir haben geboten
	ihr bietet	ihr botet	ihr habt geboten
	sie bieten	sie boten	sie haben geboten

Regeln

1. Verben, deren Stamm auf *–d–* oder *–t–* endet, brauchen ein Hilfs-*e* vor den Endungen auf *–st, –te, –t.*
2. Dieselben Regeln gelten für Verben, deren Stamm auf *–m–* oder *–n–* endet, aber nur, wenn ein anderer Konsonant (nicht *r*) davorsteht:
   atmen: er atm*e*t, du atm*e*test, er hat geatm*e*t
   rechn-en: du rechn*e*st, wir rechn*e*ten, ihr rechn*e*tet

ÜBUNGEN

1 Bilden Sie Fragen.

Die Bauern reiten ins Dorf.	Wer *reitet* ins Dorf?

1. Die Verkäufer bieten einen günstigen Preis. 2. Einige Parteimitglieder schaden der Partei. 3. Die Kinder baden schon im See. 4. Die Frauen öffnen die Fenster. 5. Die Angestellten rechnen mit Computern. 6. Die Sportler reden mit dem Trainer. 7. Die Schauspieler verabschieden sich von den Gästen. 8. Die Fußballspieler gründen einen Verein. 9. Die Politiker fürchten eine Demonstration. 10. Die Sanitäter retten die Verletzten. 11. Die Fachleute testen das Auto. 12. Die Schüler warten auf die Straßenbahn. 13. Die Techniker zeichnen die Maschinenteile. 14. Die Jungen streiten mit den Mädchen.

2 Nehmen Sie die Sätze der Übung 1, und setzen Sie sie nacheinander ins Imperfekt und dann ins Perfekt.

3 Bilden Sie Sätze.

die Schuhe nicht am Ofen trocknen A: Ich *trockne* die Schuhe nicht am Ofen. B: Warum *trocknest* du die Schuhe nicht am Ofen?

1. das Pferd an den Baum binden 2. den Park bei Dunkelheit meiden 3. das Gras jede Woche schneiden 4. die Aufgabe mit dem Taschenrechner rechnen 5. die Stadt auf der Landkarte nicht finden 6. jeden Tag zwölf Stunden arbeiten 7. den Diebstahl nicht der Polizei melden 8. nicht länger auf den Bus warten 9. den Chef jetzt um Versetzung bitten 10. das Geschenkpaket nicht vor Weihnachten öffnen 11. den Verwandten jeden Monat fünfzig Mark senden 12. mit dem Nachbarn nicht mehr reden

4 Bilden Sie mit den Wörtern der Übung 3 Sätze im Imperfekt und Perfekt.

die Schuhe nicht am Ofen trocknen Er *trocknete* die Schuhe nicht am Ofen. Er *hat* die Schuhe nicht am Ofen *getrocknet.*

V Konjugation der Mischverben

Präsens	*Imperfekt*	*Perfekt*
ich denk**e**	ich dach**te**	ich habe gedach**t**
du denk**st**	du dach**test**	du hast gedach**t**
er denk**t**	er dach**te**	er hat gedach**t**
wir denk**en**	wir dach**ten**	wir haben gedach**t**
ihr denk**t**	ihr dach**tet**	ihr habt gedach**t**
sie denk**en**	sie dach**ten**	sie haben gedach**t**

Regeln

1. Die Mischverben haben die Endungen der schwachen Verben.
2. Die Mischverben ändern aber den Vokal in den Stammformen; deshalb muß man sie zusammen mit den starken Verben lernen.
3. Zu dem Mischverben gehören noch *brennen, bringen, kennen, nennen, rennen, senden, wenden, wissen* und die Modalverben (siehe alphabetische Liste im Anhang).

ÜBUNGEN

1 Bilden Sie von den folgenden Sätzen das Imperfekt und Perfekt:

1. Die Abiturienten bringen die Bücher zur Bibliothek. 2. Meine Schwestern denken gern an den Urlaub im letzten Jahr. 3. Die Nachbarn wissen Bescheid. 4. Ihr kennt die

Aufgabe. 5. Die Mieter senden dem Hausbesitzer einen Brief. 6. Ihr wißt seit langem Bescheid. 7. Die Teilnehmer denken an den Termin. 8. Die Lampen im Wohnzimmer brennen.

2 Setzen Sie die Sätze der Übung 1 in den Singular, und üben Sie noch einmal Imperfekt und Perfekt.

3 Bilden Sie Fragen im Präsens und Perfekt.

1. (bringen) ihr ihm die Post nicht? 2. (wissen) Sie nichts von dem Vorfall? 3. (denken) du an die Verabredung? 4. (nennen) er die Namen der Mitarbeiter nicht? 5. (senden) ihr den Brief mit Luftpost? 6. (brennen) die Heizung im Keller nicht?

VI Sonderregeln zur Konjugation

1. Wenn der Stamm auf *–s–*, *–ß–* oder *–z–* endet, steht in der 2. Person Singular Präsens nur die Endung *–t:*

le*s*-en: du lies*t*	ra*s*-en: du ras*t*	la*ss*-en: du läß*t*
mü*ss*-en: du muß*t*	hei*z*-en: du heiz*t*	schüt*z*-en: du schütz*t*

2. Schwache Verben auf *–eln* und *–ern* haben in der 1. und 3. Person Plural nur die Endung *–n.* Die Formen entsprechen also immer dem Infinitiv:

kling*eln*:	wir klinge*ln,* sie klinge*ln*	Imperativ: *Klingle!*
läch*eln*:	wir läche*ln,* sie läche*ln*	Imperativ: *Lächle!*
streich*eln*:	wir streiche*ln,* sie streiche*ln*	Imperativ: *Streichle!*
änd*ern*:	wir ände*rn,* sie ände*rn*	Imperativ: *Ändre!*
förd*ern*:	wir förde*rn,* sie förde*rn*	Imperativ: *Fördre!*
rud*ern*:	wir rude*rn,* sie rude*rn*	Imperativ: *Rudre!*

Bei den Verben auf *–eln* fällt in der 1. Person Singular Präsens das *e* weg: ich läch*le,* ich kling*le*

3. Das Verb *wissen* hat Sonderformen im Singular Präsens: ich *weiß,* du *weißt,* er *weiß,* wir wissen, ihr wißt, sie wissen

ÜBUNGEN

1 Bilden Sie die 2. Person Singular Präsens von folgenden Verben:

gießen, messen, schließen, sitzen, stoßen, vergessen, wissen, lassen, beißen, fließen, schmelzen, heizen

2 Bilden Sie Fragen.

die Blumen gießen	*Gießt* du auch immer die Blumen?

1. den Benzinverbrauch messen 2. die Tür verschließen 3. abends noch am Schreibtisch sitzen 4. so leicht die Namen vergessen 5. nachts das Fenster offen lassen 6. so wenig essen 7. nur ein Zimmer heizen 8. deine Nachbarn grüßen

3 Bilden Sie die 1. Person Präsens Singular und Plural von folgenden Verben:

angeln, wechseln, bügeln, sich ekeln, handeln, klingeln, schaukeln, stempeln, zweifeln
ändern, liefern, wandern, bedauern, hindern, erwidern, flüstern, verhungern, zerkleinern

4 Üben Sie nach folgendem Muster:

Wechselst du dein Geld denn nicht? – Doch, natürlich *wechsle* ich es!

1. Bügelst du denn nicht alle Hemden? 2. Ekelst du dich denn nicht vor Schlangen? (vor ihnen) 3. Handelst du denn nicht mit den Verkäufern? 4. Zweifelst du denn nicht an der Wahrheit seiner Aussage? (daran) 5. Regelst du denn deine Steuerangelegenheiten nicht selbst? 6. Klingelst du denn nicht immer zweimal, wenn du kommst? 7. Plauderst du denn nicht gern mit deinen Nachbarn? 8. Änderst du denn nicht deine Reisepläne? 9. Lieferst du denn deine Arbeit nicht ab? 10. Wanderst du denn nicht gern? 11. Bedauerst du denn seine Absage nicht? 12. Förderst du denn nicht unsere Interessengemeinschaft?

5 Üben Sie mit den Beispielen der Übung 4.

Wechselt ihr euer Geld denn nicht? – Nein, wir *wechseln* es nicht.

„denn" in der Frage können Sie auch durch „eigentlich" ersetzen; statt „natürlich" in der Antwort können Sie auch sagen: „selbstverständlich".

§ 7 Trennbare Verben

Infinitiv: zu/hören, weg/laufen

Präsens	*Imperfekt*	*Perfekt*
ich **höre . . . zu**	ich **hörte . . . zu**	ich **habe . . . zugehört**
ich **laufe . . . weg**	ich **lief . . . weg**	ich **bin . . . weggelaufen**

Regeln

1. Trennbare Verben werden mit Verbzusätzen – meist Präpositionen – zusammengesetzt, deren Sinn bekannt oder leicht verständlich ist: z.B. *ab-, an-, auf-, aus-, bei-, ein-, fest-, hin-, her-, los-, mit-, vor-, weg-, zu-, zurück-, zusammen-,* u.a. Sie werden beim Sprechen betont.
2. In Hauptsätzen wird im Präsens und Imperfekt der Verbzusatz vom konjugierten Verb getrennt und ans Ende des Satzes gestellt:
   Er *hörte* gestern abend dem Redner eine halbe Stunde lang *zu.*
3. Im Perfekt und Plusquamperfekt steht der Verbzusatz wieder mit dem Partizip zusammen:
   Er hat dem Redner eine halbe Stunde lang *zugehört.*

4. Auch andere Verbzusätze können mit Stammverben zu trennbaren Verben zusammengesetzt werden:
   Er hat sein Auto *kaputt*gefahren.
   Sie hat das Insekt *tot*getreten.
   Er hat den ganzen Abend *fern*gesehen.
   Ich bin heute zwei Stunden *spazieren*gegangen.
   Haben Sie an der Versammlung *teil*genommen?

Anmerkungen

1. Zur Frageform: *Hörst du zu? Hast du zugehört?*
2. Zum Imperativ: *Hör zu! Hört zu! Hören Sie zu!*

ÜBUNGEN

1 Üben Sie das Präsens der trennbaren Verben.

a) Von der Arbeit einer Sekretärin

Telefonate weiterleiten	Sie *leitet* Telefonate *weiter*.

1. Besucher anmelden
2. Aufträge durchführen
3. Gäste einladen
4. Termine absprechen
5. Post abholen
6. Besprechungen vorbereiten
7. wichtige Papiere bereithalten
8. Geschäftsfreunde anschreiben

b) Was hat die Sekretärin alles gemacht?

Sie *hat* Telefonate *weitergeleitet*. Sie *hat* . . .

c) Von der Arbeit einer Hausfrau

einkaufen	Sie *kauft ein*.

1. das Essen vorbereiten
2. das Geschirr abwaschen und es abtrocknen
3. alles in den Schrank zurückstellen
4. Möbel abstauben
5. die Wäsche aus der Waschmaschine herausnehmen und sie aufhängen
6. die Wäsche abnehmen, sie zusammenfalten und sie weglegen
7. die Kinder an- und ausziehen
8. die Kinder zum Kindergarten bringen und sie von dort wieder abholen
9. Geld von der Bank abheben

d) Abends fragt sie sich:

Was habe ich eigentlich alles gemacht? Ich *habe eingekauft, habe* das . . . , usw.

e) Halten Sie schriftlich fest:

Sie *kaufte ein, bereitete* das . . . , usw.

2 Ebenso:

a) Einige Aufträge

Bitte die Bücher gleich abgeben! – Ja, wir *geben* die Bücher gleich *ab*.

Die Antwort kann beruhigend wirken, wenn Sie das „Ja" verdoppeln und unbetont lassen: *Ja, ja, wir* ... Sie drücken Ihre Ungeduld aus, wenn Sie „ja, ja" betonen: *Ja, jaa, wir* ...

Bitte

1. den Brief heute noch absenden!
2. das Paket sofort abschicken!
3. die Nachricht weitergeben!
4. das Einschreiben abholen!
5. Papier und Kugelschreiber mitbringen!
6. die Ankunft der Gäste sofort mitteilen!
7. die Termine gleich aufschreiben!
8. die Anmeldung im Büro abgeben!
9. mit der Arbeit anfangen!

b) Üben Sie jetzt das Perfekt.

Bitte die Bücher gleich abgeben! – Wir *haben* die Bücher doch schon *abgegeben*!

Sie können Ihre Ungeduld verstärkt äußern: *Ja, wir haben die Bücher doch schon abgegeben!* (Betonung auf „haben"; „doch" bleibt unbetont.)

c) Notieren Sie im Imperfekt. Lassen Sie die Adverbien „heute noch" und „sofort" weg.

Sie *gaben* die Bücher *ab*; sie ...

3 Ergänzen Sie die Sätze mit trennbaren Verben.

a) Bei einer Flugreise:	**Was macht der Passagier?**
Wir landen in wenigen Minuten!	
Bitte	
1. aufhören zu rauchen!	Er *hört auf* zu rauchen.
2. anschnallen!	Er ... sich ...
3. vorn aussteigen!	Er ...
4. die Flugtickets vorzeigen!	Er ... die Flugtickets ...
5. den Koffer aufmachen!	Er ...
6. das Gepäck mitnehmen!	Er ...
7. die Zolldeklaration ausfüllen!	Er ...
8. den Paß abgeben!	Er ...

b) Erzählen Sie dann Ihrem Partner:

Ich *habe aufgehört* zu rauchen. Ich *habe mich* .... Ich *bin* ..., usw.

c) Schreiben Sie nun auf:

Er *hörte auf* zu rauchen. Er ..., usw.

4 Ein Abteilungsleiter hat seine Augen überall. Üben Sie nach folgendem Muster:

Hat Inge die Pakete schon weggebracht? – Nein, sie *bringt* sie gerade *weg*.

1. Hat Udo die Flaschen schon aufgestellt? – Nein, er ...
2. Hat Frau Schneider die Waren schon ausgezeichnet?
3. Hat Fritz den Abfall schon rausgebracht?
4. Hat Reimar schon abgerechnet?
5. Hat die Firma Most das Waschpulver schon angeliefert?
6. Hat Frau Holzinger die Preistafeln schon aufgehängt?
7. Hat Uta den Keller schon aufgeräumt?
8. Hat die Glasfirma die leeren Flaschen schon abgeholt?
9. Hat Frau Vandenberg die neue Lieferung schon ausgepackt?
10. Hat Herr Kluge die Bestellisten schon ausgeschrieben?
11. Hat Gerda die Lagerhalle schon aufgeräumt?

5a) Hier gibt's Ärger!

Sie zieht den Vorhang auf. (zu-)	Er *zieht* ihn wieder *zu*.

1. Sie schließt die Tür auf. (zu-)
2. Sie dreht den Wasserhahn auf. (zu-)
3. Sie schaltet das Radio an. (ab-)
4. Sie packt die Koffer ein. (aus-)
5. Sie macht die Fenster auf. (zu-)
6. Sie hängt die Bilder auf. (ab-)

b) Wie war das bei den beiden? Üben Sie das Perfekt mit den Sätzen der Übung 5a.

Sie *hat* den Vorhang *aufgezogen;* er *hat* ihn wieder *zugezogen.*

§ 8 Untrennbare Verben

Präsens	*Imperfekt*	*Perfekt*
ich **erzähle**	ich **erzählte**	ich **habe** ... **erzählt**
ich **verstehe**	ich **verstand**	ich **habe** ... **verstanden**

Regeln

1. Untrennbare Verben werden mit kurzen Vorsilben zusammengesetzt, deren Sinn kaum noch verständlich ist: z.B. *be-, emp-, ent-, er-, ge-, miß-, ver-, zer-,* u.a. Sie werden beim Sprechen nicht betont.
2. Diese Vorsilben geben dem Verb eine neue Bedeutung, die man aus dem Stammverb meistens nicht ableiten kann:
   Ich *suche* den Schlüssel. Aber: Ich *besuche* meinen Onkel.

Sie *zählt* das Geld. Aber: Sie *erzählt* ein Märchen.
Wir *stehen* im Flur. Aber: Wir *verstehen* den Text.

3. Im Präsens und Imperfekt steht die Vorsilbe mit dem Verb zusammen:
   ich *ver*suche, ich *ver*suchte; ich *be*komme, ich *be*kam
4. Beim Partizip Perfekt fällt das sonst übliche *ge* weg:
   er hat berichtet, er hat erklärt, er hat verstanden

Anmerkungen

1. Auch bei Verben auf *–ieren* und *–eien* fällt das *ge* im Partizip Perfekt weg:
   studieren – er hat studiert; regieren – er hat regiert; prophezeien – er hat prophezeit
2. Verben mit dem Verbzusatz *hinter–* werden untrennbar gebraucht.
   Er *hinter*läßt seinem Sohn einen Bauernhof.
3. Einige Verben mit einer untrennbaren Vorsilbe haben kein eigenes Stammverb mehr:
   z. B. *gelingen, verlieren* u. a.
4. Zur Frageform: *Versteht ihr das? Habt ihr das verstanden?*
5. Zum Imperativ: *Erzähl! Erzählt! Erzählen Sie!*

ÜBUNGEN

1 Setzen Sie das Verb in die richtige Präsens- und Perfektform. (Das Perfekt wird hier immer mit „haben" gebildet.)

1. Der Arzt (verbieten) meinem Vater das Rauchen. 2. Die Kinder (empfinden) die Kälte nicht. 3. Der Student (beenden) seine Doktorarbeit. 4. Auch der Wirtschaftsminister (erreichen) keine Wunder. 5. Seine Freundin (gefallen) mir gut. 6. Heute (bezahlen) Gustl die Runde. 7. Wer (empfangen) die Gäste? 8. Die Schauspielerin (erobern) die Herzen ihrer Zuschauer. 9. Franz und Sigrun (erreichen) den Zug nicht mehr. 10. Warum (versprechen) er sich eigentlich dauernd? 11. Heinz (beachten) die Ampel nicht und (verursachen) leider einen Unfall. 12. Die Stadtverordneten (beschließen) den Bau des Schwimmbades. 13. Der Vater (versprechen) der Tochter eine Belohnung. 14. Du (zerstören) unsere Freundschaft! 15. Paul (vergessen) bestimmt wieder seine Schlüssel! 16. Der Architekt (entwerfen) einen Bauplan.

2 Setzen Sie die Sätze mit den untrennbaren Verben ins Präsens und Imperfekt.

1. Die Eltern haben das Geschenk versteckt. 2. Er hat mir alles genau erklärt. 3. Der Hausherr hat unseren Mietvertrag zerrissen. 4. Die Kinder haben die Aufgaben vergessen. 5. Die Fußballmannschaft hat das Spiel verloren. 6. Der Medizinstudent hat die erste Prüfung bestanden. 7. Ich habe ihm vertraut. 8. Der Ingenieur hat einen neuen Lichtschalter erfunden. 9. In der Vorstadt ist eine neue Wohnsiedlung entstanden. 10. Das Kind hat die chinesische Vase zerbrochen. 11. Der alte Professor hat die Frage des Studenten gar nicht begriffen. 12. Er hat mich immer mit seiner Freundin verglichen. 13. Wir haben den Bahnhof rechtzeitig erreicht. 14. Er hat seine Gäste freundlich empfangen. 15. Auf dem langen Transport ist das Fleisch verdorben.

3 Üben Sie das Perfekt der untrennbaren Verben.

Man versteht dich ja! – Bis jetzt *hat* mich noch niemand *verstanden*!

1. Du verärgerst ihn bestimmt! – Bis jetzt habe ich ihn nicht . . . ! 2. Man entläßt ihn sicher! – . . . hat man ihn jedenfalls noch nicht . . . ! 3. Du erkältest dich! – . . . habe ich mich jedenfalls noch nicht . . . ! 4. Sie bezahlen deine Unkosten! – . . . haben sie sie noch nicht . . . ! 5. Beachtet man die Vorschriften? – . . . hat sie kein Mensch . . . ! 6. Enttäuscht sie dich? – . . . hat sie mich jedenfalls noch nicht . . . ! 7. Die Diebe entkommen ja! – . . . ist noch niemand . . . ! 8. Hier erstickt man ja! – . . . ist hier noch niemand . . . ! 9. Ich verdurste! – . . . ist bei uns noch niemand . . . ! 10. Erscheint der Notarzt denn nicht? – . . . ist er noch nicht . . . ! 11. Verreist sie schon wieder? – . . . ist sie noch nicht . . . ! 12. Die Blumen vertrocknen ja! – . . . sind sie jedenfalls noch nicht . . . ! 13. Du vergißt wieder alles! – . . . habe ich jedenfalls noch nichts . . . ! 14. Warum belügst du mich? – . . . habe ich dich überhaupt nicht . . . !

4 Ebenso:

1. Man enteignet die Leute! – Bis jetzt hat man noch niemand . . . ! 2. Man entläßt die Arbeiter! – . . . hat man noch niemand . . . ! 3. Man verklagt die Anführer! – . . . hat man sie noch nicht . . . ! 4. Man verbietet ihnen alles! – . . . hat man ihnen noch nichts . . . ! 5. Man bedroht die Leute! – . . . hat man noch niemand . . . ! 6. Begreifen die Leute endlich? – . . . hat noch niemand etwas . . . ! 7. Verhungern die Leute nicht? – . . . ist noch niemand . . . ! 8. Verlangen sie nicht Unmögliches? – . . . haben sie nichts Unmögliches . . . ! 9. Der Versuch mißlingt! – . . . ist er noch nicht . . . ! 10. Das Fleisch verdirbt bestimmt! – . . . ist es jedenfalls nicht . . . ! 11. Das Glas zerspringt bestimmt! – . . . ist es jedenfalls noch nicht . . . ! 12. Bekämpft man den Lärm nicht? – . . . hat ihn noch niemand . . . ! 13. Du vergißt deine Freunde: – . . . habe ich sie noch nicht . . . ! 14. Vermißt du die Zigaretten nicht? – . . . habe ich sie noch nicht . . . !

5 Üben Sie das Perfekt der trennbaren und untrennbaren Verben.

Vorschläge der Bevölkerung:

1. den Park erweitern
2. Sträucher anpflanzen
3. Straßen verbreitern
4. einen Busbahnhof anlegen
5. neue Buslinien einrichten
6. den Sportplatz vergrößern
7. das Clubhaus ausbauen
8. das Gasleitungsnetz erweitern
9. die alte Schule abreißen
10. eine neue Schule errichten
11. das häßliche Amtsgebäude abbrechen
12. den Verkehrslärm einschränken
13. neue Busse anschaffen
14. die Straßen der Innenstadt entlasten

Durchführung:

Man hat den Park erweitert.
Man hat Sträucher angepflanzt.
. . .

Worterklärungen: *erweitern, vergrößern, ausbauen:* größer machen *abreißen, abbrechen:* zerstören, wegnehmen *anschaffen:* kaufen *einschränken:* (hier) weniger/geringer machen

15. Fußgängerzonen einrichten
16. ein Museum errichten
17. Luftverschmutzer feststellen
18. den Fremdenverkehr ankurbeln
19. leerstehende Häuser enteignen
20. historische Feste veranstalten
21. einen Stadtplan herausgeben
22. die Durchfahrt des Fernverkehrs durch die Stadt verhindern
23. die Rathausfenster anstreichen
24. Radfahrwege anlegen
25. Grünflächen einplanen

einrichten: (hier) schaffen
errichten: bauen
feststellen: (hier) finden
ankurbeln: stärker machen
veranstalten: organisieren, machen
verhindern: versuchen, daß etwas nicht geschieht
enteignen: einem Besitzer (zugunsten der Allgemeinheit) etwas wegnehmen

§ 9 Verben, die trennbar und untrennbar sind

	Präsens	*Perfekt*
trennbar	Das Schiff **geht** im Sturm **unter.**	Das Schiff **ist** im Sturm **untergegangen.**
untrennbar	Er **unterschreibt** den Brief.	Er **hat** den Brief **unterschrieben.**

Regeln

1. Einige Verben, die mit *durch–, über–, um–, unter–, voll–, wider–, wieder–* zusammengesetzt sind, werden trennbar, andere untrennbar gebraucht.
2. Beim trennbaren Verb liegt die Betonung auf dem Verbzusatz (z. B. *úmkehren*), beim untrennbaren Verb liegt die Betonung auf dem Stammvokal des Verbs (z. B. *umgében*).
3. Bei den trennbaren Verben bleibt der Sinn der Präposition im allgemeinen erhalten. Die untrennbaren Verben haben zusammen mit den Verbzusätzen meist eine neue, veränderte Bedeutung.

	trennbar	untrennbar
durch	Er *bricht* den Stock *durch.*	Der Richter *durchschaut* den Zeugen.
über	Er *läuft* zum Feind *über.*	Der Lehrer *übersieht* den Fehler.
um	Er *fuhr* den Baum *um.*	Das Kind *umarmt* die Mutter.
unter	Die Insel *geht* im Meer *unter.*	Wir *unterhalten* uns gut.
voll	Er *goß* das Glas *voll.*	Er *vollendete* sein 70. Lebensjahr.
wider	Das *spiegelt* die Lage *wider.*	Warum *widersprichst* du mir?
wieder	Er *bringt* mir die Zeitung *wieder.*	Ich *wiederhole* den Satz.

4. Einige zusammengesetzte Verben sind sowohl trennbar als auch untrennbar; sie haben jeweils unterschiedliche Bedeutung, z. B.:

wiéderholen (= etwas zurückholen) Das Kind holt den Ball wieder.	– *wiederhólen* (= etwas noch einmal sagen / lernen) Er wiederholt die Verben.
úmgehen (= jdn./etw. auf bestimmte Art behandeln) Geh mit diesem Glas bitte sorgfältig um!	– *umgéhen* (= einer Schwierigkeit aus dem Wege gehen / um einen Ort herumgehen) Dieses Problem umgehen wir lieber!

ÜBUNGEN

1 Ist das Verb trennbar oder untrennbar? Bilden Sie Sätze im Präsens und Perfekt.

1. Ernst / die starken Verben / wieder*holen.* 2. Helga / das Stück Holz / *fort*werfen / und der Hund / es / *wieder*holen 3. der Kanal / das Land / durch*schneiden* 4. die Fischer / die Leine / *durch*schneiden 5. der Direktor / den Brief / unter*schreiben* 6. ich / mich / mit den Ausländern / unter*halten* 7. wir / die Großstadt / auf der Autobahn / um*fahren* 8. der Betrunkene / die Laterne / *um*fahren 9. er / zum katholischen Glauben / *über*treten 10. er / das Gesetz / über*treten* 11. ich / die Pläne meines Geschäftspartners / durch*schauen* 12. er / die Schranken des Gesetzes / durch*brechen* 13. Klaus / den Stock / *durch*brechen 14. der Lehrer / den Fehler / über*sehen* 15. die Milch / *über*laufen 16. warum / der Lehrer / den Schüler / über*gehen*? 17. der Einbrecher / den Hausbesitzer / *um*bringen 18. die Polizisten / das Gebäude der Bank / um*stellen.* 19. warum / du / schon wieder alle Möbel / *um*stellen? 20. warum Sie / den Sprecher / dauernd unter*brechen*?

2 Ebenso:

1. die Gäste / im Berggasthof *unter*kommen. 2. der Redner / den Vortrag unter*brechen* 3. das Schiff / im Sturm *unter*gehen 4. die Familien / sich über Politik unter*halten* 5. die Expertengruppe / eine Informationsreise unter*nehmen* 6. die Schüler / die Fremdwörter unter*streichen* 7. der Rundfunk / das Festprogramm über*tragen* 8. der Richter / den Angeklagten über*führen* 9. der Politiker / seinen Austritt aus der Partei sehr genau über*legen* 10. der Minister / die neue Autobahnstrecke dem Verkehr über*geben* 11. die Soldaten / in Scharen zum Feind *über*laufen 12. die Grippewelle / langsam von Asien nach Europa *über*greifen 13. das Haus / nach dem Tod der Eltern in den Besitz der Kinder *über*gehen 14. der Assistent / den Professor mit seinen guten Kenntnissen über*raschen*

* 3 Setzen Sie die Verben in der richtigen Form ein.

1. Du (übernehmen/Präsens) also tatsächlich am 1. Januar das Geschäft deines Vaters? Das (überraschen/Präsens) mich, denn ich habe (annehmen), dein Vater (weiterführen/Präsens) das Geschäft, bis er die Siebzig (überschreiten) hat.
2. Man (annehmen/Präsens), daß der Buchhalter mehrere zehntausend Mark (unterschlagen) hat. Lange Zeit hatte es die Firma (unterlassen), die Bücher zu (überprüfen). Dann aber (auffallen/Imperfekt) der Buchhalter durch den Kauf einer sehr

großen Villa. Nun (untersuchen/Imperfekt) man den Fall. Dann (durchgreifen/Imperfekt) die Firma schnell. Sie (einschalten/Imperfekt) sofort die Polizei. Der Mann war aber (dahinterkommen) und war schnell in der Großstadt (untertauchen). Nach zwei Wochen fand man ihn im Haus seiner Schwester; dort war er nämlich (unterkommen). Aber im letzten Moment (durchkreuzen/Imperfekt) der Buchhalter die Absicht der Polizei: Er nahm seine Pistole und (sich umbringen/Imperfekt).

§ 10 Reflexive Verben

a) Ich **bewerbe mich** bei einer Versicherung.
Sie **haben sich** im Urlaub gut **erholt.**

b) Wir **haben uns** über seine Antwort sehr **geärgert.**
Max **ärgert seine Geschwister** immer.

c) Er sieht **sich** den Film erst nächste Woche an.
Ich sehe **mir** den Film noch in dieser Woche an.

ich	–	**mich, mir**	wir	–	**uns**
du	–	**dich, dir**	ihr	–	**euch**
er, sie, es	–	**sich**	sie, Sie	–	**sich**

Regeln

1. Die Deklination des Reflexivpronomens entspricht der des Personalpronomens (siehe § 4); nur in der 3. Person Singular und Plural steht immer *sich.*

2. Das Reflexivpronomen zeigt an, daß sich eine Handlung oder ein Gefühl auf das Subjekt des Satzes zurückbezieht:
Ich habe *mich* in der Stadt verlaufen. (= mich selbst)
Die Geschwister haben *sich* wieder vertragen (= sich miteinander)
Die Gleise haben *sich* verbogen. (= sich selbständig)

3. zu a) Einige Verben sind fest mit einem Reflexivpronomen im Akkusativ verbunden, z.B.:

sich aufregen	sich erkundigen	sich verbeugen
sich beeilen	sich freuen	sich weigern
sich entschließen	sich irren	sich wundern
sich entschuldigen	sich kümmern	u.a.
sich ereignen	sich schämen	
sich erkälten	sich sehnen	

zu b) Einige Verben können reflexiv gebraucht werden, aber auch – in veränderter Bedeutung – mit einem freien Akkusativobjekt, z.B.:

sich ändern	aber:	Er ändert seine Pläne.
sich beherrschen		Er beherrscht die englische Sprache.
sich bemühen		Er bemühte die Gerichte.
sich bewegen		Der Wind bewegt die Zweige.
sich entfernen		Der Zahnarzt entfernt den kranken Zahn.

sich fürchten	Er fürchtet eine Katastrophe.
sich treffen	Er traf zufällig seinen Schulfreund.
sich verletzen	Er verletzte ihn an der Hand.

zu c) Bei reflexiv gebrauchten Verben, die außerdem noch ein Akkusativobjekt haben, steht das Reflexivpronomen im Dativ. Unterschiedliche Formen im Akkusativ und Dativ gibt es nur in der 1. und 2. Person Singular:
Ich wasche *mir* die Hände. Aber: Ich wasche *mich.*
Du rasierst *dir* den Bart ab. Aber: Du rasierst *dich.*

Ich denke *mir* eine Geschichte aus.
Ich habe *mir* seine Autonummer gemerkt.
Du stellst *dir* die Sache zu einfach vor.

Anmerkungen

1. Verben mit einem Dativobjekt können reflexiv gebraucht werden, wenn sich die Handlung auf das Subjekt zurückbezieht:
   Er widerspricht *sich* selbst, nicht *ihm.*
   Zuerst hat er *sich* eine Bratwurst gekauft, dann *seinem* Sohn.
2. *lassen* + Reflexivpronomen (siehe § 19 III Anm., § 48)
   Man kann etwas leicht ändern. = Das *läßt sich* leicht ändern.
   Man kann das nicht beschreiben. = Das *läßt sich* nicht beschreiben.
3. Zur Frageform: *Freust du dich? Habt ihr euch gefreut?*
4. Zum Imperativ: *Fürchte dich nicht! Fürchtet euch nicht! Fürchten Sie sich nicht!*

ÜBUNGEN

1 Konjugieren Sie im Präsens, Imperfekt und Perfekt.

ich	sie / Sie	sich anziehen	sich die Aufregung vorstellen
du	ihr	sich umziehen	sich eine Reise vornehmen
er / sie	wir	sich entfernen	sich etwas einbilden
wir	er / sie	sich beschweren	sich ein Moped kaufen
ihr	du	sich erinnern	sich ein Bier bestellen
sie / Sie	ich	sich freuen	sich eine Weltreise leisten

* 2 Was paßt zusammen?

1. Das Huhn setzt		a) im Sanatorium.
2. Erholen Sie		b) nicht für ihr Benehmen.
3. Müllers schämen		c) um diese Stelle?
4. Ruth interessiert		d) für Hans.
5. Erkundigst du	Reflexiv-pronomen?	e) nicht auf Sie.
6. Albert beschäftigt		f) mit Spanisch.
7. Ich besinne		g) ins Nest.
8. Wir bemühen		h) um einen Studienplatz.
9. Bewerbt ihr		i) nach dem Zug?

* 3 Was paßt zusammen?

1. Wir leisten		a) ein Haus.
2. Helen leiht		b) eine Weltreise.
3. Die Geschwister kaufen	Reflexiv-pronomen?	c) die Haare?
4. Erlaubt ihr		d) diesen Lärm!
5. Färben Sie		e) einen Scherz?
6. Ich verbitte		f) einen Kugelschreiber.
7. Du wäschst		g) die Hände.

4 Üben Sie die Reflexivpronomen.

Bückt er sich nicht nach dem Geld?	Doch, er *bückt sich* nach dem Geld.

1. Fürchtet ihr euch nicht vor der Dunkelheit? 2. Ruht ihr euch nach dem Fußmarsch nicht aus? 3. Erholst du dich nicht bei dieser Tätigkeit? 4. Duscht ihr euch nicht nach dem Sport? 5. Zieht ihr euch auch zum Skifahren nicht wärmer an? 6. Legen Sie sich nach dem Essen nicht etwas hin? 7. Setzen Sie sich nicht bei dieser Arbeit? 8. Erkundigt sich der Arzt nicht regelmäßig nach dem Zustand des Kranken? 9. Überzeugt sich Vater nicht vorher von der Sicherheit des Autos? 10. Erinnert ihr euch nicht an das Fußballspiel? 11. Wunderst du dich nicht über meine Geduld? 12. Unterhaltet ihr euch nicht oft mit euren Freunden über eure Pläne? 13. Rasierst du dich nicht mit dem Elektrorasierer? 14. Bewerben Sie sich nicht um diese Stelle? 15. Besinnst du dich nicht auf den Namen meiner Freundin? 16. Freuen Sie sich nicht auf die Urlaubsreise? 17. Schämst du dich nicht? 18. Entschuldigst du dich nicht bei den Nachbarn? 19. Ziehst du dich fürs Theater nicht um? 20. Ärgerst du dich nicht über seine Antwort?

5 Setzen Sie die Frage und Antwort jetzt ins Perfekt.

Hat er sich nicht nach dem Geld gebückt?
Doch, er *hat sich* nach dem Geld *gebückt.*

6 Ergänzen Sie das Reflexivpronomen.

1 Sie trafen ... am Rathaus, begrüßten ... mit einem Kuß und begaben ... in ein Café.
,,Komm, wir setzen ... hier ans Fenster, da können wir ... den Verkehr draußen an-
3 schauen", meinte er. Sie bestellte ... einen Tee, er ... eine Tasse Kaffee.
,,Wie habe ich ... auf diesen Moment gefreut! Endlich können wir ... mal in Ruhe
5 unterhalten!" – ,,Ja, ich habe ... sehr beeilt; beinahe hätte ich ... verspätet." – ,,Wir
müssen ... von jetzt ab öfter sehen!" – ,,Ja, da hast du recht. Sag mal, was hast du ...
7 denn da gekauft? Einen Pelzmantel? Kannst du ... das denn leisten?" – ,,Kaufen kann
ich ... den natürlich nicht; aber ich kann ihn ... schenken lassen." – ,,Du hast ihn ...
9 schenken lassen??" – ,,Ja, von einem sehr guten Freund." – ,,Ha! Schau an! Sie läßt ...
Pelzmäntel schenken! Von ‚guten Freunden'!" – ,,Reg ... doch nicht so auf!" – ,,Du
11 begnügst ... also nicht mit einem Freund? Mit wieviel Freunden amüsierst du ... denn
etwa? Du bildest ... wohl ein, ich lasse ... das gefallen?" – ,,Beruhige ... doch! Sprich
13 nicht so laut! Die Leute schauen ... schon nach uns um. Benimm ... bitte, ja? Schau, der
‚sehr gute Freund' ist doch mein Vater; wir verstehen ... wirklich gut, aber zur Eifersucht
15 gibt es keinen Grund! Da hast du ... jetzt ganz umsonst geärgert."

§ 11 Der Imperativ

Eine Bitte oder einen Befehl richtet man

a) an eine Person:	Anrede mit **du**	**Gib** mir das Lexikon!
	Anrede mit **Sie**	**Geben Sie** mir das Lexikon!
b) an mehrere Personen:	Anrede mit **ihr**	**Macht** die Tür **zu**!
	Anrede mit **Sie**	**Machen Sie** die Tür **zu**!

Regeln

1. Anrede mit *du*
   a) Der Imperativ wird von der 2. Person Singular Präsens abgeleitet. Die Endung *–st* fällt weg:
   du fragst — Imperativ: *Frag!*
   du kommst — Imperativ: *Komm!*
   du nimmst — Imperativ: *Nimm!*
   du arbeitest — Imperativ: *Arbeite!*
   b) Bei den starken Verben fällt der Umlaut der 2. Person Singular weg:
   du läufst — Imperativ: *Lauf!*
   du schläfst — Imperativ: *Schlaf!*
   c) Sonderformen bei den Hilfsverben:
   haben: du hast — Imperativ: *Hab* keine Angst!
   sein: du bist — Imperativ: *Sei* ganz ruhig!
   werden: du wirst — Imperativ: *Werd(e)* nur nicht böse!

2. Anrede mit *ihr*
   Die Imperativform und die 2. Person Plural Präsens sind gleich:
   ihr fragt — Imperativ: *Fragt!*
   ihr kommt — Imperativ: *Kommt!*
   ihr nehmt — Imperativ: *Nehmt!*

3. Anrede mit *Sie* (Singular oder Plural)
   Die Imperativform und die 3. Person Plural Präsens sind gleich. Das Personalpronomen *Sie* wird nachgestellt:
   sie fragen — Imperativ: *Fragen Sie!*
   sie kommen — Imperativ: *Kommen Sie!*
   sie nehmen — Imperativ: *Nehmen Sie!*
   sie sind — Imperativ: *Seien Sie* so freundlich! (Ausnahme)

4. Früher hatte der Imperativ der 2. Person Singular die Endung *–e:* Komm*e* bald! Lach*e* nicht! Diese Formen werden heute nicht mehr gesprochen und nur noch selten geschrieben. Nur bei den Verben auf *–d-, –t-, –ig-,* auch bei rech*n*en, öff*n*en steht das *e,* weil man die Wörter sonst schlecht aussprechen kann (siehe auch § 6 VI 2):

lei*d*en:	du leidest	Imperativ: Leid*e*, ohne zu klagen!
bi*tt*en:	du bittest	Imperativ: Bitt*e* ihn doch zu kommen!
entschuld*ig*en:	du entschuldigst	Imperativ: Entschuldig*e* mich!
rech*n*en:	du rechnest	Imperativ: Rechn*e* alles zusammen!

Anmerkungen

1. Bei Aufforderungen an die Allgemeinheit gebraucht man anstelle der Imperativform den Infinitiv:
   Nicht aus dem Fenster *lehnen*!
   Nicht *öffnen*, bevor der Zug hält!
2. Bei Befehlen, die sofort ausgeführt werden sollen, gebraucht man das Partizip Perfekt:
   Aufgepaßt! Hiergeblieben!

ÜBUNGEN

1 Der Hotelportier hat viel zu tun

Was er tut:	**Die Bitte des Gastes:**
Er bestellt dem Gast ein Taxi.	*Bestellen Sie* mir bitte ein Taxi!

1. Er weckt den Gast um sieben Uhr. 2. Er schickt dem Gast das Frühstück aufs Zimmer. 3. Er besorgt dem Gast eine Tageszeitung. 4. Er bringt den Anzug des Gastes zur Reinigung. 5. Er verbindet den Gast mit der Telefonauskunft. 6. Er läßt den Gast mittags schlafen und stört ihn nicht durch Telefonanrufe. 7. Er besorgt dem Gast ein paar Kopfschmerztabletten. 8. Er läßt die Koffer zum Auto bringen. 9. Er schreibt die Rechnung.

2 Schüler haben's manchmal schwer!

a

Was sie tun:	**Was sie tun sollen:**
Hans spricht *zu* laut.	*Sprich* nicht *so* laut!

Sie können die Aufforderung verstärken: *Sprich doch nicht so laut!* („doch" wird nicht betont.)

1. Günther schreibt zu undeutlich. 2. Heidi ißt zu langsam. 3. Fritz raucht zuviel. 4. Otto fehlt zu oft. 5. Edgar macht zu viele Fehler. 6. Angelika spricht zu leise. 7. Else kommt immer zu spät. 8. Ruth ist zu unkonzentriert. 9. Maria ist zu nervös. 10. Willi macht zuviel Unsinn.

b

Was sie nicht getan haben:	**Was sie tun sollen:**
Udo hat seine Schultasche nicht mitgenommen.	*Nimm* bitte deine Schultasche *mit*!

1. Gisela hat ihre Arbeit nicht abgegeben. 2. Heinz hat sein Busgeld nicht bezahlt. 3. Irmgard hat ihren Antrag nicht ausgefüllt. 4. Alex hat seine Hausaufgaben nicht gemacht. 5. Monika hat das Theatergeld nicht eingesammelt. 6. Didi hat seine Vokabeln nicht gelernt. 7. Uschi hat die Unterschrift des Vaters nicht mitgebracht. 8. Wolfgang ist nicht zum Direktor gegangen.

3 Die Bevölkerung fordert ... – Bilden Sie mit der Übung § 8 Nr. 5 den Imperativ.

Erweitert den Park! *Pflanzt* Sträucher *an*! usw.

4 Bilden Sie mit Übung § 7 Nr. 1 den Imperativ.

Telefonate weiterleiten	*Leiten Sie* die Telefonate bitte *weiter*!

5 Einige Fluggäste werden aufgefordert. – Bilden Sie mit Übung § 7 Nr. 3 den Imperativ.

Bitte aufhören zu rauchen!	*Hören Sie* bitte *auf* zu rauchen!
Bitte anschnallen!	*Schnallen Sie sich* bitte *an*!

6 Nehmen Sie die Übung § 7 Nr. 5a, und üben Sie nach folgendem Muster:

Sie zieht den Vorhang auf. (zu-)	*Zieh* den Vorhang bitte wieder *zu*!

§ 12 Bildung des Perfekts mit „haben" oder „sein"

Vorbemerkung

Zur Bildung des Perfekts und Plusquamperfekts braucht man ein Hilfsverb und das Partizip Perfekt. Die Frage ist: Wann gebraucht man das Hilfsverb *haben,* und wann gebraucht man das Hilfsverb *sein*?

I Verben mit „haben"

Mit *haben* werden gebraucht

1. alle Verben, die ein Akkusativobjekt bei sich haben können (= transitive Verben): *bauen, fragen, essen, hören, lieben, machen, öffnen,* u. a.
2. alle reflexiven Verben: *sich beschäftigen, sich bemühen, sich rasieren,* u. a.
3. alle Modalverben (siehe § 18 II): *dürfen, können, mögen, müssen, sollen, wollen.*
4. Verben, die kein Akkusativobjekt bei sich haben können (= intransitive Verben), aber nur, wenn sie keine Bewegung, sondern die Dauer einer Handlung oder einen Zustand ausdrücken. Dazu gehören:
   a) Verben, die mit Orts- oder Zeitangaben gebraucht werden, aber keine Fortbewegung oder Zustandsänderung ausdrücken: *hängen* (= starkes Verb), *liegen, sitzen, stehen, stecken; arbeiten, leben, schlafen, wachen,* u. a.
   b) Verben, die mit einem Dativobjekt gebraucht werden und keine Bewegung ausdrücken: *antworten, danken, drohen, gefallen, glauben, nützen, schaden, vertrauen,* u. a.
   c) Verben, die einen festen Anfangs- und Endpunkt bezeichnen: *anfangen, aufhören, beginnen.*

II Verben mit „sein“

Mit *sein* werden gebraucht

1. alle Verben, die kein Akkusativobjekt bei sich haben können (= intransitive Verben), die aber eine Bewegung von oder zu einem Ort zeigen: *aufstehen, begegnen, fahren, fallen, fliegen, gehen, kommen, reisen,* u.a.
2. alle intransitiven Verben, die eine Änderung des Zustands anzeigen:
   a) zu einem Neubeginn oder einer Entwicklung: *aufblühen, aufwachen, einschlafen, entstehen, werden, wachsen,* u.a.
   b) zu einem Ende oder zur Beendigung einer Entwicklung: *sterben, ertrinken, ersticken, umkommen, vergehen,* u.a.
3. die Verben *sein* und *bleiben.*

Anmerkungen

1. Die Verben *fahren* und *fliegen* können auch mit einem Akkusativobjekt gebraucht werden; dann steht im Perfekt *haben*:
   Ich habe *das Auto* selbst in die Garage gefahren.
   Der Pilot hat *das Flugzeug* nach New York geflogen.
2. Das Verb *schwimmen:*
   Er ist *über den Kanal* geschwommen. (= Bewegung zu einem Ziel)
   Er hat hier *im Fluß* geschwommen. (= fester Ort)

ÜBUNGEN

1 Perfekt mit „haben“ oder „sein“?

Wann beginnt das Konzert? – Es *hat* gerade *begonnen.* Wann reist euer Besuch ab? – Er *ist* gerade *abgereist.*

1. Wann eßt ihr zu Mittag? – Wir ...
2. Wann rufst du ihn an? – Ich ...
3. Wann kaufst du die Fernsehzeitschrift?
4. Wann kommt die Reisegruppe an?
5. Wann fährt der Zug ab?
6. Wann schreibst du den Kündigungsbrief?
7. Wann ziehen eure Nachbarn aus der Wohnung aus?
8. Wann ziehen die neuen Mieter ein?
9. Wann schafft ihr euch einen Fernseher an?

2 „haben“ oder „sein“? Ergänzen Sie das passende Hilfsverb in der richtigen Form.

1. „... du geschlafen?“ „Ja, ich ... plötzlich eingeschlafen; aber ich ... noch nicht ausgeschlafen.“ „Ich ... dich geweckt, entschuldige bitte!“
2. Die Rosen ... wunderbar geblüht! Aber jetzt ... sie leider verblüht.
3. Heute morgen waren alle Blüten geschlossen; jetzt ... sie alle aufgegangen; heute

abend ... sie alle verblüht, denn sie blühen nur einen Tag. Aber morgen früh ... wieder neue erblüht.
4. Wir ... lange auf die Gäste gewartet, aber jetzt ... sie endlich eingetroffen.
5. Um 12.15 Uhr ... der Zug angekommen; er ... nur drei Minuten gehalten, dann ... er weitergefahren.
6. Die Kinder ... am Fluß gespielt; dabei ... ein Kind in den Fluß gefallen. Es ... noch um Hilfe geschrien, ... aber kurz darauf ertrunken.
7. Gas ... in die Wohnung gedrungen. Die Familie ... beinahe erstickt. Das Rote Kreuz ... gekommen und ... die Leute ins Krankenhaus gebracht.

3 Eine Woche Urlaub – Setzen Sie die Sätze ins Perfekt.

1 Zuerst fahren wir nach Bayreuth. Dort gehen wir am Samstag in die Oper. An diesem Tag steht der „Tannhäuser“ von Wagner auf dem Programm. Auch am Sonntag bleiben
3 wir in Bayreuth und schauen uns die Stadt und die Umgebung an.
Am Sonntag abend treffen wir uns mit Freunden und fahren ins Fichtelgebirge. Da
5 bleiben wir eine Woche und wandern jeden Tag zu einem anderen Ziel.
Abends sitzen wir dann noch zusammen und unterhalten uns, sehen fern oder gehen
7 tanzen. Kaum liegt man dann im Bett, schläft man auch schon ein.
Am Sonntag darauf fahren wir dann wieder nach Hause.

4 Üben Sie das Perfekt.

Herr Traut im Garten // Beete umgraben / Salatpflanzen setzen
Was hat Herr Traut im Garten gemacht?
Er *hat* Beete *umgegraben* und Salatpflanzen *gesetzt.*

Lieschen Müller gestern // in die Schule gehen / eine Arbeit schreiben
Was hat Lieschen Müller gestern gemacht?
Sie *ist* in die Schule *gegangen* und *hat* eine Arbeit *geschrieben.*

1. Frau Traut im Garten // Unkraut vernichten / Blumen pflücken
2. Inge gestern in der Stadt // ein Kleid kaufen / Schuhe anprobieren
3. Herr Kunze gestern // in die Stadt fahren / Geld von der Bank abheben
4. Frau Goldmann gestern // zur Post fahren / ein Paket aufgeben
5. Herr Lange gestern // den Fotoapparat zur Reparatur bringen / die Wäsche aus der Wäscherei abholen
6. Herr Kollmann gestern // Unterricht halten / Hefte korrigieren
7. Fräulein Feldmann gestern im Büro // Rechnungen bezahlen / Telexe schreiben
8. Professor Keller gestern // Vorlesungen halten / Versuche durchführen
9. Fritzchen Hase gestern // in den Kindergarten gehen / Blumen und Schmetterlinge malen
10. Frau Doktor Landers gestern // Patienten untersuchen / Rezepte ausschreiben

5 Christof kommt nach Hause und erzählt: „Heute ist eine Unterrichtsstunde ausgefallen, und wir haben gemacht, was wir wollten.“

(Hans zum Fenster rausschauen) Hans *hat* zum Fenster *rausgeschaut.*

1. Ulla (ihre Hausaufgaben machen)

2. Jens (sich mit Hans-Günther unterhalten)
3. Gilla (die Zeitung lesen)
4. Ulrich (mit Carlo Karten spielen)
5. Karin (Männchen malen)
6. Ulrike (Rüdiger lateinische Vokabeln abhören)
7. Christiane (sich mit Markus streiten)
8. Katja (ein Gedicht auswendig lernen)
9. Heike (mit Stefan eine Mathematikaufgabe ausrechnen)
10. Iris (etwas an die Tafel schreiben)
11. Claudia und Joachim (sich Witze erzählen)
12. Wolfgang und Markus (ihre Radtour besprechen)
13. Ich (in der Ecke sitzen und alles beobachten)

6 Setzen Sie die Sätze ins Perfekt.

Der Mieter kündigte und zog aus.
Der Mieter *hat* gekündigt und *ist* ausgezogen.

Maiers besichtigten die Wohnung und unterschrieben den Mietvertrag.
Maiers *haben* die Wohnung besichtigt und den Mietvertrag unterschrieben.

1. Herr Maier besorgte sich Kartons und verpackte darin die Bücher. 2. Er lieh sich einen Lieferwagen und fuhr damit zu seiner alten Wohnung. 3. Die Freunde trugen die Möbel hinunter und verstauten sie im Auto. (verstauen = auf engem Raum unterbringen, verpacken) 4. Dann fuhren die Männer zu der neuen Wohnung und luden dort die Möbel aus. 5. Sie brachten sie mit dem Aufzug in die neue Wohnung und stellten sie dort auf. 6. Frau Maier verpackte das Porzellan sorgfältig in Kartons und fuhr es mit dem Auto zu der neuen Wohnung. 7. Dort packte sie es wieder aus und stellte es in den Schrank. 8. Maiers fuhren mit dem Lieferwagen fünfmal hin und her, dann brachten sie ihn der Firma zurück.

7 Ebenso:

1. Ein Mann überfiel eine alte Frau im Park und raubte ihr die Handtasche. 2. Ein Motorradfahrer fuhr mit hoher Geschwindigkeit durch eine Kurve und kam von der Straße ab. Dabei raste er gegen einen Baum und verlor das Bewußtsein. 3. Ein betrunkener Soldat fuhr mit einem Militärfahrzeug durch die Straßen und beschädigte dabei fünfzehn Personenwagen. 4. Auf einem Bauernhof spielten Kinder mit Feuer und steckten dabei die Stallungen in Brand. Die Feuerwehrleute banden die Tiere los und jagten sie aus den Ställen. 5. Zwei Schäferhunde überfielen ein dreijähriges Kind und verletzten es durch zahlreiche Bisse lebensgefährlich.

* 8 Bilden Sie das Perfekt. Gebrauchen Sie die 1. Person Singular (ich).

1 Er wachte zu spät auf, sprang sofort aus dem Bett, zerriß dabei die Bettdecke und warf das Wasserglas vom Nachttisch. Das machte ihn schon sehr ärgerlich. Er wusch sich
3 nicht, zog sich in aller Eile an, verwechselte die Strümpfe und band sich eine falsche Krawatte um. Er steckte nur schnell einen Apfel ein, verließ die Wohnung und rannte die

5 Treppe hinunter. Die Straßenbahn fuhr ihm gerade vor der Nase weg. Er lief ungeduldig zehn Minuten lang an der Haltestelle hin und her. Er stieg eilig in die nächste Bahn,
7 verlor aber dabei die Fahrkarte aus der Hand. Er drehte sich um, hob die Fahrkarte vom Boden auf, aber der Fahrer machte im selben Augenblick die automatischen Türen zu.
9 Er hielt ein Taxi an, aber der Taxifahrer verstand die Adresse falsch und lenkte den Wagen zunächst in die falsche Richtung. So verging wieder viel Zeit. Er kam 45 Minuten
11 zu spät in der Firma an, entschuldigte sich beim Chef und beruhigte die Sekretärin. Er schlief dann noch eine halbe Stunde am Schreibtisch.

§ 13 Transitive und intransitive Verben, die schwer zu unterscheiden sind

I legen / liegen, stellen / stehen, usw.

transitive schwache Verben	*intransitive starke Verben*
hängen, hängte, hat gehängt Ich **habe** den Mantel in die Garderobe **gehängt.**	hängen, hing, hat gehangen Der Mantel **hat** in der Garderobe **gehangen.**
legen, legte, hat gelegt Ich **habe** das Buch auf den Schreibtisch **gelegt.**	liegen, lag, hat gelegen Das Buch **hat** auf dem Schreibtisch **gelegen.**
stellen, stellte, hat gestellt Ich **habe** das Buch ins Regal **gestellt.**	stehen, stand, hat gestanden Das Buch **hat** im Regal **gestanden.**
setzen, setzte, hat gesetzt Sie **hat** das Kind auf den Stuhl **gesetzt.**	sitzen, saß, hat gesessen Das Kind **hat** auf dem Stuhl **gesessen.**
stecken, steckte, hat gesteckt Er **hat** den Brief in die Tasche **gesteckt.**	stecken, steckte (stak), hat gesteckt Der Brief **hat** in der Tasche **gesteckt.**

Regeln

1. Die transitiven Verben zeigen eine Handlung: eine Person (Subjekt) tut etwas mit einer Sache (Akkusativ-Objekt).
   Die Ortsangabe wird mit einer Präposition mit dem Akkusativ gebraucht. Die Frage lautet *wohin?* (siehe § 57)
2. Die intransitiven Verben zeigen das Ergebnis einer Handlung.
   Die Ortsangabe wird mit einer Präposition mit dem Dativ gebraucht. Die Frage lautet *wo?* (siehe § 57)

II Weitere transitive und intransitive Verben

transitive schwache Verben	*intransitive starke Verben*
erschrecken (erschreckt), erschreckte, hat erschreckt Der Hund **hat** das Kind **erschreckt.**	erschrecken (erschrickt), erschrak, ist erschrocken Das Kind **ist** vor dem Hund **erschrocken.**
löschen, löschte, hat gelöscht Die Männer **haben** das Feuer **gelöscht.**	erlöschen (erlischt), erlosch, ist erloschen Das Feuer **ist erloschen.**
senken, senkte, hat gesenkt Der Händler **hat** die Preise **gesenkt.**	sinken, sank, ist gesunken Die Preise **sind gesunken.**
sprengen, sprengte, hat gesprengt Die Soldaten **haben** die Brücke **gesprengt.**	springen, sprang, ist gesprungen Das Glas **ist gesprungen.**
versenken, versenkte, hat versenkt Das U-Boot **hat** das Schiff **versenkt.**	versinken, versank, ist versunken Die Insel **ist** im Meer **versunken.**
verschwenden, verschwendete, hat verschwendet Der Sohn **hat** das Geld **verschwendet.**	verschwinden, verschwand, ist verschwunden Das Geld **ist verschwunden.**

Regeln

1. Die transitiven Verben zeigen eine Handlung.
2. Die intransitiven Verben zeigen den Zustand, in dem sich das Subjekt befindet (siehe auch „Zustandspassiv", § 45).

ÜBUNGEN

1 Wählen Sie das passende Verb, und setzen Sie es ins Partizip Perfekt.

1. Die Bilder haben lange Zeit im Keller (liegen / legen). 2. Jetzt habe ich sie in mein Zimmer (hängen st. / schw.). 3. Früher haben sie in der Wohnung meiner Eltern (hängen st. / schw.) 4. Das Buch hat auf dem Schreibtisch (liegen / legen). 5. Hast du es auf den Schreibtisch (liegen / legen)? 6. Ich habe die Gläser in den Schrank (stehen / stellen). 7. Die Gläser haben in der Küche (stehen / stellen). 8. Der Pfleger hat den Kranken auf einen Stuhl (sitzen / setzen). 9. Der Kranke hat ein wenig in der Sonne (setzen / sitzen). 10. Die Bücher haben im Bücherschrank (stehen / stellen). 11. Hast du sie in den Bücherschrank (stehen / stellen)? 12. Die Henne hat ein Ei (legen / liegen). 13. Hast du den Jungen schon ins Bett (legen / liegen)? 14. Die Familie hat sich vor den Fernseher (setzen / sitzen). 15. Dort hat sie den ganzen Abend (setzen / sitzen). 16. Im Zug hat er sich in ein Abteil 2. Klasse (setzen / sitzen). 17. Er hat den Mantel an den Haken (hängen). 18. Vorhin hat der Mantel noch an dem Haken (hängen).

2 Herr Müller macht die Hausarbeit – Dativ oder Akkusativ? Schreiben Sie die Sätze im richtigen Fall auf.

1. Er stellt das Geschirr in (Schrank [m]) zurück. 2. Die Gläser stehen immer in (Wohnzimmerschrank [m]). 3. Die Tassen und Teller stellt er in (Küchenschrank [m]). 4. Die Tischtücher legt er in (Schränkchen [n]) in (Eßzimmer [n]). 5. In (Schränkchen [n]) liegen auch die Servietten. 6. Ein Geschirrtuch hängt in (Badezimmer [n]). 7. Die Wäsche hängt noch auf (Wäscheleine [f]) hinter (Haus [n]). 8. Er nimmt sie ab und legt sie in (Wäscheschrank [m]). 9. Die schmutzige Wäsche steckt er in (Waschmaschine [f]). 10. Später hängt er sie auf (Wäscheleine [f]).

3 Nehmen Sie jetzt Ihre schriftliche Übung Nr. 2, und setzen Sie sie ins Perfekt.

4 Wählen Sie das passende Verb, und setzen Sie es in der richtigen Präsensform in den Satz.

1. *„löschen" oder „erlöschen"?* Seine Liebe zu Rosemarie ... nie. Die Wanderer ... ihren Durst. Der Kirchendiener ... die Kerzen. Das Feuer im Ofen ....
2. *„senken" oder „sinken"?* Der Verurteilte ... enttäuscht den Kopf. Man ... den Toten ins Grab. Der Wert des Autos ... von Jahr zu Jahr. Der Fallschirmspringer ... langsam zu Boden.
3. *„sprengen" oder „springen"?* Die Arbeiter ... das Haus in die Luft. Die Feder der Uhr ..., und die Uhr ist kaputt. Das Wasser gefriert und ... den Topf. Der Sportler ... 7,10 Meter weit.
4. *„versenken" oder „versinken"?* Die Kinder ... bis zu den Knien im Schnee. Man ... den Behälter für Heizöl in die Erde. Der Feind ... das Schiff mit einer Rakete. Bei einem schweren Erdbeben ... ganze Städte in Schutt und Asche.
5. *„verschwenden" oder „verschwinden"?* Er ... zuviel Zeit für diese Arbeit. Die Sonne ... hinter den Wolken. Mit diesem Mittel ... jeder Fleck sofort. Er ... sein ganzes Vermögen.

5 Setzen Sie die Übung Nr. 4 auch ins Imperfekt und ins Perfekt.

§ 14 Rektion der Verben

Vorbemerkung

Rektion der Verben bedeutet, daß bestimmte Verben einen bestimmten Kasus fordern. Es gibt keine festen Regeln, welches Verb welchen Kasus „regiert". Besonders schwierig ist die Unterscheidung zwischen Verben mit dem Akkusativobjekt und Verben mit dem Dativobjekt:

Ich frage *ihn.*	Er trifft *ihn.*
Ich antworte *ihm.*	Er begegnet *ihm.*

I Verben mit dem Akkusativ

1. Die meisten deutschen Verben werden mit dem Akkusativ gebraucht:
   Er baut *ein Haus.*
   Er pflanzt *einen Baum.*
   Der Bauer pflügt *den Acker.*
   Ich erreiche *mein Ziel.*
   Wir bitten *unseren Nachbarn.*
   Ich liebe *meine Geschwister.*
   Der Professor lobt *den Studenten.*
   Sie kennen *die Probleme.*

2. Einige unpersönliche Verben: Diese Verben haben das unpersönliche Subjekt *es* und ein Akkusativobjekt, meist ein Akkusativpronomen. Es folgt meistens ein *daß*-Satz oder eine Infinitivkonstruktion (siehe § 16 II 4):
   Es ärgert *mich,* daß ...
   Es beleidigt *uns,* daß ...
   Es beunruhigt *ihn,* daß ...
   Es erschreckt *mich,* daß ...
   Es freut *den Kunden,* daß ...
   Es langweilt *den Schüler,* daß ...
   Es macht *mich* froh (traurig, fertig), daß ...
   Es stößt *mich* ab, daß ...
   Es wundert *mich,* daß ...
   usw.

3. Die meisten untrennbaren Verben, besonders mit den Vorsilben: *be-, ver-, zer-:*
   Er *be*kommt *die Stellung* nicht.
   Wir *be*suchen *unsere Freunde.*
   Er *be*reiste *viele Länder.*
   Sie *ver*ließ *das Zimmer.*
   Wir *ver*stehen *dich* nicht.
   Er *zer*reißt *die Rechnung.*
   Der Sturm *zer*brach *die Fenster.*
   usw.

4. Die Wendung *es gibt* und *haben* als Vollverb:
   Es gibt *keinen Beweis* dafür.
   Es gibt heute *nichts* zu essen.
   Wir haben *einen Garten.*
   Er hatte *das beste Zeugnis.*

II Verben mit dem Dativ

Die Verben mit Dativ drücken oft eine persönliche Beziehung aus. Ihre Zahl ist begrenzt.

Die folgende Liste enthält die gebräuchlichsten Verben mit Dativ:

ähneln	Sie ähnelt *ihrer Mutter* sehr.
antworten	Antworte *mir* schnell!
befehlen	Der Zöllner befiehlt *dem Reisenden,* den Koffer zu öffnen.
begegnen	Ich bin *ihm* zufällig begegnet.
beistehen	Meine Freunde stehen *mir* bestimmt bei.
danken	Ich danke *Ihnen* herzlich für die Einladung.
einfallen	Der Name fällt *mir* nicht ein.
entgegnen	Der Minister entgegnete *den Journalisten,* daß ...
erwidern	Er erwiderte *dem Richter,* daß ...
fehlen	Meine Geschwister fehlen *mir.*
folgen	Der Jäger folgt *dem Wildschwein.*
gefallen	Die Sache gefällt *mir* nicht.
gehören	Dieses Haus gehört *meinem Vater.*
gehorchen	Der Junge gehorcht *mir* nicht.
gelingen	Das Experiment ist *ihm* gelungen.
genügen	Zwei Wochen Urlaub genügen *mir* nicht.
glauben	Du kannst *ihm* glauben.

gratulieren	Ich gratuliere *Ihnen* herzlich zum Geburtstag.
helfen	Könnten Sie *mir* helfen?
mißfallen	Der neue Film hat *den Kritikern* mißfallen.
mißlingen	Der Versuch ist *dem Chemiker* mißlungen.
sich nähern	Der Wagen näherte sich *der Unfallstelle.*
nützen	Der Rat nützt *ihm* nicht viel.
raten	Ich habe *ihm* geraten, gesünder zu essen.
schaden	Der Lärm schadet *dem Menschen.*
schmecken	Schokoladeneis schmeckt *allen Kindern.*
vertrauen	Der Chef vertraut *seiner Sekretärin.*
verzeihen	Ich verzeihe *dir.*
ausweichen	Der Radfahrer ist *dem Auto* ausgewichen.
widersprechen	Ich habe *ihm* sofort widersprochen.
zuhören	Bitte hör *mir* zu!
zureden	Wir haben *ihm* zugeredet, die Arbeit anzunehmen.
zusehen	Wir haben *dem Meister* bei der Reparatur zugesehen.
zustimmen	Die Abgeordneten stimmten *dem neuen Gesetz* zu.
zuwenden	Der Verkäufer wendet sich *dem neuen Kunden* zu.

III Verben mit Dativ und Akkusativ

Im allgemeinen ist das Dativobjekt eine Person, das Akkusativobjekt eine Sache. Die folgenden Verben können mit Dativ- und mit Akkusativobjekt gebraucht werden. Oft steht allerdings nur das Akkusativobjekt:
Er beantwortet *dem Sohn die Frage.*
Er beantwortet *die Frage.*

Die folgende Liste enthält die gebräuchlichsten Verben mit Dativ- und Akkusativobjekt.:

anvertrauen	Er hat *dem Lehrling die Werkstattschlüssel* anvertraut.
beantworten	Ich beantworte *dir* gern *die Frage.*
beweisen	Er bewies *dem Schüler den mathematischen Lehrsatz.*
borgen	Ich habe *ihm das Buch* nur geborgt, nicht geschenkt.
bringen	Er brachte *mir einen Korb* mit Äpfeln.
empfehlen	Ich habe *dem Reisenden ein gutes Hotel* empfohlen.
entwenden	Ein Unbekannter hat *dem Gast die Brieftasche* entwendet.
entziehen	Der Polizist entzog *dem Fahrer den Führerschein.*
erlauben	Wir erlauben *den Schülern das Rauchen* in den Pausen.
erzählen	Ich erzähle *dir* jetzt *die ganze Geschichte.*
geben	Er gab *mir die Hand.*
leihen	Er hat *mir den Plattenspieler* geliehen.
liefern	Die Fabrik liefert *der Firma die Ware.*
mitteilen	Er teilt *mir die Geburt* seines Sohnes mit.
rauben	Die Räuber raubten *dem Boten das Geld.*
reichen	Er reichte *den Gästen die Hand.*
sagen	Ich sagte *ihm* deutlich *meine Meinung.*
schenken	Ich schenke *ihr ein paar Blumen.*

schicken	Meine Eltern haben *mir ein Paket* geschickt.
schreiben	Er schrieb *dem Chef einen unfreundlichen Brief.*
senden	Wir senden *Ihnen* anliegend *die Antragsformulare.*
stehlen	Unbekannte Täter haben *dem Bauern zwölf Schafe* gestohlen.
überlassen	Er überließ *mir* während der Ferien *seine Wohnung.*
verbieten	Er hat *seinem Sohn das Motorradfahren* verboten.
verschweigen	Der Angeklagte verschwieg *dem Verteidiger die Wahrheit.*
versprechen	Ich habe *ihm 200 Mark* versprochen.
verweigern	Die Firma verweigert *den Angestellten das Urlaubsgeld.*
wegnehmen	Er hat *mir die Schreibmaschine* wieder weggenommen.
zeigen	Er zeigte *dem Besucher seine Bildersammlung.*

IV Verben mit zwei Akkusativen

Nur wenige Verben werden mit zwei Akkusativen gebraucht. Die wichtigsten sind: *kosten, lehren, nennen, schelten, schimpfen.*
Ich nenne *ihn Fritz.*
Das Essen kostet *mich 100 Mark.*
Er lehrt *mich das Lesen.*

V Verben mit Akkusativ und Genitiv

Diese Verben werden meistens vor Gericht gebraucht:

anklagen	Man klagt *ihn des Meineids* an.
bezichtigen	Er bezichtigt *ihn der Unehrlichkeit.*
überführen	Die Polizei überführte *den Autofahrer der Trunkenheit* am Steuer.
verdächtigen	Man verdächtigte *den Zeugen der Lüge.*

VI Verben mit dem Genitiv

Diese Verben werden heute nur noch selten gebraucht:
Sie erfreute sich *bester Gesundheit.*
Der Krankenbesuch bedurfte *der Genehmigung* des Chefarztes.

VII Verben mit dem Prädikatsnominativ

Die Verben *sein* und *werden*, auch *bleiben*, *heißen*, *scheinen* können mit einem zweiten Nominativ, dem Prädikatsnominativ, gebraucht werden:
Die Biene ist *ein Insekt.*
Mein Sohn wird später *Arzt.*
Er blieb zeit seines Lebens *ein armer Schlucker.*
Der Händler scheint *ein Betrüger* zu sein.

Anmerkung

Die Verben *sein* und *werden* können nicht allein stehen. Sie brauchen immer eine Ergänzung. Beispiele (außer mit Prädikatsnominativ):
Bienen sind *fleißig*. Du bist *tapfer*. Der Musiker wurde *berühmt*. Er blieb immer *freundlich*. Er scheint *geizig* zu sein. (= Adverb § 42)

Sein Geburtstag ist *am 29. Februar*. Wir bleiben *in der Stadt*. Er scheint *zu Hause* zu sein. (= Orts- und Zeitangabe)

Das sind *meine Haustiere*. *Das* wird *eine schöne Party*. *Das* bleibt *Wiese*, *das* wird *kein Bauland*. (Siehe § 36 III 4b)

VIII Verben, die mit einem Akkusativobjekt in einer festen Verbindung stehen

Diese festen Verbindungen werden im Deutschen sehr häufig gebraucht. Die jeweiligen Verben haben kaum noch eine eigene Bedeutung; sie ergänzen das Akkusativobjekt und bilden mit ihm zusammen eine Einheit. Man nennt sie Funktionsverben.

Bei Waldbränden *ergreifen* die meisten Tiere rechtzeitig *die Flucht*. (= sie fliehen)
Der Politiker *gab* im Fernsehen *eine Erklärung ab*. (= er erklärte öffentlich)
Wir *haben* endlich *eine Entscheidung getroffen*. (= wir haben uns entschieden)

Die folgende Liste enthält eine Auswahl:

Einfache Verben

1. fällen
   a) eine Entscheidung b) ein Urteil
2. finden
   a) ein Ende b) Anerkennung c) Ausdruck d) Beachtung/Interesse e) Beifall f) Ruhe g) Verwendung
3. führen
   a) den Beweis b) ein Gespräch/eine Unterhaltung c) Krieg
4. geben
   a) jdm. (eine) Antwort b) jdm. (eine) Auskunft c) jdm. (den) Befehl d) jdm. Bescheid e) jdm. seine Einwilligung f) jdm. die Erlaubnis g) jdm. die Freiheit h) jdm. die Garantie i) jdm. (die) Gelegenheit j) jdm. eine Ohrfeige k) jdm. einen Rat/einen Tip/einen Wink l) jdm. die Schuld m) jdm. einen Tritt/einen Stoß n) (jdm.) Unterricht o) jdm. das Versprechen/sein Wort p) jdm. seine Zustimmung q) jdm./einer Sache den Vorzug
5. gewinnen
   a) den Eindruck b) die Überzeugung c) einen Vorsprung
6. halten
   a) eine Rede/einen Vortrag/eine Vorlesung b) ein (sein) Versprechen/sein Wort
7. holen
   a) Atem b) sich eine Erkältung/eine Infektion/eine Krankheit c) sich den Tod
8. leisten
   a) eine Arbeit b) einen Beitrag c) Hilfe d) Zivildienst e) Ersatz f) Widerstand
9. machen
   a) den Anfang b) jdm. ein Angebot c) jdm. Angst d) (mit jdm.) eine Ausnahme e) ein Ende f) jdm. (eine) Freude g) sich die Mühe h) eine Pause i) Spaß j) einen Spaziergang k) einen Unterschied l) einen Versuch m) jdm. einen Vorwurf/Vorwürfe
10. nehmen
   a) Abschied b) Anteil (an jdm./etwas) c) Bezug (auf etwas) d) Einfluß (auf jdn./etwas) e) ein Ende f) Platz g) Rache h) Stellung

11. schaffen
   a) Abhilfe b) Klarheit c) Ordnung d) Ruhe e) Arbeitsplätze
12. stiften
   a) Frieden/Unfrieden b) Unruhe
13. treffen
   a) mit jdm. ein Abkommen / eine/die Vereinbarung b) eine Entscheidung c) Maßnahmen d) Vorsorge e) Vorbereitungen
14. treiben
   a) (zuviel) Aufwand b) Handel c)Mißbrauch d) Sport e) Unfug
15. wecken
   a) Erinnerungen b) Gefühle c) Interesse d) die Neugier

Trennbare und untrennbare Verben

16. abgeben
   a) eine Erklärung b) seine Stimme c) ein Urteil
17. ablegen
   a) einen Eid/einen Schwur b) ein Geständnis c) eine Prüfung
18. abschließen
   a) die Arbeit b) die Diskussion c) einen Vertrag
19. annehmen
   a) den Vorschlag b) die Bedingung c) die Einladung d) (die) Hilfe e) Vernunft f) die Wette
20. anrichten
   a) ein Blutbad b) Schaden c) Unheil d) Verwüstungen
21. anstellen
   a) Berechnungen b) Nachforschungen c) Überlegungen d) Versuche e) Unfug/ Dummheiten
22. antreten
   a) den Dienst b) die Fahrt c) die Regierung
23. aufgeben
   a) die Arbeit b) seinen Beruf c) den Plan d) die Hoffnung e) das Spiel f) den Widerstand
24. ausführen
   a) eine Arbeit b) einen Auftrag c) einen Befehl d) einen Plan e) eine Reparatur/Reparaturen
25. begehen
   a) eine Dummheit b) (einen) Fehler c) einen Mord d) Selbstmord e) Verrat
26. durchsetzen
   a) seine Absicht b) seine Forderungen c) seine Idee(n) d) seine Meinung e) seinen Willen
27. einlegen
   a) Beschwerde / Protest b) Berufung c) ein gutes Wort (für jdn.)
28. einreichen
   a) einen Antrag / ein Gesuch b) Beschwerde c) die Examensarbeit d) einen Vorschlag
29. einstellen
   a) die Arbeit b) die Herstellung c) den Betrieb d) das Rauchen e) die Untersuchung f) den Versuch / das Experiment

30. ergreifen
    a) Besitz (von etwas) b) die Flucht c) die Gelegenheit d) Maßnahmen e) das Wort
31. erstatten
    a) Anzeige b) (einen) Bericht
32. verüben
    a) einen Mord b) eine (böse) Tat c) ein Verbrechen
33. zufügen
    a) jdm. Böses b) jdm. Kummer c) jdm. eine Niederlage d) jdm. Schaden e) jdm. Schmerzen
34. zuziehen
    a) sich eine Erkältung / eine Grippe b) sich Unannehmlichkeiten c) sich eine Verletzung/schwere Verletzungen

ÜBUNGEN

1 Finden Sie das passende Substantiv, und setzen Sie es in den Dativ.

1. Das Gras schmeckt	a) der Jäger
2. Das Medikament nützt	b) die Blumen
3. Die Kinder vertrauen	c) der Hund
4. Der Sportplatz gehört	d) das Geburtstagskind
5. Wir gratulieren	e) der Gastgeber
6. Die Gäste danken	f) die Patientin
7. Der Jäger befiehlt	g) die Eltern
8. Der Hund gehorcht	h) der Ladendieb
9. Die Trockenheit schadet	i) die Gemeinde
10. Der Detektiv folgt	j) die Kühe

2 Bilden Sie Sätze im Imperfekt und Perfekt. Setzen Sie dabei die Substantive in den richtigen Kasus.

der Arzt / der Mann / das Medikament / verschreiben
Der Arzt verschrieb *dem Mann* das Medikament.
Der Arzt hat *dem Mann* das Medikament verschrieben.

1. die Hausfrau / der Nachbar / die Pflege der Blumen / anvertrauen
2. die Tocher / der Vater / die Frage / beantworten
3. der Angeklagte / der Richter / seine Unschuld / beweisen
4. Udo / mein Freund / das Moped / borgen
5. der Briefträger / die Einwohner / die Post / jeden Morgen gegen 9 Uhr / bringen
6. er / die Kinder / Märchen / erzählen
7. der Bürgermeister / das Brautpaar / die Urkunden / geben
8. Gisela / der Nachbar / das Fahrrad / gern leihen
9. das Versandhaus / die Kunden / die Ware / ins Haus liefern
10. sie / die Tante / das Geburtstagsgeschenk / schicken
11. Hans / der Chef / die Kündigung / aus Frankreich / schicken

12. das Warenhaus / der Kunde / der Kühlschrank / ins Haus senden
13. der Angestellte / der Chef / seine Kündigungsabsicht / verschweigen
14. die Zollbehörde / der Ausländer / die Einreise / verweigern
15. eine Diebesbande / die Fahrgäste im Schlafwagen / das Geld / entwenden
16. die Polizei / der Busfahrer / der Führerschein / entziehen
17. der Motorradfahrer / die Dame / die Tasche / im Vorbeifahren rauben
18. meine Freundin / die Eltern / dieses Teeservice / zu Weihnachten / schenken
19. ein Dieb / der Junggeselle / die ganze Wohnungseinrichtung / stehlen
20. der Vater / der Sohn zum Abitur / das Geld für eine Italienreise / versprechen

3 Akkusativ und/oder Dativ? Bilden Sie Sätze im Imperfekt.

1. der Einheimische / die Gäste / das ,,Hotel Ritter" / empfehlen
2. wir / unser Nachbar / begegnen
3. der Fußballstar / die Fußballfans (Pl.) / entfliehen
4. die Lügen / der Politiker / nicht helfen
5. der Richter / der Zeuge / nicht glauben
6. die Katze / das Vogelnest / sich heimlich nähern
7. der Dünger / die Pflanzen / nützen
8. das Bild / die Freunde / nicht gefallen
9. ich / der Brief / nicht beantworten
10. der Fußgänger / die Fremden (Pl.) / der Weg / zeigen
11. der Vater / der Junge / eine Belohnung / versprechen
12. der Fahrer / der Autoschlosser / zusehen
13. der Minister / die Verantwortung / übernehmen
14. der Trainer / der Fußballspieler / nicht erlauben mitzuspielen
15. die Anwesenden / der Vorschlag / zustimmen
16. die Passanten / die Dame / beistehen
17. das Parlament / das Gesetz / beschließen
18. alle / die Antwort / verweigern
19. das Musikstück / die Besucher (Pl.) / mißfallen
20. einige Zuhörer / der Redner / widersprechen

4 Üben Sie nach folgendem Muster:

Hast du deinem Freund das Auto geliehen? Ja, ich hab' *ihm* das Auto geliehen.

Hast du
1. ... dem Chef die Frage beantwortet?
2. ... deinen Eltern deinen Entschluß mitgeteilt?
3. ... den Kindern das Fußballspielen verboten?
4. ... deiner Wirtin die Kündigung geschickt?
5. ... deinem Sohn das Rauchen gestattet?
6. ... deiner Freundin den Fernseher überlassen?
7. ... deinem Bruder die Wahrheit gesagt?
8. ... deinem Vater deine Schulden verschwiegen?
9. ... den Kindern den Ball weggenommen?

10. ... deinen Freunden die Urlaubsbilder schon gezeigt?
11. ... deiner Familie einen Ausflug versprochen?
12. ... deinen Eltern einen Gruß geschickt?

5 Verwenden Sie nun die Sätze 1–14 aus Übung 2, und üben Sie nach folgendem Muster:

Der Arzt hat dem Mann das Medikament verschrieben. Nein, das stimmt nicht, er hat *ihm* das Medikament nicht verschrieben!

Statt „Nein, das stimmt nicht" können Sie auch sagen: *Nein, ganz im Gegenteil, ...; Nein, das ist nicht wahr, ...; Nein, da irren Sie sich, ...; Nein, da sind Sie im Irrtum, ...*

6 a Beantworten Sie die Fragen im Perfekt. – Verwenden Sie dabei die Funktionsverben Nr. 1–15.

Wer macht einen Spaziergang? (die Eltern / mit ihren Kindern) Die Eltern *haben* mit ihren Kindern *einen Spaziergang gemacht*.

1. Wer findet Anerkennung? (der Politiker / bei den Wählern)
2. Wer gibt der Firmenleitung die Schuld? (der Gewerkschaftsvertreter / an den Verlusten)
3. Wer gewinnt einen Vorsprung von zwei Metern? (der polnische Läufer)
4. Wer hält eine Vorlesung? (ein Professor aus Rom / am 4. 5. / über Goethe)
5. Wer leistet Hilfe? (das Rote Kreuz / bei der Rettung der Flüchtlinge)
6. Wer macht mir ein Angebot? (der Makler / für ein Ferienhaus)
7. Wer macht dem Neffen Vorwürfe? (die Tante / wegen seiner Unhöflichkeit)
8. Wer trifft eine Entscheidung? (der Chef / am Ende der Verhandlungen)
9. Wer schafft 150 neue Arbeitsplätze? (eine Textilfabrik / in der kleinen Stadt)
10. Was weckt das Interesse des Wissenschaftlers? (die Arbeit eines Kollegen)

b Ebenso. Verwenden Sie aber die Funktionsverben Nr. 16–34.

1. Wer nimmt die Wette an? (Peter)
2. Wer richtet großen Schaden an? (die Fußballfans / beim Spiel ihrer Mannschaft)
3. Wer tritt seinen Dienst an? (der neue Pförtner / am 2. Mai)
4. Wer gibt seinen Beruf auf? (der Schauspieler / nach drei Jahren)
5. Wer setzt seine Forderungen durch? (der Arbeitslose / beim Sozialamt)
6. Wer legt Berufung ein? (der Rechtsanwalt / gegen das Urteil)
7. Wer reicht die Examensarbeit endlich ein? (die Studentin / bei ihrem Professor)
8. Wer ergreift das Wort? (der Bürgermeister / nach einer langen Diskussion im Stadtparlament)
9. Wer erstattet Anzeige? (der Mieter / gegen den Hausbesitzer)
10. Wer zieht sich schwere Verletzungen zu? (der Lastwagenfahrer / bei einem Unfall)
11. Wer stellt das Rauchen ein? (die Fluggäste / während des einstündigen Fluges)
12. Wer hat der Firma großen Schaden zugefügt? (ein Mitarbeiter / durch Unterschlagungen)

c Antworten Sie auf die Fragen. Suchen Sie unter der angegebenen Nummer die jeweils beste Lösung. – Begründen Sie Ihre Ansicht, wenn verschiedene Antworten möglich sind.

Ein junger Familienvater geht zum Wohnungsamt. Was will er? (Nr. 28) – Er *reicht einen Antrag ein.*

1. Der Junge ist ohne Jacke und Mütze aufs Eis gegangen. – Was war die Folge? (7)
2. Die Kinder machten das Fenster auf, damit der Vogel wegfliegen konnte. – Was haben sie getan? (4)
3. Ich hatte vergessen, die Blumen meiner Nachbarin zu gießen. – Wie reagierte sie, als sie zurückkam? (9)
4. Die Not in vielen Teilen der Welt ist groß. – Was müssen die reicheren Länder tun? (8)
5. Wir wollen diese schöne Wohnung mieten. – Was müssen wir tun? (18) (... mit dem Hausbesitzer einen Miet- ...)
6. Der Hund meiner Tante ist weggelaufen. – Was tut sie? (21)
7. Der Künstler hatte keinen Erfolg. – Wie reagierte er? (23)
8. Der Wasserhahn tropft, deshalb habe ich einen Handwerker gerufen. – Was hat er gemacht? (24)
9. Die Elektronik-Firma hat ein nichtkonkurrenzfähiges Produkt auf den Markt gebracht. – Was hat sie daraufhin getan? (29)
10. Die Kollegen streiten dauernd miteinander. – Was muß der Chef tun? (12)

***7 a Formen Sie die Sätze um. Verwenden Sie dabei den in Klammern angegebenen Ausdruck (Funktionsverben Nr. 1–15). Achten Sie auf die Zeit!**

1. Das Gericht *hat* noch nicht *entschieden*, ob der Angeklagte freigesprochen werden kann. (1 a)
2. Der Vortrag des Atomwissenschaftlers *interessierte* die anwesenden Forscher sehr. (2d – bei den ... Forschern großes Interesse)
3. Leere Flaschen müssen abgegeben werden, damit sie *wiederverwendet* werden können. (2g)
4. Viele Länder, die *sich* früher *bekriegten*, sind heute miteinander befreundet. (3c – Krieg gegeneinander ...)
5. Wenn die Eltern *nicht einverstanden sind*, kann der Fünfzehnjährige das teure Lexikon nicht bestellen. (4e – ihre Einwilligung)
6. Wie viele Stunden *unterrichten* Sie pro Woche? (4n)
7. Glauben Sie, daß er hält, was er *verspricht*? (6b)
8. Von Zeit zu Zeit müssen die Meeressäugetiere an die Wasseroberfläche schwimmen, *um zu atmen*. (7a)
9. Wer einen Gegenstand stark beschädigt, muß *ihn ersetzen*. (8e – muß dafür ...)
10. Man muß *unterscheiden* zwischen denen, die in der Diktatur die Anführer waren, und denen, die nur Mitläufer waren. (9k)
11. Noch im Hotel *verabschiedeten sich* die Teilnehmer der Veranstaltung. (10a) (voneinander)
12. Die Gäste wurden gebeten, *sich zu setzen*. (10f)

13. Die Geschwister *vereinbarten*, jedes Jahr in ihrer Heimatstadt zusammenzukommen. (13b)
14. Schon vor Tausenden von Jahren *handelten* Kaufleute mit Salz. (14b)

***b Ebenso. Verwenden Sie aber die Funktionsverben Nr. 16–34.**

1. Im letzten Herbst *sind* nur 75 Prozent der Wähler *zur Wahl gegangen*. (16b)
2. Nach langen Verhören *gestand* der Angeklagte schließlich. (17b)
3. Alle Soldaten mußten auf die Fahne *schwören*. (17a)
4. Nach zwei Jahren war er endlich *mit seiner Doktorarbeit fertig*. (18a)
5. Die Eltern ermahnten ihren sechzehnjährigen drogensüchtigen Sohn, doch *vernünftig zu sein*. (19e)
6. Ein Wirbelsturm *verwüstete große Teile des Landes*. (20d – schwere Verwüstungen in + D)
7. Die Versicherungsgesellschaft *forscht* zur Zeit *nach* dem Schiff, das im Pazifischen Ozean verschwunden ist. (21b)
8. Punkt neun Uhr *ist* die Reisegruppe *losgefahren*. (22b)
9. Sie *hat keine Hoffnung mehr*, daß ihr Mann zu ihr zurückkommt. (23d)
10. Acht Tage hatten die Bürger ihre Stadt tapfer verteidigt; am neunten Tag *ergaben* sie *sich*, da sie kein Wasser mehr hatten. (23f)
11. Er ist ein Typ, der *alles* selbst *repariert*. (24e)
12. Er *hat falsch gehandelt*, als er das Zimmer im Studentenheim nicht angenommen hat. (25b)
13. Der Gefangene *hatte sich* in seiner Zelle *umgebracht*. (25d)
14. Er sollte 60 DM Mahngebühr an das Finanzamt zahlen; darüber *hat* er *sich beschwert*. (27a – dagegen)
15. Der Betriebsrat *hat* Verschiedenes zur Arbeitszeitverkürzung *vorgeschlagen* und bei der Geschäftsleitung *abgegeben*. (28d – verschiedene Vorschläge)
16. Die Fluggäste werden beim Verlassen des Warteraumes gebeten, *nicht mehr zu rauchen*. (29d)
17. Das hochverschuldete Unternehmen *konnte nicht weiterarbeiten*. (29c) (mußte ...)
18. Viele Menschen *sind* aus Angst vor einem möglichen Bombenangriff *geflohen*. (30b)
19. Infolge des naßkalten Wetters *haben sich* viele Menschen *erkältet*. (34a)
20. Der Skirennfahrer *hat sich* beim Abfahrtslauf schwer *verletzt*. (34c)

§ 15 Verben mit präpositionalem Objekt

Vorbemerkungen

1. Viele Verben werden mit einer festen Präposition gebraucht, der ein Objekt in einem bestimmten Kasus (Dativ oder Akkusativ) folgt. Die Präposition und das Objekt bilden zusammen das Präpositionalobjekt.
2. Es gibt keine Regel dafür, welches Verb mit welcher Präposition gebraucht wird und in welchem Kasus das Objekt steht. Verb, Präposition und Kasus sollten deshalb zusammen geübt werden (siehe Tabelle unter III).

I Gebrauch

a) Die Nachtschwester **sorgt für den Schwerkranken.**
Wir haben **an dem Ausflug** nicht **teilgenommen.**
b) Sie **erinnert sich** gern **an die Schulzeit.**
Wir **beschäftigen uns** schon lange **mit der Grammatik.**
c) Der Reisende dankt **dem Schaffner für seine Hilfe.**
Der Einheimische warnt **den Bergsteiger vor dem Unwetter.**
d) Er beschwert sich **bei den Nachbarn über den Lärm.**
Wir haben uns **bei dem Beamten nach der Ankunft des Zuges** erkundigt.

Regeln

zu a) Das Verb ist mit einem Präpositionalobjekt verbunden.
zu b) Viele Verben mit einem Präpositionalobjekt sind reflexiv (siehe § 10).
zu c) Einige Verben mit einem Präpositionalobjekt brauchen noch ein weiteres Objekt (Dativ oder Akkusativ), das nicht fehlen darf. Es steht vor dem Präpositionalobjekt.
zu d) Einige Verben brauchen sogar zwei Präpositionalobjekte. Im allgemeinen steht das Präpositionalobjekt im Dativ vor dem im Akkusativ.

II Gebrauch bei Fragen, daß-Sätzen und Infinitivkonstruktionen

a) Er denkt **an seine Freundin.**	Frage: **An wen** denkt er? (= Person)
b) Er denkt **an seine Arbeit.**	Frage: **Woran** denkt er? (= Sache)
c) Denkst du **an deine Freundin**?	Antwort: Ich denke immer **an sie.**
d) Denkst du **an deine Arbeit**?	Antwort: Ich denke immer **daran.**

e) Er denkt **daran,** daß seine Eltern bald zu Besuch kommen.
f) Er denkt **daran,** sich eine neue Stellung zu suchen.

Regeln

Die Präposition steht fest mit dem Verb und dem Objekt zusammen; sie wird deshalb auch bei Fragen nach einem präpositionalen Objekt (a + b), bei Pronomen anstelle eines präpositionalen Objekts (c + d) und meist beim Gebrauch von *daß*-Sätzen und Infinitivkonstruktionen (e + f) miterwähnt.

zu a + b) Bei Fragen nach einem Präpositionalobjekt muß man zwischen Personen und Sachen unterscheiden.
Bei Personen steht die Präposition vor dem persönlichen Fragewort, z. B. *bei wem? an wen?* usw.
Bei Sachen wird die Präposition mit *wo* verbunden, z. B. *wofür? wonach?* Wenn die Präposition mit einem Vokal anfängt, wird ein *r* eingeschoben, z. B. *woran?*

zu c + d) Bei der Bildung von Pronomen anstelle eines Präpositionalobjekts muß man auch zwischen Personen und Sachen unterscheiden:
Bei Personen steht die Präposition vor dem Personalpronomen, z. B. *vor ihm, an ihn,* usw.
Bei Sachen wird die Präposition mit *da* verbunden, z. B. *damit, davon,* usw. Wenn die Präposition mit einem Vokal anfängt, wird ein *r* eingeschoben, z. B. *daran, darauf,* usw.

zu e + f) Das Präpositionalobjekt kann zu einem *daß*-Satz oder einer Infinitivkonstruktion erweitert werden (siehe § 16 II 2). Im allgemeinen steht die Präposition mit *da* oder *dar-* am Ende des Hauptsatzes oder des Beziehungssatzes.

III Auswahl der gebräuchlichsten Verben mit Präposition

abhängen	von + D	den Eltern	
es hängt ab	von + D	den Umständen	davon, daß ... / ob ... / wie ... / wann ...
achten	auf + A	die Fehler	darauf, daß ... / ob ... / Inf.-K.
anfangen	mit + D	dem Essen	(damit), Inf.-K.
sich anpassen	an + A	die anderen	
sich ärgern	über + A	den Nachbarn	(darüber), daß ... / Inf.-K.
jdn. ärgern	mit + D	dem Krach	damit, daß ...
aufhören	mit + D	dem Unsinn	(damit), Inf.-K.
sich / jdn. befreien	von + D	den Fesseln	
	aus + D	der Gefahr	
beginnen	mit + D	der Begrüßung	(damit), Inf.-K.
sich beklagen	bei + D	dem Chef	
	über + A	die Mitarbeiter	(darüber), daß ... / Inf.-K.
sich bemühen	um + A	die Zulassung	(darum), daß ... / Inf.-K.
sich / jdn. beschäftigen	mit + D	dem Problem	(damit), daß ... / Inf.-K.
sich beschweren	bei + D	dem Direktor	
	über + A	den Kollegen	(darüber), daß ... / Inf.-K.
sich bewerben	um + A	ein Stipendium	darum, daß ... / Inf.-K.
jdn. bitten	um + A	einen Rat	(darum), daß ... / Inf.-K.
bürgen	für + A	den Freund; die Qualität	dafür, daß ...
jdm. danken	für + A	die Blumen	(dafür), daß ...
denken	an + A	die Schulzeit	(daran), daß ... / Inf.-K.
sich entschuldigen	bei + D	dem Kollegen	
	für + A	den Irrtum	(dafür), daß ...
sich / jdn. erinnern	an + A	die Reise	(daran), daß ... / Inf.-K.
jdn. erkennen	an + D	der Stimme	daran, daß ...
sich erkundigen	bei + D	dem Beamten	
	nach + D	dem Paß	(danach), ob ... / wann ... / wie ... / wo ...
jdn. fragen	nach + D	dem Weg	(danach), ob ... / wann ... / wo ...
sich freuen	auf + A	die Ferien	(darauf), daß ... / Inf.-K.
	über + A	das Geschenk	(darüber), daß ... / Inf.-K.
sich fürchten	vor + D	der Auseinandersetzung	(davor), daß ... / Inf.-K.
jdm. garantieren	für + A	den Wert der Sache	(dafür), daß ...
gehören	zu + D	einer Gruppe	es gehört dazu, daß ...

geraten	in + A	eine schwierige Lage; Wut	
	unter + A	die Räuber	
sich / jdn. gewöhnen	an + A	das Klima	daran, daß . . . / Inf.-K.
glauben	an + A	Gott; die Zukunft	
jdn. halten	für + A	einen Betrüger	
etwas / nichts halten	von + D	dem Mann; dem Plan	davon, daß . . . / Inf.-K.
es handelt sich	um + A	das Kind; das Geld	darum, daß . . . / Inf.-K.
herrschen	über + A	ein Land	
hoffen	auf + A	die Geldsendung	(darauf), daß . . . / Inf.-K.
sich interessieren	für + A	das Buch	dafür, daß . . . / Inf.-K.
sich irren	in + D	dem Datum; dem Glauben, daß . . .	
kämpfen	mit + D	den Freunden	
	gegen + A	die Feinde	dagegen, daß . . .
	für + A	den Freund	dafür, daß . . . / Inf.-K.
	um + A	die Freiheit	darum, daß . . . / Inf.-K.
es kommt an	auf + A	die Entscheidung	darauf, daß . . . / ob . . . /
es kommt jdm. an	auf + A	diesen Termin	wann . . . / Inf.-K.
sich konzentrieren	auf + A	den Vortrag	darauf, daß . . . / Inf.-K.
sich kümmern	um + A	den Gast	darum, daß . . .
lachen	über + A	den Komiker	(darüber), daß . . .
leiden	an + D	einer Krankheit	daran, daß . . .
	unter + D	dem Lärm	darunter, daß . . .
jdm. liegt	an + D	einem Rat	daran, daß . . . / Inf.-K.
es liegt	an + D	der Leitung	daran, daß . . .
nachdenken	über + A	den Plan	darüber, daß . . . / wie . . . / wann . . .
sich rächen	an + D	den Feinden	
	für + A	das Unrecht	dafür, daß . . .
jdm. raten	zu + D	diesem Studium	(dazu), daß . . . / Inf.-K.
rechnen	auf + A	dich	darauf, daß . . .
	mit + D	deiner Hilfe	damit, daß . . . / Inf.-K.
schreiben	an + A	den Vater	
	an + D	einem Roman	
	über + A	ein Thema	darüber, wie . . . / wann . . .
sich / jdn. schützen	vor + D	der Gefahr	davor, daß . . . / Inf.-K.
sich sehnen	nach + D	der Heimat	danach, daß . . . / Inf.-K.
sorgen	für + A	die Kinder	dafür, daß . . .
sich sorgen	um + A	die Familie	
sprechen	mit + D	der Freundin	
	über + A	ein Thema	darüber, daß . . . / ob . . . / wie . . . / was . . .
	von + D	einem Erlebnis	davon, daß . . . / wie . . . / was . . .

staunen	über + A	die Leistung	(darüber), daß ... / wie ... / was ...
sterben	an + D	einer Krankheit	
	für + A	eine Idee	
sich streiten	mit + D	den Erben ...	
	um + A	das Vermögen	darum, wer ... / wann ... / ob ...
teilnehmen	an + D	der Versammlung	
etwas zu tun haben	mit + D	dem Mann; dem Beruf	damit, daß ... / wer ... / was ... / wann ...
sich unterhalten	mit + D	dem Freund	
	über + A	ein Thema	darüber, daß ... / ob ... / wie ... / was ...
sich verlassen	auf + A	dich; deine Zusage	darauf, daß ... / Inf.-K.
sich verlieben	in + A	ein Mädchen	
sich vertiefen	in + A	ein Buch	
vertrauen	auf + A	die Freunde; die Zukunft	darauf, daß ... / Inf.-K.
verzichten	auf + A	das Geld	darauf, daß ... / Inf.-K.
sich / jdn. vorbereiten	auf + A	die Prüfung	darauf, daß ... / Inf.-K.
jdn. warnen	vor + D	der Gefahr	(davor), daß ... / Inf.-K.
warten	auf + A	den Brief	(darauf), daß ... / Inf.-K.
sich wundern	über + A	die Technik	(darüber), daß ... / Inf.-K.
zweifeln	an + D	der Aussage des Zeugen	(daran), daß ... / Inf.-K.

Anmerkungen

jd. = jemand (Nominativ), jdm. = jemandem (Dativ), jdn. = jemanden (Akkusativ)
Inf.-K. = Infinitivkonstruktion

Die Angaben in der rechten Spalte bedeuten, daß sich folgende Konstruktionen anschließen lassen, z. B. *sich ärgern (darüber), daß ... / Inf.-K.:*
Ich ärgere mich darüber, daß ich nicht protestiert habe.
nicht protestiert zu haben.
Ich ärgere mich, daß ich nicht protestiert habe.
nicht protestiert zu haben.
Wenn ein Pronominaladverb (z. B. *darüber*) nicht in Klammern steht, darf es nicht weggelassen werden.

sich erkundigen, ob ... / wie ... / wann ... bedeutet, daß sich ein Nebensatz mit *ob* oder mit irgendeinem Fragepronomen anschließen läßt:
Ich erkundige mich danach, ob sie noch im Krankenhaus ist.
wann sie entlassen wird.
wer sie operiert hat.
wie es ihr geht.

IV Verben mit präpositionalem Objekt, die mit einem Akkusativobjekt in einer festen Verbindung stehen.

a) Ich *nehme Bezug auf Ihr Schreiben* vom 15. Januar.
Sie *machten sich Hoffnung auf eine billige Wohnung* in München.
Wir *wissen* seit langem *Bescheid über seine Schulden*.
b) Sie machten sich Hoffnung *darauf*, eine billige Wohnung in München zu bekommen.
c) Wir wissen seit langem Bescheid *darüber*, daß er hohe Schulden hat.

Regeln:

zu a) Das Verb bildet mit seinem Akkusativobjekt zusammen eine Einheit (siehe § 14 VIII). Dieser feste Ausdruck ist mit einem Präpositionalobjekt verbunden.
Auch der Gebrauch oder das Fehlen eines Artikels ist meistens festgelegt. Anstelle des unbestimmten Artikels kann der artikellose Plural stehen: Sie führten *ein Gespräch* mit ihm. / Sie führten *Gespräche* mit ihm.
zu b + c) Sonst gelten alle vorher genannten Regeln (siehe § 15 II).

Die folgende Liste enthält eine Auswahl:

1.	Abschied nehmen	von + D	den Eltern	
2.	einen Antrag stellen	auf + A	Kindergeld	
3.	die Aufmerksamkeit lenken	auf + A	das Unrecht	darauf, daß
4.	Ansprüche stellen	an + A	das Leben; den Partner	
5.	Bescheid wissen	über + A	die Steuergesetze	darüber, daß / wie / wann / wo
6.	Beziehungen haben	zu + D	Regierungskreisen	
7.	Bezug nehmen	auf + A	die Mitteilung	
8.	Druck ausüben	auf + A	die Politiker	
9.	Einfluß nehmen	auf + A	eine Entscheidung	darauf, daß / wie
10.	eine / die Frage stellen	nach + D	der Bezahlung	danach, ob / wann / wie
11.	sich Gedanken machen	über + A	ein Thema	darüber, daß / ob / wie / wo
12.	Gefallen finden	an + D	dem Spiel	daran + Inf. / wie
13.	ein Gespräch führen	mit + D	einem Mitarbeiter	
		über + A	einen Plan	darüber, daß / ob /
14.	sich Hoffnung machen	auf + A	einen Gewinn	darauf, daß / Inf.-K.
15.	die Konsequenz ziehen	aus + D	dem Verhalten eines anderen	daraus, daß / wie
16.	Kritik üben	an + D	dem Verhalten eines Menschen;	
			einer Aussage	daran, daß / wie
17.	Notiz nehmen	von + D	einer Person;	
			einem Ereignis	davon, daß / wie

18. Protest einlegen	gegen + A	eine Entscheidung	dagegen, daß / wie
19. Rache nehmen	an + D	einer Person	
20. ein Recht haben	auf + A	eine Erbschaft	darauf, daß / Inf.-K.
21. Rücksicht nehmen	auf + A	einen Nachbarn	darauf, daß
22. Schritt halten	mit + D	einem Menschen; einer Entwicklung	
23. Stellung nehmen	zu + D	einem Problem	dazu, ob / wie
24. einen Unterschied machen	zwischen + D	einer Idee und der Wirklichkeit	
25. eine Verabredung treffen	mit + D	der Freundin	
26. (eine) Verantwortung übernehmen / auf sich nehmen / tragen	für + A	einen Mitmenschen; eine Fehlentwicklung	dafür, daß
27. ein Verbrechen / einen Mord begehen / verüben	an + D	einem Geldboten	
28. Vorbereitungen treffen	für + A	eine Expedition	
29. Wert legen	auf + A	Genauigkeit	darauf, daß / wie / Inf.-K.
30. Widerstand leisten	gegen + A	einen Feind; eine Entscheidung	dagegen, daß

ÜBUNGEN

1 Setzen Sie die fehlenden Präpositionen, Pronominaladverbien („darum" usw.) und die fehlenden Endungen ein.

1. Du kannst dich ... verlassen, daß ich ... dies__ Kurs teilnehme, denn ich interessiere mich ... dies__ Thema.
2. Wie kannst du dich nur ... d__ Direktor fürchten? Ich halte ihn ... ein__ sehr freundlichen Menschen.
3. Wenn ich mich ... erinnere, wie sehr er sich ... mein__ Fehler (m) gefreut hat, gerate ich immer ... Wut.
4. Hast du dich ... d__ Professor ... erkundigt, ob er ... dir ... dein__ Doktorarbeit sprechen will?
5. Er hatte ... gerechnet, daß sich seine Verwandten ... d__ Kinder kümmern, weil er sich ... konzentrieren wollte, eine Rede zum Geburtstag seines Chefs zu schreiben.
6. Er kann sich nicht ... unser__ Gewohnheiten anpassen; er gehört ... d__ Menschen, die sich nie ... gewöhnen können, daß andere Menschen anders sind.
7. Seit Jahren beschäftigen sich die Wissenschaftler ... dies__ Problem (n) und streiten sich ..., welches die richtige Lösung ist. Man kann ihnen nur ... raten, endlich ... dies__ Diskussion (f) aufzuhören.
8. Die Angestellte beklagte sich ... d__ Personalchef ..., daß sie noch immer keine Lohnerhöhung bekommen hat.

2 Setzen Sie die richtige Präposition bzw. das richtige Pronominaladverb („darüber", „darauf", usw.) ein.

1 Eine Hausfrau redet ... ihre Nachbarin: „Das ist eine schreckliche Person! Sie gehört ... den Frauen, die erst saubermachen, wenn der Staub schon meterhoch liegt. Man kann

3 sich ... verlassen, daß sie den Keller noch nie geputzt hat, und dann wundert sie sich ..., daß sie böse Briefe vom Hauswirt bekommt. Ich kann mich nicht ... besinnen, daß sie
5 ihre Kinder jemals rechtzeitig zur Schule geschickt hat. Jeden Abend zankt sie sich ... ihrem Mann ... das Wirtschaftsgeld. Sie denkt gar nicht ..., sparsam zu sein. Ihre Kinder
7 warten ... eine Ferienreise und freuen sich ..., aber sie hat ja immer alles Geld verschwendet. Sie sorgt nur ... sich selbst und kümmert sich den ganzen Tag nur ... ihre
9 Schönheit. Ich habe meinen Sohn ... ihr gewarnt. Er hatte sich auch schon ... sie verliebt, aber jetzt ärgert er sich nur noch ... ihren Hochmut. Neulich hat sie mich doch
11 tatsächlich ... etwas Zucker gebeten. Ich werde mich mal ... der Polizei erkundigen, ob das nicht Bettelei ist. – Die dumme Gans leidet ja ... Größenwahn! –" Gott schütze uns
13 ... solchen Nachbarinnen!

3 Ebenso:

1 Ein alter Rentner saß auf einer Parkbank und beschwerte sich ... sein Leben: „Seit sieben Tagen warte ich schon ... meine Rentenzahlung, aber die Beamten haben noch
3 nicht einmal ... begonnen, meinen Antrag auszufüllen. Sie verlassen sich anscheinend ..., daß ich ein Vermögen auf der Bank liegen habe, und wundern sich ..., daß ich jeden
5 Tag aufs Amt laufe. Meine Rente gehört doch ... meinen Rechten als Staatsbürger; aber die wollen wohl, daß ich sie auf den Knien ... mein Geld bitte. ... können sie lange
7 warten. Die Herren Beamten halten mich wohl ... einen Irren und verlassen sich ..., daß ich endlich ... alles verzichte. Aber da irren sie sich ... mir; ich werde ... mein Recht
9 kämpfen, auch wenn ich mich schwarz ärgern muß ... diese Leute. Schließlich muß ich ja auch ... meinen Hund sorgen. Wer soll ihn denn ... schützen, daß ihn irgendein Idiot
11 überfährt oder stiehlt, wenn ich mich den ganzen Tag ... endlosen Formularen beschäftigen muß. Meine alte Nachbarin stirbt sowieso bald ... Altersschwäche, und dann küm-
13 mert sich niemand mehr ... mich und freut sich ..., daß ich nach Hause komme. – ... dem Verstand meiner Tante Amalie zweifle ich schon lange."
15 Du lieber Himmel! dachte ich, jetzt fängt der Mensch noch an, ... seiner Tante zu erzählen. Hoffentlich hört er bald auf ... diesen langweiligen Reden!

* 4 Ersetzen Sie die Verben durch die passenden festen Ausdrücke.

1. Am Ende des Urlaubs auf dem Bauernhof verabschiedeten sich die Gäste von ihren Gastgebern. (1)
2. Wenn die Studenten den Zuschuß zum Studiengeld nicht beantragen, bekommen sie natürlich auch nichts. (2)
3. Ich beziehe mich auf die Rede des Parteivorsitzenden vom 1. 3. (7)
4. Natürlich fragten die Arbeiter nach der Höhe des Lohnes und den sonstigen Arbeitsbedingungen. (Pl.) (10)
5. Die Werksleitung überlegte, ob sie das Werk stillegen sollte. (darüber, ob) (11)
6. Den Kindern gefiel der kleine Hund auf dem Bauernhof so gut, daß die Eltern ihn schließlich dem Bauern abkauften. (so großen Gefallen) (12)
7. Der Professor sprach mit der Studentin über ihre Dissertation. (13)
8. Die Skifahrer in dem Sportzentrum hofften auf baldigen Schnee. (14)
9. Die Bevölkerung der Stadt kritisierte das städtische Bauamt und seine Pläne zur Verkehrsberuhigung. (16)
10. Viele Menschen interessiert die drohende Klimakatastrophe anscheinend gar nicht. (17)

11. Die Beamten protestierten gegen die angekündigte Gehaltskürzung. (18)
12. Der Alte rächte sich an seinen lieblosen Verwandten und schenkte sein Vermögen der Kirche. (19)
13. Jedes der drei Kinder kann einen Teil des Erbes für sich beanspruchen. (20)
14. Die Entwicklung der Technik in den industrialisierten Ländern ist zum Teil so schnell, daß andere Länder kaum mithalten können. (damit) (22)
15. Die Bürger wurden gefragt, ob sie sich zu den Plänen der Stadtverwaltung äußern wollten. (23)
16. Juristen unterscheiden die Begriffe „Eigentum" und „Besitz". (24)
17. In diesem Wald haben vor 200 Jahren die Dorfbewohner einen Kaufmann ermordet. (27)
18. Wir müssen uns auf unseren Umzug nach Berlin vorbereiten. (28)
19. Für meinen Hausarzt ist es wichtig, daß die Patienten frei über ihre Krankheit sprechen. (29)
20. Die Betriebe sollen rationalisiert werden; dagegen wollen viele etwas unternehmen. (30)

§ 16 Verben mit daß-Sätzen oder Infinitivkonstruktionen

I Allgemeine Regeln

a) **Er** glaubt, daß **er** sich richtig verhält.
b) **Er** glaubt, sich richtig zu verhalten.
c) **Ich** hoffe, daß **ich** dich bald wiedersehe.
d) **Ich** hoffe, dich bald wiederzusehen.
e) Weil **wir** befürchten, daß **wir** Ärger bekommen, stellen wir das Radio leiser.
Weil **wir** befürchten, Ärger zu bekommen, stellen wir das Radio leiser.

Regeln

daß-Sätze und Infinitivkonstruktionen hängen von bestimmten Verben ab. Diese Verben können in Haupt- oder Nebensätzen (= Beziehungssätzen) stehen.

zu a + c) *daß*-Sätze sind Nebensätze (siehe § 25), d. h. das konjugierte Verb steht am Ende des Satzes. Sie brauchen die Konjunktion *daß* und haben immer ein eigenes Subjekt.

zu b + d) Infinitivkonstruktionen haben nie ein eigenes Subjekt; sie beziehen sich auf eine Person oder Sache, die im Beziehungssatz genannt ist.
Weil Infinitivkonstruktionen kein Subjekt haben, kann auch das Verb nicht in der konjugierten Form erscheinen; es steht als Infinitiv am Ende des Satzes. Vor dem Infinitiv steht *zu*. Bei trennbaren Verben wird *zu* zwischen Verbzusatz und Stammverb gestellt:
Ich beabsichtige, das Haus *zu kaufen*.

Ich beabsichtige, das Haus *zu verkaufen.* (= untrennbares Verb)
Ich beabsichtige, ihm das Haus *abzukaufen.* (= trennbares Verb)

Bei mehreren Infinitiven muß *zu* jedesmal wiederholt werden:
Ich hoffe, ihn *zu* sehen, *zu* sprechen und mit ihm *zu* verhandeln.

II Verben, von denen daß-Sätze oder Infinitivkonstruktionen abhängen können

1. Gruppe

Ich erwarte die Zusage. (= Akkusativobjekt)
a) **Ich** erwarte, daß **mein Bruder** die Zusage erhält.
b) **Ich** erwarte, daß **ich** die Zusage erhalte.
Ich erwarte, die Zusage zu erhalten.

Regeln

daß-Sätze und Infinitivkonstruktionen können aus der Erweiterung eines Akkusativobjektes entstehen.
zu a) Man gebraucht einen *daß*-Satz, wenn das Subjekt im Beziehungssatz und das Subjekt im *daß*-Satz verschiedene Personen oder Sachen bezeichnen.
zu b) Wenn das Subjekt in beiden Sätzen gleich ist, verwendet man meistens eine Infinitivkonstruktion.

Zu dieser Gruppe gehören folgende Verben:
1. Verben, die eine persönliche Haltung, z.B. einen Wunsch, ein Gefühl oder eine Absicht ausdrücken:

ablehnen (es)	hoffen	verlangen
annehmen = vermuten	meinen	versprechen (+ D)
erwarten	unterlassen (es)	versuchen
befürchten	vergessen	sich weigern
glauben = annehmen	vermeiden (es)	wünschen u. a.

2. Verben, die sich auf den Fortlauf einer Handlung beziehen. Sie werden nur mit einer Infinitivkonstruktion gebraucht:

anfangen	beabsichtigen	versäumen (es)
sich anstrengen	beginnen	wagen (es)
aufhören	fortfahren	u. a.

Anmerkungen

1. Einige Verben können mit *es* im Beziehungssatz gebraucht werden.
2. Nach den Verben *annehmen, fürchten, glauben, hoffen, meinen, wünschen,* u. a.kann auch ein Hauptsatz anstelle des *daß*-Satzes stehen:
   Ich nehme an, *es gibt morgen Regen.*
   Ich befürchte, *er kommt nicht rechtzeitig.*
3. Nicht aufgeführt sind Verben des Sagens: *sagen, antworten, fragen, berichten,* u. a. Sie werden mit einem *daß*-Satz gebraucht (siehe auch indirekte Rede, § 56 I).

4. Die Verben *brauchen*, *drohen*, *pflegen*, *scheinen* können selbständig gebraucht werden:
Ich *brauche* einen neuen Anzug.
Er *drohte* seinem Nachbarn.
Sie *pflegte* die kranken Kinder.
Die Sonne *scheint*.

Wenn diese Verben aber mit einem Infinitiv + *zu* zusammenstehen, ändern sie ihre Bedeutung:
Er *brauchte* nicht/nur wenig/kaum *zu arbeiten*. (= er muß nicht...; immer negativ oder mit Einschränkung)
Die schwefelhaltigen Abgase *drohen* die Steinfiguren an der alten Kirche *zu zerstören*. (= es besteht die Gefahr)
Er *pflegt* jeden Tag einen Spaziergang *zu machen*. (= er hat die Gewohnheit)
Der Kellner *scheint* uns nicht *zu sehen*. (= vielleicht ist es so; es sieht so aus)

2. Gruppe

Der Kollege hat nicht **an die Besprechung** gedacht. (= präpositionales Objekt)
a) **Der Kollege** hat nicht **daran** gedacht, daß **wir** eine Besprechung haben.
b) (**Der Kollege** hat nicht **daran** gedacht, daß **er** zur Besprechung kommt.)
Der Kollege hat nicht **daran** gedacht, zur Besprechung zu kommen.

Regeln

daß-Sätze und Infinitivkonstruktionen können aus der Erweiterung eines präpositionalen Objekts entstehen.
zu a + b) Die Präposition + *da(r)*- steht im Beziehungssatz. Sonst gelten die Regeln wie bei den Verben der Gruppe 1.

Zu dieser Gruppe gehören folgende Verben:

sich bemühen um + A	sich gewöhnen an + A
denken an + A	sich verlassen auf + A
sich fürchten vor + D	verzichten auf + A u. a. (siehe § 15 III)

3. Gruppe

a) Er bat **die Sekretärin,** daß **der Chef** ihn rechtzeitig anruft.
b) Er bat **die Sekretärin,** daß **sie** ihn rechtzeitig anruft.
Er bat **die Sekretärin,** ihn rechtzeitig anzurufen.

Regeln

zu a) Man gebraucht einen *daß*-Satz, wenn das Objekt im Beziehungssatz und das Subjekt im *daß*-Satz verschiedene Personen oder Sachen bezeichnen.
zu b) Wenn das Objekt im Beziehungssatz und das Subjekt im *daß*-Satz gleich sind, verwendet man meistens eine Infinitivkonstruktion.

Zu dieser Gruppe gehören folgende Verben:

ich befehle ihm (D)	ich ermahne ihn (A)	ich überzeuge ihn (A)
ich bitte ihn (A)	ich ersuche ihn (A)	ich verbiete ihm (D)
ich empfehle ihm (D)	ich fordere ihn (A)... auf	ich warne ihn (A)
ich erlaube ihm (D)	ich rate ihm (D)	ich zwinge ihn (A) u. a.

4. Gruppe

a) **Die Zusammenarbeit** freut mich. (= Subjekt)
Es freut **mich,** daß **du** mit mir zusammenarbeitest.
Es freut **mich,** daß **ich** mit dir zusammenarbeite.
Es freut **mich,** mit dir zusammenzuarbeiten.

b) **Entwicklungshilfe** ist notwendig. (= Subjekt)
Es ist notwendig, daß **wir** Ländern der Dritten Welt helfen.
Es ist notwendig, daß **man** Ländern der Dritten Welt hilft.
Es ist notwendig, Ländern der Dritten Welt zu helfen.

Regeln

daß-Sätze und Infinitivkonstruktionen können aus der Erweiterung eines Subjekts entstehen. Sie hängen von unpersönlichen Verben ab (Verben mit *es*).

zu a) Bei unpersönlichen Verben mit einem persönlichen Objekt steht ein *daß*-Satz, wenn das Subjekt des *daß*-Satzes eine andere Person oder Sache bezeichnet. Wenn beide gleich sind, wird im allgemeinen eine Infinitivkonstruktion gebraucht.

Zu dieser Gruppe gehören folgende Verben:

es ärgert mich (A)	es gelingt mir (D)
es ekelt mich (A)	es genügt mir (D)
es freut mich (A)	es scheint mir (D), daß ...
es gefällt mir (D)	es wundert mich (A) u. a.

zu b) Man gebraucht einen *daß*-Satz, wenn ein persönliches Subjekt vorhanden ist. Bei unpersönlichen Aussagen mit *man* verwendet man meistens eine Infinitivkonstruktion.

Zu dieser Gruppe gehören folgende Adverbien mit *sein:*

es ist angenehm	es ist unangenehm
es ist erfreulich	es ist unerfreulich
es ist erlaubt	es ist verboten
es ist möglich	es ist unmöglich
es ist nötig / notwendig	es ist unnötig / nicht notwendig
es ist verständlich	es ist unverständlich u. a.

Anmerkungen

1. Infinitivkonstruktionen oder *daß*-Sätze können auch vor dem Haupt- oder Beziehungssatz stehen:
Daß du den Brief geöffnet hast, hoffe ich.
Deinen Paß rechtzeitig abzuholen, verspreche ich dir.

2. Auch bei unpersönlichen Verben oder Adverbien (Gruppe 4) können *daß*-Sätze oder Infinitivkonstruktionen voranstehen. Dann fällt *es* immer weg:
Daß er mich nicht erkannt hat, ärgert mich.
Den Abgeordneten anzurufen, war leider unmöglich.

3. Wenn aber ein anderer Nebensatz am Anfang in der Position I steht (siehe § 25), folgt der vollständige Hauptsatz mit *es:*
Weil das Telefon des Abgeordneten immer besetzt war, war *es* unmöglich, ihn anzurufen.

III Gebrauch der Zeiten in der Infinitivkonstruktion

a) Gleichzeitigkeit	Der Schwimmer **versucht,** das Ufer **zu erreichen.**
	Der Schwimmer **versuchte,** das Ufer **zu erreichen.**
	Der Schwimmer **hat versucht,** das Ufer **zu erreichen.**
b) Vorzeitigkeit	Der Angeklagte **leugnet,** das Auto **gestohlen zu haben.**
	Der Angeklagte **leugnete,** das Auto **gestohlen zu haben.**
	Der Angeklagte **hat geleugnet,** das Auto **gestohlen zu haben.**

Regeln

1. In der Infinitivkonstruktion Aktiv gibt es nur zwei Zeiten (Passiv, siehe § 19 IV):
   a) Infinitiv Präsens: *zu machen, zu tragen, zu wachsen*
   b) Infinitiv Perfekt: *gemacht zu haben, getragen zu haben, gewachsen zu sein*

zu a) Wenn die Aussagen in beiden Satzteilen gleichzeitig sind, steht in der Infinitivkonstruktion der Infinitiv Präsens. Die jeweilige Zeit (Präsens, Perfekt, usw.) steht im Beziehungssatz.

zu b) Wenn die Aussage der Infinitivkonstruktion zeitlich vor der des Beziehungssatzes liegt, braucht man den Infinitiv Perfekt. Auch hier ist die Zeit im Beziehungssatz unabhängig; in jedem Fall liegt die Handlung der Infinitivkonstruktion früher.

2. Nach folgenden Verben steht oft ein Infinitiv Perfekt, z. B. *Er behauptet, das Geld verloren zu haben:*

bedauern	bekennen	sich erinnern	gestehen	versichern
behaupten	bereuen	erklären	leugnen	u. a.

ÜBUNGEN

1 Üben Sie den daß-Satz. Beginnen Sie mit „Wußten Sie schon ... ?"

Die am häufigsten gesprochene Sprache in der Welt ist Chinesisch.
Wußten Sie schon, *daß* die am häufigsten gesprochene Sprache in der Welt Chinesisch ist?

1. 115 bis 120 Millionen Menschen in der Welt sprechen Deutsch als Muttersprache.
2. Die deutsche Sprache steht an neunter Stelle in der Liste der am meisten gesprochenen Sprachen in der Welt.
3. Das Gebiet der ehemaligen SU (= Sowjetunion) und Nordamerika fördern zusammen fast soviel Erdöl wie alle übrigen Erdölländer gemeinsam.
4. Die größten Erdöllieferanten der Bundesrepublik Deutschland sind Saudiarabien, Libyen und Großbritannien.
5. Der längste Autotunnel der Welt ist der 17 Kilometer lange Gotthardt-Straßentunnel in der Schweiz.
6. Österreich ist seit Jahren das bevorzugte Reiseziel der westdeutschen Auslandsurlauber.
7. Nach Österreich sind Italien, die Schweiz, Spanien und Frankreich die beliebtesten Urlaubsländer der Deutschen.
8. Die meisten ausländischen Besucher der Bundesrepublik kommen aus den Niederlanden.

9. 71 Prozent der Schweizer leben in der deutschsprachigen Schweiz.
10. Nur 19 Prozent der Schweizer sprechen Französisch und 3,8 Prozent Italienisch als Muttersprache.
11. Es gibt noch eine kleine Sprachinsel mit rätoromanisch sprechenden Schweizern.
12. 1990 gab es 5,29 Milliarden Menschen auf der Welt.
13. Bis zum Jahr 2000 schätzt man die Zahl der Erdbewohner auf 6,35 Milliarden Menschen.
14. Zwanzig Prozent der Weltbevölkerung sind Analphabeten.
15. Ungefähr ein Viertel der Weltbevölkerung lebt in China.

2 Üben Sie die Infinitivkonstruktion.

Warum übernachtest du im „Hotel Stern"? (meine Bekannten / jdm. empfehlen) Meine Bekannten haben mir empfohlen, im „Hotel Stern" *zu übernachten.*

Sie können die Fragen in einer freundlicheren, vertraulicheren Form stellen: *Sag mal, warum übernachtest du eigentlich im „Hotel Stern"?*

1. Warum fährst du nach London? (mein Geschäftsfreund / jdn. bitten)
2. Warum fährst du mit seinem Wagen? (mein Freund / es jdm. erlauben)
3. Warum besuchst du ihn? (er / jdn. dazu auffordern)
4. Warum fährst du im Urlaub an die Nordsee? (das Reisebüro / jdm. dazu raten)
5. Warum zahlst du soviel Steuern? (das Finanzamt / jdn. dazu zwingen)
6. Warum stellst du das Radio leiser? (mein Nachbar / jdn. dazu auffordern)
7. Warum gehst du abends nicht durch den Park? (ein Bekannter / jdn. davor warnen) [ohne „nicht"!]
8. Warum fährst du nicht in die Berge? (meine Bekannten / jdm. davon abraten) [ohne „nicht"!]

3 Was paßt zusammen? Mit welchen vier Sätzen kann man auch eine Infinitivkonstruktion bilden?

1. Ich kann mich nicht daran gewöhnen, ...
2. Warum kümmert sich der Hausbesitzer nicht darum, ...
3. Wie soll der Briefträger sich denn davor schützen, ...
4. Kann ich mich auf Sie verlassen, ...
5. Wie sehne ich mich danach, ...
6. Du mußt beim Fernmeldeamt Bescheid geben, ...
7. Denkt bitte im Lebensmittelgeschäft daran, ...
8. Ich habe leider nicht soviel Geld, ...

a) daß Sie mir den Teppich heute noch bringen?
b) daß ich jeden Morgen um fünf Uhr aufstehen muß.
c) daß ich euch eure Ferienreise finanzieren kann.
d) daß wir immer noch auf einen Telefonanschluß warten.
e) daß die Mieter das Treppenhaus reinigen?
f) daß ihr euch eine Quittung über die Getränke geben laßt!
g) daß ich dich endlich wiedersehe!
h) daß ihn immer wieder Hunde der Hausbewohner anfallen?

4 Ergänzen Sie die Sätze selbständig.

1. Ich habe mich darüber geärgert, daß ...
2. Meine Eltern fürchten, daß ...
3. Wir alle hoffen, daß ...
4. Meine Schwester glaubt, daß ...
5. Ich kann nicht leugnen, daß ...
6. Mein Bruder freut sich darüber, daß ...
7. Ich freue mich darauf, daß ...
8. Ich danke meiner Freundin dafür, daß ...

5 Beim Fotohändler

Mit diesem Fotoapparat bin ich nicht zufrieden. (Ich muß Ihnen sagen, ...)
Ich muß Ihnen sagen, *daß* ich mit diesem Fotoapparat nicht zufrieden bin.

1. Dieser Apparat ist sehr preiswert. (Ich finde, ...) 2. Bei dieser Kamera kann man die Objektive auswechseln. (Ich wußte gar nicht, ...) 3. Für Aufnahmen in der Kirche nehmen Sie besser einen hochempfindlichen Film. (Ich sagte schon, ...) 4. Diese Batterie kann man für den Apparat nicht verwenden. (Ich muß Sie darauf aufmerksam machen, ...) 5. Bei diesem Fotoapparat braucht man nur zu knipsen und bekommt immer gute Bilder. (Es ist sehr angenehm, ...) 6. Es gibt besondere Farbfilme für Kunstlicht. (Ich wußte gar nicht, ...) 7. Das Blitzgerät kann man sehr einfach bedienen. (Ich lege Wert darauf, ...) 8. Einfache Filmkameras gibt es schon für 200 Mark. (Ich möchte Sie darauf aufmerksam machen, ...)

* 6 Ein Interview mit dem Bürgermeister

Sprechen Sie auf der Versammlung über das geplante Gemeindehaus? (Ja, ich habe vor / Inf.-K.)
Ja, ich habe vor, auf der Versammlung über das geplante Gemeindehaus *zu sprechen.*

Treten bei dem Bau finanzielle Schwierigkeiten auf?
(Nein, ich glaube nicht, daß ...)
Nein, ich glaube nicht, *daß* bei dem Bau finanzielle Schwierigkeiten auftreten.

1. Kommen Sie heute abend zu der Versammlung? (Ja, ich habe vor / Inf.-K.) 2. Sprechen Sie auch über den neuen Müllskandal? (Nein, vor Abschluß der Untersuchungen beabsichtige ich nicht / Inf.-K.) 3. Kommen weitere Firmen in das neue Industriegebiet? (Ja, ich habe Nachricht, daß ...) 4. Hat sich die Stadt im vergangenen Jahr noch weiter verschuldet? (Nein, ich freue mich, Ihnen mitteilen zu können, daß ...) 5. Setzen Sie sich für den Bau eines Flughafens in Stadtnähe ein? (Nein, ich bin wegen des Lärms nicht bereit / Inf.-K.) 6. Berichten Sie heute abend auch über Ihr Gespräch mit der Landesregierung? (Ja, ich habe die Absicht / Inf.-K.) 7. Bekommen die Stadtverordneten regelmäßig freie Eintrittskarten fürs Theater? (Es ist mir nichts davon bekannt, daß ...) 8. Muß man die Eintrittspreise für das Hallenbad unbedingt erhöhen? (Ja, ich fürchte, daß ...)

* 7 Auf dem Bahnhof

Der Zug fährt pünktlich ab. (Verspätung haben) Ich habe gehört, *daß* der Zug Verspätung hat.

Verwenden Sie: *Ich habe erfahren; Ich habe gelesen; Ich weiß; Ich habe gehört.*

1. Der Bus verkehrt samstags. (samstags nicht) 2. Der Zug hält in Bebra. (durch Bebra durchfahren) 3. Für den Zug wird keine Zuschlagskarte benötigt. (eine Zuschlagskarte) 4. Der Zug hat einen Speisewagen. (keinen Speisewagen) 5. Der Zug hat keinen Kurswagen nach Wien. (einen Kurswagen) 6. In Zürich gibt es keinen Anschluß nach Genf. (einen Anschluß) 7. Für den Schlafwagen ist eine Reservierung erforderlich. (keine Reservierung) 8. Der Zug hat in Graz eine halbe Stunde Aufenthalt. (nur zwei Minuten Aufenthalt) 9. Das Rauchen ist in diesem Abteil verboten. (erlaubt)

* 8 Das Geschäft für Damenkleidung – Bilden Sie daß-Sätze.

der Geschäftsführer / einen guten Standort für sein Geschäft wählen (entscheidend sein) Es ist entscheidend, *daß* der Geschäftsführer einen guten Standort für sein Geschäft wählt. *Daß* der Geschäftsführer einen guten Standort für sein Geschäft wählt, *ist entscheidend.*

1. der Inhaber / für ein breites Angebot sorgen (nötig sein)
2. er / auf den Geschmack der verschiedenen Kunden Rücksicht nehmen (notwendig sein)
3. er / vor Saisonwechsel die alten Kleidungsstücke billig verkaufen (erforderlich sein)
4. der Ladeninhaber / unmoderne Kleidungsstücke zum alten Preis verkaufen (kaum möglich sein)
5. der Inhaber / die Lager rechtzeitig räumen (erforderlich sein)
6. keine Bestände / über mehrere Jahre im Laden liegenbleiben (wichtig sein)
7. er / regelmäßig Reklame machen und ein paar besonders billige Angebote bereithalten (richtig sein)
8. er / für höfliche Bedienung und gute Beratung seiner Kunden sorgen (notwendig sein)

9 Bilden Sie aus dem Satz in Klammern, wenn es möglich ist, eine Infinitivkonstruktion, andernfalls einen daß-Satz.

Er unterließ es . . . (Er sollte den Antrag rechtzeitig abgeben.) Er unterließ es, *den Antrag rechtzeitig abzugeben.* Das Kind hofft . . . (Vielleicht bemerkt die Mutter den Fleck auf der Decke nicht.) Das Kind hofft, *daß die Mutter den Fleck auf der Decke nicht bemerkt.* Ich warne dich . . . (Du sollst dich nicht unnötig aufregen.) Ich warne dich, *dich unnötig aufzuregen.*

1. Er vergaß . . . (Er sollte den Schlüssel mitnehmen.)
2. Wir lehnen es ab . . . (Man soll Singvögel nicht fangen und essen.)
3. Ich habe ihn gebeten . . . (Er soll uns sofort eine Antwort geben.)

4. Die Behörde ersucht die Antragsteller... (Sie sollen die Formulare vollständig ausfüllen.)
5. Der Geschäftsmann befürchtet... (Vielleicht betrügt ihn sein Partner.)
6. Jeder warnt die Autofahrer... (Sie sollen nicht zu schnell fahren.)
7. Ich habe ihm versprochen... (Ich will seine Doktorarbeit korrigieren.)
8. Er hat mich ermahnt... (Ich soll Flaschen und Papier nicht in den Mülleimer werfen.)
9. Meinst du... (Hat er wirklich im vorigen Jahr wieder geheiratet?)
10. Wir haben ihn überzeugt... (Er soll sich einen kleinen Hund kaufen.)
11. Er weigerte sich... (Er sollte den Dieb bei der Polizei anzeigen.)
12. Er hat uns erlaubt... (Wir dürfen sein Auto nehmen.)
13. Eltern bemühen sich... (Sie wollen ihre Kinder gut erziehen.)
14. Wir fürchten uns (davor)... (Vielleicht schlägt der Blitz ein.)
15. Der Arzt verlangt... (Die Mutter soll ihre Kinder vernünftig ernähren.)
16. Ich rate meinem Kollegen... (Fahren Sie im Winter nicht nach Rom.)
17. Der Junge wagte es... (Er sprang von der Brücke in den Fluß.)
18. Die Eltern haben den Sohn gezwungen... (Er soll Chemie studieren.)
19. Der Hausmeister verbot ihm... (Er darf sein Fahrrad nicht in den Hausflur stellen.)
20. Der Kranke hat es versäumt... (Er hat seine Medizin nicht regelmäßig eingenommen.)
21. Die Angestellten bei der Bahn beabsichtigen... (Sie wollen ab Freitag streiken.)
22. Ich rate dir ab... (Du sollst am Abend nicht mehr als eine Flasche Wein trinken.)

10 Bilden Sie Sätze mit dem Infinitiv Perfekt.

nicht früher heiraten (Ich bedaure es, ...)
Ich bedaure es, nicht früher *geheiratet zu haben.*

aus dem Haus ausziehen (Fritz ist froh, ...)
Fritz ist froh, aus dem Haus *ausgezogen zu sein.*

1. von dir vorige Woche einen Brief erhalten (Ich habe mich gefreut, ...)
2. dir nicht früher schreiben (Ich bedaure es, ...)
3. noch nie zu spät kommen (Ulrike behauptet, ...)
4. dich nicht früher informieren (Es tut mir leid, ...)
5. nicht früher zu einem Architekten gehen (Herr Häberle bereut, ...)
6. mit diesem Brief endlich eine Anstellung finden (Es beruhigt mich, ...)
7. Sie mit meinem Vortrag gestern abend nicht langweilen (Ich hoffe sehr, ...)
8. Sie nicht vorher warnen (Es ist meine Schuld, ...)
9. aus dem Gefängnis entfliehen (Er gibt zu, ...)
10. gestern verschlafen und zu spät kommen (Ich ärgere mich, ...) (zu ... und ... zu ...)

§ 17 Fragen

Vorbemerkung

Es gibt zwei Arten von Fragen:
a) Fragen ohne Fragewort (= Entscheidungsfragen).
b) Fragen mit Fragewort (= Bestimmungsfragen).

I Fragen ohne Fragewort

Einfache Entscheidungsfragen

a) **Kennst** du den Mann?	Ja, ich kenne ihn. Nein, ich kenne ihn nicht.
b) **Habt** ihr mich **nicht** verstanden?	**Doch,** wir haben dich verstanden. Nein, wir haben dich nicht verstanden.
Hast du **keine** Zeit?	**Doch,** ich habe Zeit. Nein, ich habe keine Zeit.

Regeln

Bei Fragen ohne Fragewort steht das konjugierte Verb am Anfang der Frage. Bei einer Frage mit Verneinung (siehe b) wird eine positive Antwort meist mit *doch* eingeleitet.

Differenzierte Entscheidungsfragen

a) Sind Sie **erst** heute angekommen?	Ja, wir sind **erst** heute angekommen. Nein, wir sind **schon** gestern angekommen.
b) Hat er den Brief **schon** beantwortet?	Ja, er hat den Brief **schon** beantwortet. Nein, er hat den Brief **noch nicht** beantwortet.
c) Hat er **schon** 3000 Briefmarken?	Ja, er hat **schon** 3000 Briefmarken. Nein, er hat **erst** etwa 2500 Briefmarken.
d) Hat er **noch nichts** erzählt?	Doch, er hat **schon alles** erzählt. Nein, er hat **noch nichts** erzählt.
e) Lebt er **noch**?	Ja, er lebt **noch.** Nein, er lebt **nicht mehr.**
f) Bleibst du **nur** drei Tage hier?	Ja, ich bleibe **nur** drei Tage hier. Nein, ich bleibe **noch länger** hier.
g) Liebt er dich etwa **nicht mehr**?	Doch, er liebt mich **noch.** Nein, er liebt mich **nicht mehr.**

Regel

Genauer und differenzierter kann man fragen und antworten mit Hilfe von *schon, erst, noch,* usw.

II Fragen mit Fragewort

Einfache Fragewörter

temporal	**Wann** kommt ihr aus Kenia zurück?	Im November.
kausal	**Warum** schreibt ihr so selten?	Weil wir so wenig Zeit haben.
modal	**Wie** fühlt ihr euch dort?	Ausgezeichnet.
lokal	**Wo** habt ihr die Elefanten gesehen?	Im Nationalpark.
	Wohin reist ihr anschließend?	Nach Ägypten.
Subjekt	**Wer** hat euch das Hotel empfohlen?	Der Reiseleiter. (= Person)
	Was hat euch am besten gefallen?	Die Landschaft. (= Sache)
Akk.-Objekt	**Wen** habt ihr um Rat gebeten?	Einen Arzt. (= Person)
	Was hat er euch gegeben?	Tabletten. (= Sache)
Dat.-Objekt	**Wem** habt ihr 200 Mark borgen müssen?	Einer Zoologiestudentin.
Gen.-Attribut	**Wessen** Paß ist verlorengegangen?	Der Paß der Studentin.

Regel

Der Fragesatz beginnt mit dem Fragewort (Position I), dann folgt das konjugierte Verb (Position II) und das Subjekt (Position III bzw. IV), siehe § 22ff.

Fragewörter mit Substantiven

a) **Wie viele Stunden** seid ihr gewandert?	Sieben Stunden.
Wieviel Geld habt ihr schon ausgegeben?	Erst 80 Dollar.
b) **Welches Hotel** hat euch am besten gefallen?	Das „Hotel zum Stern".
c) **Was für ein Zimmer** habt ihr genommen?	Ein Doppelzimmer mit Bad.

zu a) *wie viele* oder *wieviel* fragt nach einer bestimmten Zahl. Nach *wie viele* folgt meistens ein Substantiv im Plural ohne Artikel, nach *wieviel* ein Substantiv im Singular ohne Artikel.

zu b) *welcher, –e, –es;* Pl. *–e* fragt nach einer bestimmten Person oder Sache, wenn man unter verschiedenen Personen oder Sachen auswählen kann.

zu c) *was für ein, –e, –;* Pl. *was für* (Substantiv ohne Artikel) fragt nach der Eigenschaft einer Person oder Sache.

„wie" + Adverb

a) **Wie lange** seid ihr schon in Nairobi?	Einen Monat. (Akk.)
Wie oft hört ihr Vorträge?	Dreimal in der Woche.
b) **Wie lang** war die Schlange?	Einen Meter. (Akk.)
Wie hoch war das Gebäude?	Fünf Stockwerke hoch. (Akk.)

zu a) *wie lange* fragt nach der Zeitdauer, *wie oft* fragt nach der Häufigkeit einer Handlung oder eines Zustands.

zu b) Nach *wie* können die Adjektive *alt*, *dick*, *groß*, *hoch*, *lang*, *schwer*, *tief*, *weit*, usw. stehen. Man fragt nach dem Maß, Gewicht, Alter usw. einer Person oder Sache. Die Angaben in der Antwort stehen dann im Akkusativ (siehe § 43 II).

Fragewörter mit Präpositionen

a) **Mit wem** habt ihr euch angefreundet?	Mit einer dänischen Familie.
An wen erinnert ihr euch am liebsten?	An den witzigen Fremdenführer.
b) **Womit** habt ihr euch beschäftigt?	Mit Landeskunde.
Worüber habt ihr euch gewundert?	Über die Fortschritte des Landes.
c) **In welche Länder** fahrt ihr noch?	Nach Ägypten und Tunesien.
Bis wann wollt ihr dort bleiben?	Bis Ende März.

Regeln

zu a + b) Bei Fragen nach einem Präpositionalobjekt muß man zwischen Personen und Sachen unterscheiden (siehe § 15 II). Bei Personen steht die Präposition vor dem Fragewort, bei Sachen oder allgemeinen Zuständen gebraucht man *wo(r)–* + Präposition.

zu c) Auch vor temporalen, lokalen usw. Fragewörtern können Präpositionen stehen.

ÜBUNGEN

1 A liest den Aussagesatz für sich und bildet eine Frage hierzu. B antwortet ihm.

A: Seid ihr heute abend zu Hause?
B: Nein, wir sind heute abend nicht zu Hause; wir sind im Garten.

A: Geht ihr gern in den Garten?
B: Ja, wir gehen gern in den Garten.

1. Nein, wir haben den Garten nicht gekauft; wir haben ihn geerbt.
2. Nein, die Obstbäume haben wir nicht gepflanzt; sie waren schon da.
3. Ja, die Beete haben wir selbst angelegt.
4. Nein, die Beerensträucher waren noch nicht im Garten; die haben wir gesetzt.
5. Ja, das Gartenhaus ist ganz neu.
6. Ja, das haben wir selbst gebaut.
7. Nein, einen Bauplan haben wir nicht gehabt. (Habt ihr keinen Bauplan . . . ?)
8. Nein, so ein Gartenhäuschen ist nicht schwer zu bauen.
9. Nein, das Material dazu ist nicht billig.
10. Ja, so ein Garten macht viel Arbeit!
11. Nein, im Sommerhalbjahr können wir keinen Urlaub machen.
12. Ja, wir machen im Winter Urlaub.

2 Bilden Sie Fragen zu den Aussagesätzen.

Haben Sie dem Finanzamt denn *nicht* geschrieben? *Doch,* ich habe dem Finanzamt geschrieben.

1. Doch, ich habe mich beschwert.
2. Doch, ich habe meine Beschwerde schriftlich eingereicht.
3. Doch, ich habe meinen Brief sofort abgeschickt.
4. Doch, ich bin sofort zum Finanzamt gegangen.
5. Doch, ich habe Steuergeld zurückbekommen.
6. Doch, ich bin zufrieden.
7. Doch, ich bin etwas traurig über den Verlust.
8. Doch, ich baue weiter.

3 Geben Sie auf die Frage eine positive und eine negative Antwort. Üben Sie, wenn möglich, zu dritt.

Backt dieser Bäcker auch Kuchen? –	Nein, er backt *keinen* Kuchen. *Doch,* er backt auch Kuchen.

1. Verkauft der Metzger auch Hammelfleisch?
2. Macht dieser Schuster auch Spezialschuhe?
3. Ist Herr Hase auch Damenfrisör?
4. Arbeitet Frau Klein als Sekretärin?
5. Holt man sich in der Kantine das Essen selbst?
6. Bedient der Ober auch draußen im Garten?
7. Bringt der Postbeamte auch am Samstag Post?
8. Ist die Bank am Freitag auch bis 17 Uhr geöffnet?
9. Hat der Busfahrer der Frau eine Fahrkarte gegeben?
10. Hat die Hauptpost auch einen Sonntagsdienst eingerichtet?
11. Ist der Kindergarten am Nachmittag geschlossen?
12. Gibt es in der Schule auch am Samstag Unterricht?

4 Frage und Antwort

Wie . . . ; – Ich heiße Franz Wehner. *Wie heißen Sie?* – Ich heiße Franz Wehner.

1. Wo . . . ?	Ich wohne in Kassel, Reuterweg 17.
2. Wann . . . ?	Ich bin am 13. 12. 1962 geboren.
3. Um wieviel Uhr . . . ?	Gegen 20 Uhr bin ich durch den Park gegangen.
4. Wer. . . ?	Ein junger Mann hat mich angefallen.
5. Was . . . ?	Er hat mir die Brieftasche abgenommen.
6. Woher. . . ?	Er kam aus einem Gebüsch rechts von mir.
7. Wohin . . . ?	Er ist tiefer in den Park hinein gelaufen.
8. Weshalb . . . ?	Ich war so erschrocken; deshalb habe ich nicht um Hilfe gerufen.
9. Wie groß . . . ?	Der Mann war ungefähr 1,80 Meter groß.

10. Wie ...?	Er sah schlank aus, hatte dunkle Haare, aber keinen Bart.
11. Was ...?	Er hatte eine blaue Hose und ein blaues Hemd an.
12. Was für...?	Er trug ein Paar alte Tennisschuhe.
13. Wieviel Geld ...?	Ich hatte einen Hundertmarkschein in der Brieftasche.
14. Was ...?	Außerdem hatte ich meinen Personalausweis, meinen Führerschein und ein paar Notizzettel in der Brieftasche.
15. Wie viele ...?	Zwei Personen haben den Überfall gesehen.
16. Was für ...?	Ich habe keine Verletzungen erlitten.

5 Ebenso:

1. An wen ...?	Ich habe an meine Schwester geschrieben.
2. Von wem ...?	Den Ring habe ich von meinem Freund.
3. Hinter welchem Baum ...?	Der Junge hat sich hinter dem dritten Baum versteckt.
4. Was für ein ...?	Mein Freund hat sich ein Fahrrad mit Dreigangschaltung gekauft.
5. Wo ...?	Der Radiergummi liegt in der zweiten Schublade.
6. Zum wievielten Mal ...?	Ich fahre dieses Jahr zum siebten Mal nach Österreich in Urlaub.
7. Wessen ...?	Das ist das Motorrad meines Freundes.
8. In welchem Teil ...?	Meine Großeltern liegen im unteren Teil des Friedhofs begraben.
9. Von welcher Seite ...?	Die Bergsteiger haben den Mont Blanc von der Südseite bestiegen.
10. Am wievielten April ...?	Mutter hat am 17. April ihren sechzigsten Geburtstag.
11. Um wieviel Uhr ...?	Der Schnellzug kommt um 17.19 Uhr hier an.
12. Wie viele ...?	Wir sind vier Geschwister.
13. Welches Bein ...?	Mir tut das linke Bein weh.
14. Von wem ...?	Den Teppich habe ich von meinen Eltern.
15. Wie oft ...?	Ich fahre dreimal in der Woche nach Marburg in die Klinik.

6 Fragen Sie nach dem schräg gedruckten Satzteil.

Wir fahren *am Montag* nach Stuttgart.
Wann fahrt ihr nach Stuttgart?

1. Im Sommer fahren wir *in die Schweiz*. 2. Wir fahren *Anfang Juli*. 3. Wir bleiben *eine Woche* in Basel. 4. In Interlaken wohnen wir *bei Freunden*. 5. Wir fahren *mit dem Zug* in die Schweiz. 6. Meiner Mutter geht es *gut*. 7. Früher haben wir *in Wien* gewohnt. 8. Jetzt sind wir *nach Graz* gezogen. 9. *Horst* hat den Haustürschlüssel vergessen. 10. Ich habe *die Lebensmittel* in der Tasche. 11. Die Flaschen habe ich *in den Kühlschrank* gestellt. 12. *Aus Ärger über seinen Chef* hat er seine Stellung gekündigt. 13. Heute mittag gibt es *Schnitzel mit Kartoffeln und Salat*. 14. Der Hund hat Angst *vor dem Gewitter*. 15. Das ist der Hut *eines Gastes*.

7 Fragen Sie nach dem schräg gedruckten Satzteil oder Teilsatz.

> Meine Schwester wohnt im *Stadtteil Bornheim.*
> *In welchem Stadtteil* wohnt Ihre Schwester?

1. Sie wohnt im *5.* Stockwerk.
2. Sie hat *eine Drei-Zimmer-Wohnung mit Balkon.*
3. Die Wohnung kostet *520 Mark.*
4. Die Wohnung darunter gehört *mir.*
5. Sie ist *genauso* groß.
6. Ich wohne hier schon seit *drei Jahren.*
7. Wir wohnen *mit drei Personen* in der Wohnung.
8. Unser Vorort hat *3000 Einwohner.*
9. Er ist nur *5 Kilometer* von der Großstadt entfernt.
10. Ich fahre nicht mit dem Wagen in den Dienst; *denn ich finde dort keinen Parkplatz.*
11. Ich brauche *eine halbe Stunde* bis zu meinem Dienstort.
12. Ich fahre *mit der Linie 7.*
13. *Um fünf Uhr* abends bin ich wieder zu Hause.
14. Ich esse mittags *in der Kantine meiner Firma.*
15. *Dort ist es viel billiger als im Restaurant;* deshalb esse ich in der Kantine.

8 ... schon ...? – ... erst ... / ... erst ...? – ... schon ... – Üben Sie nach Beispiel a oder b.

> a) Habt ihr die Wohnung *schon* renoviert? (anfangen)
> Nein, wir haben *erst* angefangen.
>
> b) Habt ihr *erst* ein Zimmer tapeziert? (zwei Zimmer)
> Nein, wir haben *schon* zwei Zimmer tapeziert.

1. Habt ihr schon alle Fenster geputzt? (die Fenster im Wohnzimmer) 2. Habt ihr das Treppenhaus schon renoviert? (den Hausflur) 3. Habt ihr erst eine Tür gestrichen? (fast alle Türen) 4. Habt ihr die neuen Waschbecken schon installiert? (die Spüle in der Küche) 5. Habt ihr schon alle Fußböden erneuert? (den Fußboden im Wohnzimmer) 6. Habt ihr schon alle Lampen aufgehängt? (die Lampe im Treppenhaus)

9 ... schon ...? – noch nicht / noch nichts / noch kein ... – Üben Sie nach Beispiel a, b oder c.

> a) Waren Sie *schon* mal in Hamburg? – Nein, ich war *noch nicht* dort.
> b) Haben Sie *schon etwas* von ihrem Freund gehört? – Nein, ich habe *noch nichts* von ihm gehört.
> c) Haben Sie *schon eine* Fahrkarte? – Nein, ich habe *noch keine.*

1. Haben Sie schon eine Einladung? 2. Hat Horst das Fahrrad schon bezahlt? 3. Hast du ihm schon geschrieben? 4. Hast du schon eine Nachricht von ihm? 5. Hat er dir schon gedankt? 6. Bist du schon müde? 7. Habt ihr schon Hunger? 8. Hast du deinem Vater etwas von dem Unfall erzählt?

10 ... noch ... ? – nicht mehr / nichts mehr / kein ... mehr – Aufgabe wie Nr. 9.

> a) Erinnerst du dich *noch* an seinen Namen? – Nein, ich erinnere mich *nicht mehr* daran.
> b) Hat Gisela *noch etwas* gesagt? – Nein, sie hat *nichts mehr* gesagt.
> c) Haben Sie *noch* Zeit? – Nein, ich habe *keine* Zeit *mehr*.

1. Hast du noch Geld? 2. Hast du noch einen Bruder? 3. Hast du von seiner Erklärung noch etwas behalten? 4. Habt ihr noch Fotos von euren Klassenkameraden? 5. Hast du heute noch Unterricht? 6. Haben Sie noch besondere Wünsche? 7. Bleiben Sie noch lange hier? 8. Möchten Sie noch etwas Wein?

§ 18 Modalverben

Vorbemerkung

Mit Hilfe der Modalverben kann man ausdrücken, wie jemand zu einer Handlung steht, z.B.
ob jemand etwas machen *will,*
ob jemand etwas machen *kann,*
ob jemand etwas machen *muß,* usw.

Deshalb braucht ein Modalverb ein weiteres Verb: das Vollverb. Das Vollverb steht im Infinitiv ohne *zu*:
Er *muß* heute länger *arbeiten.*

I Die Bedeutung der Modalverben

dürfen	a) eine Erlaubnis oder ein Recht	In diesem Park dürfen Kinder spielen.
	b) ein Verbot (immer mit Negation)	Bei Rot darf man die Straße nicht überqueren.
	c) eine negative Anweisung	Man darf Blumen in der Mittagshitze nicht gießen.
können	a) eine Möglichkeit oder Gelegenheit	In einem Jahr können wir das Haus bestimmt teurer verkaufen.
	b) eine Fähigkeit	Er kann gut Tennis spielen.
mögen	a) eine Zuneigung oder Abneigung	Ich mag mit dem neuen Kollegen nicht zusammenarbeiten.
	b) dasselbe oft ohne Vollverb	Ich mag keine Schlagsahne!
ich möchte,	c) ein Wunsch	Wir möchten ihn gern kennenlernen.
du möchtest, usw.	d) eine höfliche Aufforderung	Sie möchten nach fünf bitte noch einmal anrufen.
müssen	a) ein äußerer Zwang	Mein Vater ist krank, ich muß nach Hause fahren.
	b) eine Notwendigkeit	Nach dem Unfall mußten wir zu Fuß nach Hause gehen.

	c) die nachträgliche Feststellung einer Notwendigkeit	Das mußte ja so kommen, wir haben es geahnt.
sollen	a) ein Gebot, ein Gesetz	Du sollst nicht töten.
	b) eine Pflicht, eine moralische Forderung	Jeder soll die Lebensart des anderen anerkennen.
	c) ein Befehl, ein Auftrag eines anderen	Ich soll nüchtern zur Untersuchung kommen. Das hat der Arzt gesagt.
	d) eine Absicht, ein Plan (auf eine Sache bezogen)	Hier soll ein Einkaufszentrum entstehen.
wollen	a) einWunsch, ein Wille	Ich will dir die Wahrheit sagen.
	b) eine Absicht, ein Plan (auf Personen bezogen)	Im Dezember wollen wir in das neue Haus einziehen.

Weitere Bedeutungen der Modalverben, siehe § 20, § 54 VI.

Anmerkungen

1. In einzelnen Fällen kann das Vollverb auch weggelassen werden:
   Ich muß nach Hause (gehen). Sie kann gut Englisch (sprechen).
   Er will in die Stadt (fahren). Ich mag keine Schlagsahne (essen).
2. Wenn der Zusammenhang klar ist, können Modalverben auch als selbständige Verben gebraucht werden:
   Ich *kann* nicht gut *kochen.*
   Meine Mutter *konnte* es auch nicht.
   Wir haben es beide nicht gut *gekonnt.*

II Formen und Gebrauch

Präsens (Sonderformen im Singular)

dürfen	*können*	*mögen*	*müssen*	*sollen*	*wollen*
ich **darf**	ich **kann**	ich **mag**	ich **muß**	ich **soll**	ich **will**
du **darfst**	du **kannst**	du **magst**	du **mußt**	du **sollst**	du **willst**
er **darf**	er **kann**	er **mag**	er **muß**	er **soll**	er **will**
wir dürfen	wir können	wir mögen	wir müssen	wir sollen	wir wollen
ihr dürft	ihr könnt	ihr mögt	ihr müßt	ihr sollt	ihr wollt
sie dürfen	sie können	sie mögen	sie müssen	sie sollen	sie wollen

Stellung der Modalverben im Hauptsatz

Präsens	Der Arbeiter **will**	den Meister **sprechen.**
Imperfekt	Der Arbeiter **wollte**	den Meister **sprechen.**
Perfekt	Der Arbeiter **hat**	den Meister **sprechen wollen.**
Plusquamperfekt	Der Arbeiter **hatte**	den Meister **sprechen wollen.**

Regeln

1. Im Präsens und Imperfekt steht das konjugierte Modalverb in der Position II.

2. Im Perfekt und Plusquamperfekt steht das konjugierte Hilfsverb in der Position II. Das Hilfsverb ist immer *haben*. Das Modalverb steht dann im Infinitiv am Ende des Satzes, also hinter dem Vollverb.

Stellung der Modalverben im Nebensatz

Präsens	Es ist schade, daß er uns nicht	**besuchen kann.**
Imperfekt	Es ist schade, daß er uns nicht	**besuchen konnte.**
Perfekt	Es ist schade, daß er uns nicht **hat**	**besuchen können.**
Plusquamperfekt	Es ist schade, daß er uns nicht **hatte**	**besuchen können.**

Regeln

1. Im Präsens und Imperfekt steht das Modalverb in der konjugierten Form am Ende des Nebensatzes.
2. Im Perfekt und Plusquamperfekt steht das Modalverb wieder im Infinitiv am Ende des Nebensatzes. Das konjugierte Hilfsverb steht dann *vor* den beiden Infinitiven. (Passiv mit Modalverben siehe § 19 III)

III Verben, die wie Modalverben gebraucht werden

hören, lassen, sehen, helfen*

a) im Hauptsatz	*Präsens*	Er **hört** mich Klavier **spielen.**
	Imperfekt	Er **ließ** sich nach Haus **fahren.**
	Perfekt	Du hast die Gefahr **kommen sehen.**
b) im Nebensatz	*Präsens*	Ich weiß, daß er mich Klavier **spielen hört.**
	Imperfekt	Ich weiß, daß er sich nach Haus **fahren ließ.**
	Perfekt	Ich weiß, daß du die Gefahr **hast kommen sehen.**

Regeln

Wenn die Verben *hören, lassen, sehen, helfen* zusammen mit einem Vollverb gebraucht werden, verhalten sie sich im Haupt- und Nebensatz genauso wie Modalverben (siehe unter II).

bleiben, gehen, lehren*, lernen*

a) im Hauptsatz	*Präsens*	Er **bleibt** bei der Begrüßung **sitzen.**
	Perfekt	Er **ist** bei der Begrüßung **sitzen geblieben.**
	Präsens	Sie **geht** jeden Abend **tanzen.**
	Perfekt	Sie **ist** jeden Abend **tanzen gegangen.**
	Präsens	Er **lehrt** seinen Sohn **lesen** und **schreiben.**
	Perfekt	Er **hat** seinen Sohn **lesen** und **schreiben gelehrt.**

b) im Nebensatz	*Präsens*	Ich weiß, daß sie nicht gern **einkaufen geht.**
	Imperfekt	Ich weiß, daß er noch mit 80 **radfahren lernte.**
	Perfekt	Ich weiß, daß dein Mantel **hängen geblieben ist.**

Regeln

Wenn die Verben *bleiben, gehen, lehren, lernen* zusammen mit einem Vollverb gebraucht werden, verhalten sie sich im Präsens und Imperfekt im Haupt- und Nebensatz genauso wie Modalverben (siehe unter II). Im Perfekt und Plusquamperfekt aber werden sie wieder in der gewöhnlichen Satzstellung mit Hilfsverb und Partizip Perfekt gebraucht.

Anmerkung

Das Verb *bleiben* wird mit nur wenigen Verben zusammen verwendet:
jemand / etwas *bleibt* ... liegen / hängen / sitzen / stehen / stecken / haften / kleben / wohnen

IV Modalverben mit zwei Infinitiven

a) im Hauptsatz	*Präsens*	Ich **kann** dich nicht **weinen sehen.**
		Du **mußt** jetzt **telefonieren gehen.**
	Imperfekt	Er **mußte** nach seinem Unfall wieder **laufen lernen.**
		Er **konnte** den Verletzten nicht **rufen hören.**
	Perfekt	Sie **hat** ihn nicht **weggehen lassen wollen.**
		Der Wagen **hat** dort nicht **stehen bleiben dürfen.**
b) Nebensatz	*Präsens*	Ich weiß, daß er sich **scheiden lassen will.**
	Imperfekt	Ich weiß, daß er das Tier nicht **leiden sehen konnte.**
	Perfekt	Ich weiß, daß er mit uns **hat essen gehen wollen.**

Regeln

1. Wenn ein Modalverb und ein Verb, das wie ein Modalverb gebraucht werden kann (siehe unter III), in einem Satz vorkommen, hat das Modalverb die wichtigere Position im Satz. Es gelten alle Regeln für den Gebrauch von Modalverben. Das Hilfsverb im Perfekt und Plusquamperfekt ist immer *haben.*
2. Das Verb, das wie ein Modalverb gebraucht werden kann, steht hinter dem Vollverb; beide stehen im Infinitiv.

**Anmerkungen*

1. Die Verben *helfen, lehren* und *lernen* werden im allgemeinen nur dann als Modalverben gebraucht, wenn ein Infinitiv allein folgt oder wenn er nur durch wenige, kurze Zusätze erweitert wird:
   Wir *helfen* euch die Koffer *packen.*
   Er *lehrte* seinen Enkel *schwimmen.*

2. Wenn der Infinitiv zu einem längeren Satz erweitert wird, steht nach dem Komma eine Infinitivkonstruktion mit *zu:*
   Ich *habe* ihm *geholfen,* ein Haus für seine fünfköpfige Familie und seine Anwaltspraxis *zu finden.*
   Endlich *haben* wir es *gelernt,* die Erläuterungen zur Lohnsteuer *zu verstehen.*
3. Die Verben *fühlen* und *spüren* können auch mit einem Vollverb im Infinitiv stehen:
   Ich *spüre* den Schmerz *wiederkommen.*
   Er *fühlt* das Gift *wirken.*

   Häufiger sagt man aber:
   Ich *spüre, wie* der Schmerz *wiederkommt.*
   Er *fühlt, wie* das Gift *wirkt.*
4. Das Verb *brauchen* steht mit einem Infinitiv mit *zu.* Die Negation von *müssen* ist *nicht brauchen* (siehe § 16 II, Anm. 4):
   Mußt du heute *kochen*? – Nein, heute *brauche* ich *nicht zu kochen.*

ÜBUNGEN

1 Setzen Sie das passende Modalverb in der richtigen Form in die Lücke ein.

1. Leider ... ich nicht länger bei dir bleiben, denn ich ... um 17 Uhr mit dem Zug nach München fahren.
2. Eis oder Kaffee? Was ... du?
3. Ich ... keinen Kaffee trinken; der Arzt hat's mir verboten.
4. Ich ... täglich dreimal eine von diesen Tabletten nehmen.
5. Wo ... du denn hin? ... du nicht einen Moment warten, dann gehe ich gleich mit dir?
6. „Guten Tag! Wir ... ein Doppelzimmer mit Bad; aber nicht eins zur Straße. Es ... also ein ruhiges Zimmer sein.“ – „Ich ... Ihnen ein Zimmer zum Innenhof geben. ... Sie es sehen?“ – „Ja, sehr gern.“ – „... wir Sie morgen früh wecken?“ – „Nein, danke, wir ... ausschlafen.“

2 Setzen Sie den Text ins Imperfekt.

1 Herr Müller will ein Haus bauen. Er muß lange sparen. Auf den Kauf eines Grundstücks kann er verzichten, denn das hat er schon.
3 Er muß laut Vorschrift einstöckig bauen. Den Bauplan kann er nicht selbst machen. Deshalb beauftragt er einen Architekten; dieser soll ihm einen Plan für einen Bungalow
5 machen. Der Architekt will nur 1500 Mark dafür haben; ein „Freundschaftspreis“, sagt er.
7 Einen Teil der Baukosten kann der Vater finanzieren. Trotzdem muß sich Herr Müller noch einen Kredit besorgen. Er muß zu den Banken, zu den Ämtern und zum Notar
9 laufen. – Endlich kann er anfangen.

3 Setzen Sie den Text jetzt ins Perfekt. Beginnen Sie so:

Mein Freund erzählte mir: „Herr Müller hat ein Haus bauen wollen. Er hat ... “

4 Üben Sie die Modalverben.

a

Gehst du morgen in deinen Sportclub? Nein, morgen *kann* ich nicht in meinen Sportclub *gehen.*

1. Bezahlst du die Rechnung sofort? 2. Kommst du morgen abend zu unserer Party? 3. Reparierst du dein Motorrad selbst? 4. Fährst du im Urlaub ins Ausland? 5. Kaufen Sie sich diesen Ledermantel? 6. Sprechen Sie Türkisch?

b

Kannst du mich morgen besuchen? (in die Bibliothek gehen) Nein, morgen *muß* ich in die Bibliothek *gehen.*

1. Hast du morgen Zeit für mich? (Wäsche waschen) 2. Fährst du nächste Woche nach Hamburg? (nach München fahren) 3. Machst du nächstes Jahr die Amerikareise? (mein Examen machen) 4. Kommst du heute abend in die Disko? (meine Mutter besuchen) 5. Gehst du jetzt mit zum Sportplatz? (nach Hause gehen) 6. Machst du am Sonntag die Wanderung mit? (zu Hause bleiben und lernen)

c

Lösen Sie diese mathematische Aufgabe! Ich *soll* diese mathematische Aufgabe *lösen*? Aber ich *kann* sie nicht *lösen.*

1. Schreiben Sie einen Aufsatz über die Lage der Behinderten in der Bundesrepublik! 2. Machen Sie eine Reise durch die griechische Inselwelt! 3. Verklagen Sie Ihren Nachbarn wegen nächtlicher Ruhestörung! 4. Geben Sie Ihre Reisepläne auf! 5. Lassen Sie Ihren Hund für die Dauer der Reise bei Ihrem Nachbarn! 6. Kaufen Sie sich einen schnellen Sportwagen!

5 Gartenarbeit

Wollten Sie nicht Rasen (m) säen? Doch, aber ich *konnte* ihn noch nicht *säen.*

Wollten Sie nicht ...
1. Unkraut (n) ausreißen? 2. Salat (m) pflanzen? 3. Blumen (Pl.) gießen? 4. ein Beet umgraben? 5. ein Blumenbeet anlegen? 6. die Obstbäume beschneiden? 7. neue Beerensträucher setzen? 8. Kunstdünger (m) streuen?

6 Üben Sie mit den Sätzen der Übung 5 jetzt das Perfekt nach folgendem Muster:

Wollten Sie nicht Rasen (m) säen? Ja schon, aber ich *habe* ihn noch nicht *säen können.*

* 7 Zwei Modalverben im Satz – Üben Sie nach folgendem Muster:

Der Hausbesitzer läßt das Dach nicht reparieren. (müssen) A: *Muß* der Hausbesitzer das Dach nicht *reparieren lassen*? B: Doch, er *muß* es *reparieren lassen.*

1. Die Autofahrer sehen die Kinder dort nicht spielen. (können) 2. Müllers gehen heute nicht auswärts essen. (wollen) 3. Der kleine Junge lernt jetzt nicht lesen. (wollen) 4. Herr Gruber läßt sich keinen neuen Anzug machen. (wollen) 5. Man hört die Kinder auf dem Hof nicht rufen und schreien. (können) 6. Die Studenten bleiben in dem Haus nicht länger wohnen. (dürfen) 7. Sie läßt sich nach 35jähriger Ehe nicht plötzlich scheiden. (wollen) 8. Die Krankenschwestern lassen die Patienten nicht gern warten. (wollen) (Nein, ...) 9. Der Autofahrer bleibt nicht am Straßenrand stehen. (dürfen) 10. Er hilft ihm nicht suchen. (wollen)

* 8 Setzen Sie die Fragen und Antworten der Übung 7 jetzt ins Perfekt.

A: *Hat* der Hausbesitzer das Dach nicht *reparieren lassen müssen*? B: Nein, er *hat* es nicht *reparieren lassen müssen.*

* 9 Bilden Sie aus den Antworten der Übung 8 Nebensätze, indem Sie einen Hauptsatz davorsetzen, z.B.: *Es ist (mir) klar, daß ...; Ich weiß, ...; Es ist verständlich, ...; Es ist (mir) bekannt, ...*

Ich weiß, daß er es nicht *hat reparieren lassen müssen.*

10 „müssen – nicht brauchen" – Verneinen Sie die Fragen mit „nicht brauchen".

Mußt du heute ins Büro *gehen*? – Nein, ich *brauche* heute *nicht* ins Büro *zu gehen.*

Mußt du ... 1. ... aus der Wohnung ausziehen? 2. ... die Wohnung gleich räumen? 3. ... die Möbel verkaufen? 4. ... eine neue Wohnung suchen? (keine neue Wohnung) 5. ... die Wohnungseinrichtung bar bezahlen? 6. ... den Elektriker bestellen? 7. ... ein neues Schloß in die Tür einbauen lassen (kein) 8. ... einen Wohnungsmakler einschalten? (keinen) 9. ... eine Garage mieten? (keine) 10. ... den Hausbesitzer informieren?

11 Üben Sie nach den folgenden Mustern:

Feuer! – hören / sehen

Die Sirenen heulen. – *Hörst* du die Sirenen *heulen*? Die Feuerwehrleute springen zu den Wagen. – *Siehst* du die Feuerwehrleute zu den Wagen *springen*?

1. Das Haus brennt. 2. Rauch quillt aus dem Dach. 3. Die Feuerwehr eilt herbei. 4. Die Leute rufen um Hilfe. 5. Das Vieh brüllt in den Ställen. 6. Ein Mann steigt auf die Leiter. 7. Die Kinder springen aus dem Fenster.

12 In der Jugendherberge – helfen

Ich packe jetzt den Rucksack! – *Ich helfe dir* den Rucksack packen. *Wir* tragen die Rucksäcke jetzt zum Bus! – *Wir helfen euch* die Rucksäcke zum Bus tragen.

1. Wir machen jetzt die Betten! 2. Wir decken jetzt den Tisch! 3. Wir kochen jetzt den Kaffee! 4. Ich teile jetzt das Essen aus! 5. Ich spüle jetzt das Geschirr! 6. Wir räumen jetzt das Zimmer auf!

13 Beim Hausbau – lassen

das Dach decken	Deckst du das Dach selbst? Nein, ich *lasse* es *decken.*

1. die Elektroleitungen verlegen 2. die Heizung installieren 3. die Fenster streichen 4. die Schränke einbauen 5. die Wohnung mit Teppichen auslegen 6. die Möbel aufstellen

14 Bilden Sie von den Beispielen der Übungen 11, 12, 13 jetzt auch das Perfekt.

a

Ich *habe* die Sirenen *heulen hören.* Ich *habe* die Feuerwehrleute zu den Wagen *springen sehen.*

b

Ich *habe* den Rucksack *packen helfen.*

c

Ich *habe* das Dach *decken lassen.*

15 bleiben, gehen, lehren, lernen

schwimmen gehen	*Gehst* du *schwimmen*? Nein, aber die anderen *sind schwimmen gegangen.*

1. maschineschreiben lernen 2. hier wohnen bleiben 3. Tennis spielen gehen 4. Gitarre spielen lernen 5. tanzen gehen 6. hier sitzen bleiben

§ 19 Das Passiv

I Konjugation

	Präsens	*Imperfekt*
Singular	ich werde gefragt	ich wurde gefragt
	du wirst gefragt	du wurdest gefragt
	er wird gefragt	er wurde gefragt
Plural	wir werden gefragt	wir wurden gefragt
	ihr werdet gefragt	ihr wurdet gefragt
	sie werden gefragt	sie wurden gefragt
	Perfekt	*Plusquamperfekt*
Singular	ich bin gefragt worden	ich war gefragt worden
	du bist gefragt worden	du warst gefragt worden
	er ist gefragt worden	er war gefragt worden
Plural	wir sind gefragt worden	wir waren gefragt worden
	ihr seid gefragt worden	ihr wart gefragt worden
	sie sind gefragt worden	sie waren gefragt worden

Regeln

1. Man bildet das Passiv mit dem Hilfsverb *werden* und dem Partizip Perfekt des Vollverbs.
2. Im Perfekt und Plusquamperfekt Passiv ist das Hilfsverb immer *sein;* nach dem Partizip Perfekt des Vollverbs steht *worden.*

Anmerkung

Die Stammformen von *werden* lauten: *werden – wurde – geworden.* Nur im Perfekt und Plusquamperfekt Passiv steht die verkürzte Form *worden.*

II Gebrauch

Vorbemerkungen

1. In einem Aktivsatz ist das Subjekt, die handelnde Person, wichtig:
   Der Hausmeister schließt abends um 9 Uhr die Tür ab.

   In einem Passivsatz steht die Handlung im Vordergrund; die handelnde Person (das Subjekt des Aktivsatzes) ist oft unwichtig oder uninteressant und wird meist weggelassen:
   Abends um 9 Uhr *wird die Tür abgeschlossen.*
2. Oft ist der Urheber einer Handlung nicht bekannt; dann gebraucht man einen Aktivsatz mit *man* oder einen Passivsatz, wobei *man* immer wegfällt:
   Man baut hier eine neue Straße.
   Hier *wird* eine neue Straße *gebaut.*

Passivsätze mit persönlichem Subjekt

a) Präsens Aktiv	Der Arzt untersucht **den Patienten** vor der Operation.
Präsens Passiv	**Der Patient** wird vor der Operation untersucht.
Perfekt Aktiv	Der Arzt hat **den Patienten** vor der Operation untersucht.
Perfekt Passiv	**Der Patient** ist vor der Operation untersucht worden.
b) Aktiv	Man renoviert jetzt endlich **die alten Häuser am Marktplatz.**
Passiv	**Die alten Häuser am Marktplatz** werden jetzt renoviert.

Regeln

zu a) Das Akkusativobjekt des Aktivsatzes wird Subjekt (= Nominativ) des Passivsatzes.
Das Subjekt des Aktivsatzes – außer *man* – kann mit *von* + Dativ in den Passivsatz aufgenommen werden:

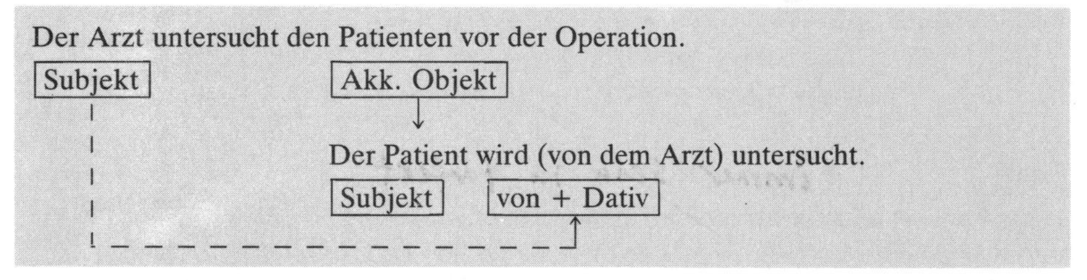

Das ist aber meist unnötig, denn wenn die handelnde Person wichtig ist, bevorzugt man einen Aktivsatz:
Der berühmte Arzt Professor Müller untersuchte den Patienten vor der Operation.

zu b) Beachten Sie: Alle Angaben (z.B. Genitivattribut, Zeit-, Ortsangaben), die beim Akkusativobjekt im Aktivsatz stehen, gehören auch zum Subjekt des Passivsatzes.

Subjektlose Passivsätze (Hauptsätze)

a) Aktiv	Man arbeitet sonntags nicht.
b) Passiv	**Es wird** sonntags nicht **gearbeitet.**
c)	Sonntags **wird** nicht **gearbeitet.**
a) Aktiv	Man half den Verunglückten erst nach zwei Tagen.
b) Passiv	**Es wurde** den Verunglückten erst nach zwei Tagen **geholfen.**
c)	Den Verunglückten **wurde** erst nach zwei Tagen **geholfen.**
	Erst nach zwei Tagen **wurde** den Verunglückten **geholfen.**

Regeln

zu a + b) Wenn der Aktivsatz kein Akkusativobjekt enthält, kann es auch kein persönliches Subjekt im Passivsatz geben. Man nimmt dann ein unpersönliches *es* zu Hilfe. Dieses *es* kann nur am Anfang des Hauptsatzes in der Position I stehen.

zu c) Wenn ein anderes Satzglied an diese Stelle tritt – was stilistisch meist besser ist –, fällt das *es* weg.

Subjektlose Passivsätze stehen immer im Singular, auch wenn *es* wegfällt und andere Satzglieder im Plural stehen.

Subjektlose Passivsätze (Nebensätze)

Aktiv	Er wird immer böse, wenn man ihm sagt, daß er unordentlich ist.
Passiv	Er wird immer böse, **wenn ihm gesagt wird**, daß er unordentlich ist.
Aktiv	Ich war ratlos, als mir der Arzt von einer Impfung abriet.
Passiv	Ich war ratlos, **als mir von einer Impfung abgeraten wurde.**

Regeln

In Nebensätzen mit Passiv fällt das unpersönliche *es* immer weg, weil die Konjunktionen (*weil, als, nachdem, wenn, daß,* usw.) den Anfang des Nebensatzes besetzen.

III Passiv mit Modalverben

im Hauptsatz

Präsens	Aktiv	Man muß den Verletzten sofort operieren.
	Passiv	Der Verletzte **muß** sofort **operiert werden.**
Imperfekt	Aktiv	Man mußte den Verletzten sofort operieren.
	Passiv	Der Verletzte **mußte** sofort **operiert werden.**
Perfekt	Aktiv	Man hat den Verletzten sofort operieren müssen.
	Passiv	Der Verletzte **hat** sofort **operiert werden müssen.**

im Nebensatz

Präsens	Passiv	Es ist klar, daß der Verletzte sofort **operiert werden muß.**
Imperfekt	Passiv	Es ist klar, daß der Verletzte sofort **operiert werden mußte.**
Perfekt	Passiv	Es ist klar, daß der Verletzte sofort **hat operiert werden müssen.**

Regeln

1. Auch im Passivsatz gelten die allgemeinen Regeln zum Gebrauch der Modalverben (siehe § 18 II).
2. Anstelle des Infinitivs Aktiv steht im Passivsatz der Infinitiv Passiv (= Partizip Perfekt + *werden*), z.B.:

Infinitiv Aktiv:	*operieren*	*anklagen*	*zerstören*
Infinitiv Passiv:	*operiert werden*	*angeklagt werden*	*zerstört werden*

Anmerkungen

1. Passiversatz:
   Die Schuld des Angeklagten *kann* nicht *bestritten werden*.
   a) Die Schuld des Angeklagten *ist* nicht *zu bestreiten* (siehe § 48).
   b) Die Schuld des Angeklagten *ist unbestreitbar.*
   c) Die Schuld des Angeklagten *läßt sich* nicht *bestreiten* (siehe § 10, § 48).

2. Das Modalverb *wollen* (in der Hauptbedeutung) kann nur in Aktivsätzen stehen. Im Passivsatz gebraucht man sinngemäß *sollen.*
   Man *will* am Stadtrand eine neue Siedlung errichten.
   Am Stadtrand *soll* eine neue Siedlung errichtet werden.

IV Passiv in der Infinitivkonstruktion

a) Ich fürchte, daß ich bald entlassen werde.
   Ich fürchte, bald **entlassen zu werden.**

   Sie hofft, daß sie vom Bahnhof abgeholt wird.
   Sie hofft, vom Bahnhof **abgeholt zu werden.**

b) Er behauptet, daß er niemals vorher gefragt worden ist.
   Er behauptet, niemals vorher **gefragt worden zu sein.**

Regeln

Infinitivkonstruktionen im Passiv sind nur möglich, wenn das Subjekt im Haupt- oder Beziehungssatz und das Subjekt im *daß*-Satz die gleiche Person oder Sache bezeichnen.

zu a) Bei Gleichzeitigkeit gebraucht man in der Infinitivkonstruktion den Infinitiv Präsens im Passiv mit *zu: gezwungen zu werden, erkannt zu werden, angestellt zu werden.*

zu b) Wenn die Aussage in der Infinitivkonstruktion deutlich vor der Aussage im Haupt- oder Beziehungssatz liegt, gebraucht man den Infinitiv Perfekt im Passiv mit *zu: gelobt worden zu sein, verstanden worden zu sein, überzeugt worden zu sein.*

ÜBUNGEN

1 Üben Sie das Passiv.

Der Radio- und Fernsehhändler in der Zeitung:	**Die Arbeit der Fachleute:**
Wir beraten die Kunden.	Die Kunden *werden beraten.*

1. Wir holen den Fernseher ab und reparieren ihn. 2. Wir bringen die Geräte ins Haus. 3. Wir installieren Antennen. 4. Wir führen die neuesten Apparate vor. 5. Wir bedienen die Kunden höflich. 6. Wir machen günstige Angebote.

2 a) Ebenso:

Von den Aufgaben des Kochs:	Was ist los in der Küche?
Kartoffeln schälen	Kartoffeln *werden geschält.*

1. Kartoffeln reiben 2. Salz hinzufügen 3. Fleisch braten 4. Reis kochen 5. Salat waschen 6. Gemüse schneiden 7. Würstchen (Pl.) grillen 8. Milch, Mehl und Eier mischen 9. Teig machen 10. Kuchen backen 11. Sahne schlagen 12. Brötchen (Pl.) streichen und belegen

b) Die Küchenarbeit ist beendet. Was wurde gemacht?

Kartoffeln schälen	Kartoffeln *wurden geschält.*

Üben Sie in dieser Weise mit obigen Wörtern.

3 a) Was ist alles im Büro los?

Telefonate weiterleiten	Telefonate *werden weitergeleitet.*

Nehmen Sie die Übungen § 7, Nr. 1, und üben Sie damit das Passiv Präsens.

b) Was war los im Büro?

Telefonate weiterleiten	Telefonate *wurden weitergeleitet.*

Nehmen Sie die Übungen § 7, Nr. 1, und bilden Sie Sätze im Passiv Imperfekt.

4 Bilden Sie das Passiv. Die Verben am Ende der Übung helfen Ihnen, wenn Sie nicht weiterkommen.

In der Fabrik *wird gearbeitet.*

Was geschieht ...

1. in der Kirche?
2. in der Schule?
3. an der Kasse?
4. auf dem Sportplatz?
5. im Gesangverein?
6. in der Küche?
7. in der Bäckerei?
8. auf der Jagd?
9. beim Frisör?
10. im Schwimmbad?
11. auf dem Feld?
12. beim Schuster?
13. auf dem Eis?
14. in der Wäscherei?

Verben hierzu: *schießen, säen und ernten, Haare schneiden, kochen, schwimmen, singen, Fußball spielen, lernen, beten, zahlen, Schuhe reparieren, Wäsche waschen, Schlittschuh laufen, Brot backen.*

5 Was in einem Unrechtsstaat geschieht

Man belügt das Volk.	Das Volk *wird belogen.*

1. Man bedroht Parteigegner. 2. Man enteignet Leute. 3. Man verurteilt Unschuldige. 4. Man verteufelt die Andersdenkenden. 5. Man schreibt alles vor. 6. Man zensiert die

Zeitungen. 7. Man beherrscht Rundfunk und Fernsehen. 8. Man steckt Unschuldige ins Gefängnis. 9. Man mißhandelt die Gefangenen. 10. Man unterdrückt die freie Meinung.

6 a) Was war in letzter Zeit los in der Stadt?

Wiedereröffnung des Opernhauses – Das Opernhaus *wurde wiedereröffnet.*

1. Ausstellung von Gemälden von Picasso
2. Aufführung zweier Mozartopern
3. Eröffnung der Landesgartenschau
4. Ehrung eines Komponisten und zweier Dichter
5. Ernennung des Altbürgermeisters zum Ehrenbürger der Stadt
6. Errichtung eines Denkmals zur Erinnerung an einen Erfinder
7. Einweihung des neuen Hallenbades
8. Veranstaltung eines Sängerwettstreits
9. Vorführung von Kulturfilmen
10. Start eines Rennens über 50 Jahre alter Automobile

b) Machen Sie in dieser Weise Übung 6a jetzt im Perfekt.

Wiedereröffnung des Opernhauses – Das Opernhaus *ist wiedereröffnet worden.*

7 Was stand gestern in der Zeitung? – Formen Sie die gegebenen Teilsätze um, und ergänzen Sie sie selbständig.

Man gab bekannt, ... Es *wurde bekanntgegeben,* daß die Tiefgarage nun doch gebaut werden darf.

1. Man berichtete, ... 2. Man gab bekannt, ... 3. Man behauptete, ... 4. Man befürchtete, ... 5. Man stellte die Theorie auf, ... 6. Man nahm an, ... 7. Man äußerte die Absicht, ... 8. Man stellte die Behauptung auf, ...

8 Üben Sie mit den Sätzen der Übung 5.

Man belügt das Volk. Warum *ist* das Volk *belogen worden*?

9 Antworten Sie nach folgendem Muster:

Warum sagst du nichts? (fragen) – Ich *bin* nicht *gefragt worden.*

1. Warum gehst du nicht mit? (bitten)
2. Warum singst du nicht mit? (auffordern)
3. Warum wehrst du dich nicht? (bedrohen)
4. Warum kommst du nicht zur Party? (einladen)
5. Warum verklagst du ihn nicht vor Gericht? (schädigen)
6. Warum gehst du nicht zu dem Vortrag? (informieren)

7. Warum sitzt du immer noch hier? (abholen)
8. Wie kommst du denn hier herein? (kontrollieren)
9. Warum hast du das kaputte Auto gekauft? (warnen)
10. Warum bist du so enttäuscht? (befördern)

10 Backen Sie Ihren Obstkuchen selbst!

Mehl mit Backpulver mischen und auf ein Brett legen. . . . Mehl *wird* mit Backpulver *gemischt* und auf ein Brett *gelegt* . . .

Setzen Sie in dieser Weise das folgende Rezept ins Passiv:

1 Mehl mit Backpulver mischen und auf ein Brett legen. In der Mitte des Mehls eine Vertiefung machen. Zucker und Eier mit einem Teil des Mehls schnell zu einem Brei
3 verarbeiten. Auf diesen Brei die kalte Butter in kleinen Stücken geben und etwas Mehl darüberstreuen. Alles mit der Hand zusammendrücken und möglichst schnell zu einem
5 glatten Teig verarbeiten. Den Teig vorläufig kalt stellen. Dann etwas Mehl auf das Brett geben, den Teig ausrollen und in die Form legen.
7 Auf dem Teigboden viel Semmelmehl ausstreuen und das Obst darauflegen. Im Backofen bei 175–200 Grad den Kuchen etwa 30 bis 35 Minuten backen.

11 Passiv mit Modalverb

a

Umweltschützer stellen fest:	**Umweltschützer fordern:**
Die Menschen verschmutzen die Flüsse.	Die Flüsse *dürfen* nicht länger *verschmutzt werden*!

Wenn Sie ausdrücken wollen, daß die Dinge schon seit langem und immer weiter geschehen, setzen Sie „nach wie vor" oder „immer noch" ein: *Die Menschen verschmutzen nach wie vor die Flüsse.* Wenn Sie Ihre Forderung verstärken wollen, setzen Sie „auf keinen Fall" oder „unter (gar) keinen Umständen" an die Stelle von „nicht". *Die Flüsse dürfen auf keinen Fall länger verschmutzt werden!*

1. Sie verunreinigen die Seen. 2. Sie verpesten die Luft. 3. Sie verseuchen die Erde. 4. Sie vergiften Pflanzen und Tiere. 5. Sie vernichten bestimmte Vogelarten. 6. Sie werfen Atommüll ins Meer. 7. Sie vergraben radioaktiven Müll in der Erde. 8. Sie ruinieren die Gesundheit der Mitmenschen durch Lärm.

b

Der Landwirt berichtet von der Tagesarbeit:	**Von der Tagesarbeit auf dem Bauernhof:**
Ich muß das Vieh füttern.	Das Vieh *muß gefüttert werden.*

Ich muß 1. die Felder pflügen 2. die Saat aussäen 3. die Äcker düngen 4. die Ställe säubern 5. die Melkmaschine anlegen 6. Bäume fällen 7. Holz sägen 8. ein Schwein schlachten 9. Gras schneiden 10. Heu wenden 11. Äpfel und Birnen pflücken

c

Eine Krankenschwester erzählt von ihren Aufgaben:	**Von den Aufgaben einer Krankenschwester:**
Ich muß einige Patienten waschen und füttern.	Einige Patienten *müssen gewaschen* und *gefüttert werden.*

1. Ich muß die Patienten wiegen. 2. Ich muß die Größe der Patienten feststellen. 3. Ich muß den Puls der Kranken zählen und das Fieber messen. 4. Ich muß beides auf einer Karte einzeichnen. 5. Ich muß Spritzen geben und Medikamente austeilen. 6. Ich muß Blut abnehmen und ins Labor schicken. 7. Ich muß Karteikarten ausfüllen. 8. Ich muß die Kranken trösten und beruhigen.

12 Von den Plänen der Stadtverwaltung

Man *will* den Park erweitern.	Der Park *soll erweitert werden.*

Üben Sie in dieser Weise mit den Wörtern der Übung § 8 Nr. 5.

13 Brand in der Großmarkthalle – Setzen Sie den folgenden Text ins Passiv. Nennen Sie den „Täter“ nicht, wenn er hier schräg gedruckt ist. Achten Sie auf die Zeit!

1 Gestern abend meldete man der Feuerwehr einen leichten Brandgeruch in der Nähe der Großmarkthalle. Sofort schickte man drei Feuerwehrwagen an den Ort, aber man konnte
3 zunächst den Brandherd nicht feststellen, weil *die Geschäftsleute* den Eingang zur Großmarkthalle mit zahllosen Kisten und Handwagen versperrt hatten. Als man die Sachen
5 endlich weggeräumt hatte, mußte man noch das eiserne Gitter vor dem Hallentor aufsägen, denn man hatte in der Eile vergessen, die Schlüssel rechtzeitig zu besorgen. Immer
7 wieder mußten *die Polizeibeamten* die neugierigen Zuschauer zurückdrängen. Nachdem man endlich die Türen aufgebrochen hatte, richteten *die Feuerwehrleute* die Löschschläu-
9 che in das Innere der Halle. Erst nach etwa zwei Stunden konnten *die Männer* das Feuer unter Kontrolle bringen. *Die Polizei* gab bekannt, daß *das Feuer* etwa die Hälfte aller
11 Waren in der Markthalle vernichtet hat. Erst spät in der Nacht rief man die letzten Brandwachen von dem Unglücksort ab.

14 Jugendliche aus Seenot gerettet
Setzen Sie den folgenden Text ins Passiv:

1 Gestern morgen alarmierte man den Seenotrettungsdienst in Cuxhaven, weil man ein steuerlos treibendes Boot in der Nähe des Leuchtturms Elbe I gesehen hatte. Wegen des
3 heftigen Sturms konnte man die Rettungsboote nur unter großen Schwierigkeiten zu Wasser bringen. Über Funk gab man den Männern vom Rettungsdienst den genauen
5 Kurs bekannt. Mit Hilfe von starken Seilen konnte man die drei Jugendlichen aus dem treibenden Boot an Bord ziehen, wo man sie sofort in warme Decken wickelte und mit
7 heißem Tee stärkte.
Vorgestern nachmittag hatte der scharfe Ostwind die drei Jungen in ihrem Segelboot auf
9 die Elbe hinausgetrieben, wo sie bald die Kontrolle über ihr Fahrzeug verloren (Aktiv).

Erst bei Anbruch der Dämmerung konnte man sie sichten. Niemand hatte ihre Hilferufe
11 gehört.
Wegen Verdachts einer Lungenentzündung mußte man den Jüngsten der drei in ein
13 Krankenhaus einliefern; die anderen beiden brachte man auf einem Polizeischnellboot nach Hamburg zurück, wo ihre Eltern sie schon erwarteten.

§ 20 Modalverben zur subjektiven Aussage

Vorbemerkungen

1. Die besprochenen Modalverben (siehe § 18) geben an, wie eine Handlung objektiv beurteilt wird:
   Mein Freund *kann* die Prüfung *bestehen.* = Jeder weiß, daß er fähig ist, die Prüfung zu bestehen.
   Der Professor *soll* alles verständlich *erklären.* = Es ist seine Pflicht, alles verständlich zu erklären.
2. Dieselben Sätze können aber auch eine subjektive Aussage ausdrücken:
   Mein Freund *kann* die Prüfung *(vermutlich) bestehen.* = Ich hoffe es, nehme es an, aber ich weiß es nicht sicher.
   Der Professor *soll (so sagt man)* alles verständlich *erklären.* = Das berichten andere Studenten über diesen Professor.
3. Bei Aussagen in der Gegenwart kann man den Unterschied nur aus dem Zusammenhang eines Textes oder eines Gesprächs entnehmen oder aus der Betonung beim Sprechen.
4. Bei einer Aussage über ein Geschehen in der Vergangenheit gibt es formale Unterschiede zwischen der objektiven und der subjektiven Aussage:

Jemand fragt: Warum hat er auf unseren Brief immer noch nicht geantwortet? Darauf sind folgende Antworten möglich:

a) Er **muß** sich über unseren Brief schrecklich **geärgert haben.**
   = Das ist wahrscheinlich, fast sicher.

   Er **kann** über Weihnachten bei Freunden **gewesen sein.**
   = Das ist möglich, aber nicht sicher.

   Er **kann** unseren Brief nicht richtig **verstanden haben.**
   = Das ist aber fast unmöglich.

   Er **mag** unseren Brief noch nicht **erhalten haben.**
   = Vielleicht ist es so.

b) Er **soll** unseren Brief vor Wut **zerrissen haben.**
   = Das hat man uns erzählt. Das haben wir von anderen gehört, aber ob es stimmt, wissen wir nicht.

c) Er **will** unseren Brief gar nicht **erhalten haben.**
   = Das sagt er selbst, aber wir haben Zweifel an der Wahrheit der Aussage.

Regeln

1. a) Die Modalverben zur subjektiven Aussage werden im Präsens gebraucht. Im Imperfekt kommen sie nur in Erzählungen oder Berichten vor. Sie stehen im Hauptsatz in der Position II, im Nebensatz am Ende des Satzes:
   Er *kann* mich gesehen haben.
   Ich bin beunruhigt, weil er mich gesehen haben *kann*.

   b) Bei subjektiven Aussagen über ein Geschehen in der Vergangenheit gebraucht man den Infinitiv Perfekt.
   Infinitiv Perfekt Aktiv: *gemacht haben, gekommen sein*
   Infinitiv Perfekt Passiv: *gemacht worden sein*

   Vor 300 Jahren *sollen* Soldaten das Schloß völlig *zerstört haben.*
   Vor 300 Jahren *soll* das Schloß völlig *zerstört worden sein.*

2. zu a) *mögen, können, müssen* drücken in der subjektiven Aussage eine Vermutung aus.

   zu b) *sollen* zeigt, daß die Aussage ein Gerücht ist: *Man* sagt, berichtet, erzählt etwas, aber genauere Informationen fehlen. Auch in Zeitungsmeldungen wird diese Aussageform oft gebraucht:
   In Italien *sollen* die Temperaturen auf minus 20 Grad *gesunken sein.*

   zu c) *wollen* zeigt, daß die Aussage eine unbewiesene Behauptung ist: *Jemand* sagt etwas über sich selbst, er kann es nicht beweisen, und man kann ihm auch nicht das Gegenteil beweisen. Oft wird diese Aussageform vor Gericht gebraucht:
   Der Angeklagte *will* die Zeugin nie *gesehen haben.*

Anmerkung

Zur besseren Unterscheidung benutzt man das Modalverb auch im Konjunktiv II (siehe § 54 VI):

er dürfte	(eine vorsichtige Annahme)	Er dürfte jetzt etwa 80 Jahre alt sein.
er könnte	(eine Möglichkeit)	Er könnte Ihnen eine Zulassung besorgen.
er müßte	(eine Notwendigkeit, die aber noch nicht erfüllt ist)	Er müßte endlich mit dem Rauchen aufhören.
er sollte eigentlich	(eine Empfehlung, die aber nicht befolgt wird)	Er sollte ihn eigentlich unterstützen, aber er tut es nicht.

ÜBUNGEN

1 Aus der Zeitung – Erklären Sie die Bedeutung der schräg gedruckten Modalverben.

1 Wieder ist der Polizei ein Raubüberfall gemeldet worden. Drei Unbekannte *sollen* in der Zuckschwerdtstraße einen 26 Jahre alten Brückenbauer aus Frankfurt überfallen und
3 niedergeschlagen haben. Nach Angaben der Polizei *soll* einer der Täter dem Brückenbauer in die Jackentasche gegriffen und Ausweispapiere sowie Schlüssel entwendet ha-
5 ben. Vorher *will* der Überfallene in einer Gaststätte in der Bolongarostraße gewesen

sein, in der sich auch die Täter befunden haben *sollen*. Beim Bezahlen *können* die Täter
7 gesehen haben, daß er einen größeren Geldbetrag – es *soll* sich um etwa 500 Mark
gehandelt haben – bei sich führte. „Das *muß* der Anlaß gewesen sein, daß die Kerle mir
9 folgten und mich dann überfielen", meinte der Brückenbauer.

2 Setzen Sie das passende Modalverb in der richtigen Form ein.

1. Der Mann hat doch eine Verletzung! Wer das nicht sieht, ... blind sein. 2. Du ... recht haben; aber es klingt sehr merkwürdig. 3. Diese Schauspielerin ... 80 Jahre alt sein, so steht es in der Zeitung. Sie sieht doch aus wie fünfzig! 4. Der Junge ... die Geldbörse gefunden haben; dabei habe ich gesehen, wie er sie einer Frau aus der Einkaufstasche nahm. 5. „Er ... ein Vermögen von zwei bis drei Millionen besitzen, glaubst du das?" – „Also das ... übertrieben sein. Es ... sein, daß er sehr reich ist, aber so reich sicher nicht!" 6. In Griechenland ... gestern wieder ein starkes Erdbeben gewesen sein. 7. Es ist schon zehn Uhr. Der Briefträger ... eigentlich schon dagewesen sein. 8. Eben haben sie einen Fernsehbericht über Persien angekündigt, jetzt zeigen sie Bilder über Polen. Da ... doch wieder ein Irrtum passiert sein! 9. Wir haben dein Portemonnaie in der Wohnung nicht gefunden. Du ... es nur unterwegs verloren haben. Wenn du es nicht verloren hast, ... es dir gestohlen worden sein. 10. Den Ring ... sie geschenkt bekommen haben, aber das glaube ich nicht. 11. Er ist erst vor zehn Minuten weggegangen. Er ... eigentlich noch nicht im Büro sein. 12. Es ... heute Nacht sehr kalt gewesen sein, die Straßen sind ganz vereist.

3 Formen Sie die Sätze mit dem angegebenen Modalverb so um, daß die Ausdrücke der Vermutung oder Überzeugung „wohl", „sicher(lich)", „angeblich", „er behauptet", „so wird gesagt", usw. wegfallen können.

Ich habe gehört, daß der Schriftsteller sich zur Zeit in Südamerika aufhält. (sollen) Der Schriftsteller *soll sich* zur Zeit in Südamerika *aufhalten*.

1. Man hat den Mann verurteilt; aber er war unschuldig, so wird gesagt. (sollen)
2. Sie hat sicherlich recht. (mögen)
3. Er hat angeblich sein ganzes Vermögen an eine Hilfsorganisation verschenkt. (sollen)
4. Der Zeuge behauptet, daß er den Unfall genau gesehen hat. (wollen)
5. Wie war das nur möglich? Es war doch 22 Uhr und wahrscheinlich stockdunkel. (müssen)
6. Er behauptet, daß er die 20 Kilometer lange Strecke in zweieinhalb Stunden gelaufen ist. (wollen)
7. Der Angeklagte behauptet, von zwei betrunkenen Gästen in der Wirtschaft angegriffen worden zu sein. (wollen)
8. Man ist überzeugt, daß der Angeklagte sich in großer Angst und Aufregung befunden hat. (müssen)
9. Ich frage mich, wie wohl dem Angeklagten zumute war. (mögen)
10. Sicherlich hat der Angeklagte die Tat nur im ersten Schrecken begangen. (können)

4 Ebenso wie Nr. 3 – Gebrauchen Sie selbständig die Modalverben zur subjektiven Aussage.

1. Man sagt, daß im Krankenhaus der Stadt B. im letzten Jahr viele Millionen Mark veruntreut worden sind.
2. Ein junger Arzt sagt, daß er gehört habe, daß die Medikamente für das Krankenhaus gleich wieder verkauft worden seien.
3. Die Krankenschwestern und Pfleger haben davon vielleicht gar nichts gewußt.
4. Die Leute erzählen, daß der Chefarzt vor kurzem die häßliche Tochter des Gesundheitsministers geheiratet hat.
5. Sehr wahrscheinlich waren die Beamten des Gesundheitsministeriums über die Unterschlagungen im Krankenhaus schon seit langem informiert.
6. Vielleicht sind einige Beamte sogar bestochen worden.
7. Außerdem wird berichtet, daß alle Akten aus den Geschäftsräumen des Krankenhauses verschwunden sind.
8. Vielleicht waren unter den verschwundenen Medikamenten auch Drogen.
9. Ein verhafteter Drogenhändler sagt, daß er seinen „Stoff" immer an der Hintertür des Krankenhauses abgeholt habe.
10. Möglicherweise sind auch Verbandszeug und Kopfschmerztabletten verschoben worden.
11. In einem Zeitungsartikel wird berichtet, daß der Chefarzt in der vorigen Woche 900000 Mark von seinem Konto abgehoben hat.
12. Sehr wahrscheinlich haben die Patienten unter den ungeordneten Zuständen in diesem Krankenhaus sehr gelitten.
13. Vielleicht wird der Prozeß gegen den Chefarzt und den Gesundheitsminister noch in diesem Jahr eröffnet.

§ 21 Futur I und II zum Ausdruck der Vermutung

Vorbemerkung

1. Im Gegensatz zu anderen europäischen Sprachen, die eine eigene Futurform haben, wird im Deutschen die einfache Zukunft (Futur I) mit Präsens + Zeitangabe ausgedrückt, wenn eine Handlung, ein Vorgang oder ein Zustand in der Zukunft gewiß ist:
   Ich *komme morgen früh* zu dir und *bringe* dir die Fotos mit.
   Heute abend gibt es bestimmt noch ein Gewitter.
2. Wenn eine solche Handlung in der Zukunft schon beendet ist (Futur II), gebraucht man Perfekt + Zeitangabe:
   Wenn ihr morgens erst um 10 Uhr kommt, *haben* wir schon *gefrühstückt.*
3. Wenn eine Handlung, ein Vorgang oder ein Zustand in der Zukunft noch ungewiß ist, gebraucht man *werden* mit dem Infinitiv. *werden* ist hier eigentlich keine Zeitform, sondern steht – ähnlich wie ein Modalverb – für eine subjektive Einstellung zu einem zukünftigen Geschehen.
4. Durch Einfügen von *wohl, vielleicht, wahrscheinlich* kann man den Ausdruck der Vermutung verstärken.

I Hauptsätze

Futur I Aktiv	Er **wird** die neue Stellung wahrscheinlich **annehmen.**
Futur II Aktiv	Er **wird** bei seiner Suche nach einer besseren Stellung wohl keinen Erfolg **gehabt haben.**
Futur I Passiv	Das Gesetz **wird** wohl bald **geändert werden.**
Futur II Passiv	Das Gesetz **wird** wohl inzwischen **geändert worden sein.**

Regel

werden wird im Aktiv und Passiv wie ein Modalverb zur subjektiven Aussage gebraucht.

Futur I Aktiv mit Modalverb	Meine Freunde **werden** das Auto wohl **reparieren können.**
Futur II Aktiv mit Modalverb	In der kurzen Zeit **werden** die Gäste wohl nicht alles **gesehen haben können.**
Futur I Passiv mit Modalverb	Das Auto **wird** wohl nicht mehr **repariert werden können.**

Regel

Tritt ein Modalverb hinzu, so steht dieses im Infinitiv am Ende des Satzes. Im Futur II Passiv wird diese komplizierte Form nicht mehr gebraucht.

II Nebensätze

Futur I Aktiv	Es ist ärgerlich, daß das Flugzeug wohl nicht planmäßig **landen wird.**
Futur II Aktiv	Ich mache mir Sorgen, obwohl das Flugzeug inzwischen in Rom **gelandet sein wird.**
Futur I Aktiv mit Modalverb	Der Geschäftsmann regt sich auf, weil er sein Reiseziel wohl nicht rechtzeitig **wird erreichen können.**

Regeln

1. Im Nebensatz steht *werden* zum Ausdruck der Vermutung in der konjugierten Form am Ende des Satzes.
2. Tritt ein Modalverb hinzu, so steht dieses im Infinitiv am Ende des Satzes. Die konjugierte Form von *werden* steht vor dem Vollverb (siehe § 18 II).
3. Bei Nebensätzen im Passiv, die eine Vermutung ausdrücken, ist es im allgemeinen besser, das einfache Präsens oder Perfekt zu gebrauchen. Die Angaben *wohl* oder *wahrscheinlich* machen den Zusammenhang deutlich.
   Präsens Passiv:
   Die alten Formulare gelten noch, obwohl das Gesetz wohl bald *geändert wird.* (statt: . . ., obwohl das Gesetz wohl bald *geändert werden wird.*)

   Perfekt Passiv:
   Die alten Formulare gelten noch bis zum 1. Januar, obwohl das Gesetz wohl inzwischen

schon *geändert worden ist*. (statt: ..., obwohl das Gesetz wohl inzwischen schon *geändert worden sein wird*.)

4. Auch bei Nebensätzen mit einem Modalverb, die eine Vermutung in der Zukunft ausdrücken, ist es besser, das einfache Präsens oder Perfekt zu verwenden.
   Präsens Aktiv mit Modalverb:
   Es ist beruhigend, daß der Meister das Auto vielleicht schon bis übermorgen *reparieren kann*. (statt: ..., daß der Meister das Auto vielleicht schon bis übermorgen *wird reparieren können*.)

   Perfekt Aktiv mit Modalverb:
   Am 1. Mai wollen wir nach Spanien fahren. Es ist beruhigend, daß der Meister das Auto wohl schon vorher *hat reparieren können*. (statt: ..., daß der Meister das Auto wohl schon vorher *wird repariert haben können*.)

   Präsens Passiv mit Modalverb:
   Es ist beruhigend, daß unser Auto vielleicht schon übermorgen *repariert werden kann*. (statt: ..., daß unser Auto vielleicht schon übermorgen *wird repariert werden können*.)

   Perfekt Passiv mit Modalverb:
   Am 1. Mai wollen wir nach Spanien fahren. Es ist beruhigend, daß unser Auto schon vorher *hat repariert werden können*. (Eine Konstruktion mit *werden* ist nicht mehr gebräuchlich.)

Anmerkung

werden + Infinitiv wird bei einer Drohung oder drohenden Voraussage verwendet:
Du *wirst* jetzt zu Hause *bleiben* und nicht in den Club *gehen*.
(auch in der Frageform:) *Wirst* du endlich deine Hausaufgaben *machen*?
Wir *werden* alle *umkommen*.

ÜBUNGEN

1 Zeigen Sie in Ihrer Antwort, daß Sie die Frage nicht mit Bestimmtheit beantworten können.

Kommt Ludwig auch zu der Besprechung? Ja, er *wird wahrscheinlich* auch zu der Besprechung *kommen*.

Statt „wahrscheinlich" können Sie auch „wohl" oder „vielleicht" einsetzen.

1. Gibt Hans seine Stellung als Ingenieur auf? 2. Geht er ins Ausland? 3. Will er in Brasilien bleiben? 4. Fliegt er noch in diesem Jahr rüber? 5. Nimmt er seine Familie gleich mit? 6. Besorgt ihm seine Firma dort eine Wohnung?

2 Hans und Inge haben einen langen Weg von Andreas Party nach Hause. Bis sie zu Hause sind, wird Andrea schon viel erledigt haben.

schon alle Gläser in die Küche bringen Sie *wird* schon alle Gläser in die Küche *gebracht haben*.

1. die Schallplatten wieder einordnen 2. die Wohnung aufräumen 3. die Möbel an den alten Platz stellen 4. das Geschirr spülen und in den Schrank räumen 5. den Teppich absaugen 6. sich ins Bett legen 7. einschlafen

3 Müllers waren lange von zu Hause weg. Wie mag es aussehen, wenn sie zurückkommen?

der Gummibaum / vertrocknen – *Wird* der Gummibaum *vertrocknet sein*?

1. die Zimmerpflanzen / eingehen (= sterben) 2. die Möbel / sehr verstauben 3. die Teppiche / nicht gestohlen werden 4. die Blumen im Garten / verblühen 5. die Pflanzen auf dem Balkon / vertrocknen 6. die Nachbarin / die Post aufheben

4 Äußern Sie in Ihrer Antwort eine Vermutung. Verwenden Sie das Futur II.

Hat er noch Geld? (sicher alles ausgeben) – Er *wird sicher* alles *ausgegeben haben.*

1. Sind die Gäste noch da? (wahrscheinlich schon nach Hause gehen)
2. Geht es ihm noch schlecht? (sich sicher inzwischen erholen)
3. Hat sie ihre Bücher mitgenommen? (ganz sicher mitnehmen)
4. Haben sie den letzten Bus noch gekriegt? (wahrscheinlich noch bekommen)
5. Ist Heinrich noch zum Zug gekommen? (sich bestimmt ein Taxi zum Bahnhof nehmen)

5 Bringen Sie Ihre Vermutung durch die Verwendung des Futurs II zum Ausdruck.

Ich vermute, daß der Weg inzwischen gesperrt worden ist. . Der Weg *wird* inzwischen *gesperrt worden sein.*

1. Ich nehme an, daß der Lastwagen inzwischen aus dem Graben gezogen worden ist. 2. Ich vermute, daß die Polizei sofort benachrichtigt worden ist. 3. Ich glaube, daß niemand ernstlich verletzt worden ist. 4. Es ist anzunehmen, daß dem betrunkenen Fahrer der Führerschein entzogen worden ist. 5. Ich nehme an, daß die Ladung inzwischen von einem anderen Lastwagen übernommen worden ist.

Teil II

§ 22 Die Satzstellung im Hauptsatz

I Allgemeine Regeln

1. Ein Satz besteht aus bestimmten *Satzgliedern:* Subjekt, Prädikat, Objekten, adverbialen Angaben, usw.
2. Die Satzglieder stehen in jeder Sprache in einer bestimmten Reihenfolge.
3. Der deutsche Satz ist bestimmt durch die Stellung des konjugierten Verbs: das ist die Verbform mit einer Personalendung, z. B. ich geh*e*, du geh*st*.
4. Die Stellung des konjugierten Verbs ist im Hauptsatz und im Nebensatz grundsätzlich verschieden.
5. Der Hauptsatz ist ein unabhängiger, vollständiger Satz. Das konjugierte Verb steht immer in der Position II.
6. Im Hauptsatz kann das Subjekt von der Position I auf die Position III (IV) wechseln, d. h. es bewegt sich um das konjugierte Verb (Position II) wie um eine Achse.

Anmerkungen

1. Die Positionszahlen I, II, III (IV) werden im folgenden zur Erklärung der Satzstellung im Hauptsatz verwendet.
2. Der Wechsel des Subjekts von der Position I zur Position III wird im folgenden *Umstellung* genannt.
3. Die Reihenfolge aller weiteren Satzglieder nach dem Subjekt ändert sich je nach dem Sinn oder dem Zusammenhang des Satzes; deshalb ist eine Zählung nicht mehr möglich.

II Satzstellung mit Objekten

I	II		*Dativ-objekt*	*Akkusativ-objekt*		*Partizip*
a) Die Firma	liefert	heute			nicht.	
b) Die Firma	lieferte	gestern			nicht.	
c) Die Firma	liefert	morgen			nicht.	
d) Die Firma	hat	gestern			nicht	geliefert.
e) Die Firma	liefert		dem Kunden	die Ware	nicht.	
f) Die Firma	hat		dem Kunden	die Ware	nicht	geliefert.

Regeln

Das Subjekt steht in der Position I, dann folgt das konjugierte Verb in der Position II.

zu a + b + c) Im Präsens, Imperfekt und Futur (= Präsens mit Zeitangabe, vgl. § 21 Vorbemerkung) steht das konjugierte Vollverb in der Position II.

zu d) Im Perfekt und Plusquamperfekt steht das konjugierte Hilfsverb in der Position II. Das Partizip Perfekt des Vollverbs steht am Ende des Satzes.

zu e) Bestimmte Verben werden mit einem Dativobjekt oder mit einem Akkusativobjekt oder mit beiden gebraucht (siehe § 14 I–III).
Wenn beide Objekte im Satz vorkommen, steht im allgemeinen das Dativobjekt vor dem Akkusativobjekt.

III Umstellung

I	II	III	*Dativ-objekt*	*Akkusativ-objekt*		*Partizip*
a) **Der Postbote**	kommt	**heute**			nicht.	
Heute	kommt	**der Postbote**			nicht.	
b) **Der Postbote**	ist	**heute**			nicht	ge-kommen.
Heute	ist	**der Postbote**			nicht	ge-kommen.
c) **Die Firma**	liefert	**wahr-scheinlich**	dem Kunden	die Ware	nicht.	
Wahr-scheinlich	liefert	**die Firma**	dem Kunden	die Ware	nicht.	
Die Firma	hat	**wahr-scheinlich**	dem Kunden	die Ware	nicht	ge-liefert.
Wahr-scheinlich	hat	**die Firma**	dem Kunden	die Ware	nicht	ge-liefert.

Regeln

1. Bei der Umstellung steht ein anderes Satzglied in der Position I, dann folgt das konjugierte Verb in der Position II und das Subjekt in der Position III. Man kann fast jedes andere Satzglied in die Position I stellen.
2. Der Sinn des Satzes ändert sich durch die Umstellung kaum. Die Position I bezieht sich oft auf eine vorangegangene Aussage und betont den Fortgang der Handlung:
Wir frühstücken immer um 8 Uhr. *Heute* haben wir verschlafen.
Einstein emigrierte nach Amerika. *Dort* konnte er weiterarbeiten.
Man stellte den Zeugen einige Männer vor. *Den Täter* erkannte niemand.
Mein Fotoapparat ist nicht in Ordnung. *Damit* kannst du nichts anfangen.

zu a + b + c) Bei der Umstellung wechseln nur die Positionen I und III; sonst ändert sich die Satzstellung nicht.

IV Satzstellung mit Pronomen im Akkusativ und Dativ

I	II		
a) Der Lehrer	gibt	**dem Schüler**	**das Buch.**
b) Der Lehrer	gibt	es	dem Schüler.
Der Lehrer	gibt	ihm	das Buch.
c) Der Lehrer	gibt	**es**	**ihm.**

Regeln

zu a) Das Dativobjekt steht vor dem Akkusativobjekt (siehe unter II).

zu b) Ein einzelnes Pronomen – egal ob im Akkusativ oder Dativ – steht direkt hinter dem konjugierten Verb.

zu c) Wenn zwei Pronomen im Satz vorkommen, steht das Akkusativ-Pronomen vor dem Dativ-Pronomen.

V Umstellung

a)		*Pronomen*	*Subjekt (Substantiv)*	
I	II	(III)	IV	
Um 7 Uhr	bringt	**mir**	**der Briefträger**	die Post.
Aus Kairo	ruft	**mich**	**der Chef**	bestimmt nicht an.
Zum Glück	hat	**es ihm**	**der Professor**	noch mal erklärt.

b)		*Subjekt (Pron.)*	*Akk./Dat.-Pronomen*	
I	II	III		
Vorgestern	hat	**er**	mir	das Buch geliehen.
Vorgestern	hat	**er**	es	dem Schüler geliehen.
Vorgestern	hat	**er**	es ihm	geliehen.

Regeln

zu a) Auch bei der Umstellung gilt im allgemeinen die Regel, daß die Akkusativ- und Dativpronomen direkt hinter dem konjugierten Verb stehen. In diesem Fall kann das Subjekt, wenn es ein Substantiv ist, in die Position IV verschoben werden.

zu b) Aber wenn das Subjekt selbst ein Pronomen ist, bleibt es immer in der Position III.

VI Stellung der Reflexivpronomen

I	II			
Ich	habe	mich		gewaschen.
Ich	habe	**mir**	**die Hände**	gewaschen.
Ich	habe	**sie**	**mir**	gewaschen.

Umstellung

I	II	III	*Pronomen*		
Sofort	hat	**er**	sich	die Hände	gewaschen.
Sofort	hat	**er**	sie sich		gewaschen.

Regel

Die Satzstellung mit dem Reflexivpronomen entspricht den genannten Regeln.

ÜBUNGEN

1 Üben Sie die Wortstellung.

Hat der Hotelgast der Schauspielerin den Pelzmantel gestohlen?
Ja, er hat *ihn ihr* gestohlen.

1. Hast du deiner Freundin dein Geheimnis verraten? (Ja, ich ...) 2. Hat Maria dir deine Frage beantwortet? 3. Hat der Reiseleiter Ihnen das Hotel Ritter empfohlen? 4. Hat die Gemeindeverwaltung deinen Freundinnen die Pensionsadressen zugeschickt? 5. Hat der Chef den Bewerbern schon eine Nachricht zugesandt? 6. Hat Ursula der Hauswirtin einen Blumenstock zum Geburtstag geschenkt? 7. Hat der Verlag dem Verfasser das Manuskript zurückgesandt? 8. Hat Angela dir ihre Ankunft verschwiegen? 9. Hat dir der Kaufmann die Lieferung versprochen? 10. Liefert diese Firma den Kunden die Ware kostenlos ins Haus? 11. Leihst du deinem Freund auch dein Auto? 12. Hat der Postbeamte dem Kunden den Scheck zurückgegeben? 13. Haben die Jungen den Eltern das Abenteuer erzählt? 14. Borgst du der Familie Schulz das Auto? 15. Hat der Taxifahrer den Beamten seine Unschuld bewiesen? 16. Teilst du deinen Verwandten deine Ankunft mit? 17. Hat der Mann den Kindern den Fußball weggenommen? 18. Verweigert der Landtag den Studenten die Demonstration?

2 Üben Sie mit den Wörtern der Übung § 14 Nr. 2.

der Arzt / der Mann / das Medikament / verschreiben
Hat der Arzt *dem Mann das Medikament* verschrieben?
Ja, er hat *es ihm* verschrieben.

3 Üben Sie mit den Fragen der Übung § 14 Nr. 4.

Hast du *deinem Freund das Auto* geliehen?
Ja, ich hab' *es ihm* geliehen.

4 Setzen Sie das schräg gedruckte Satzglied auf die Position I, und achten Sie auf die Stellung der Pronomen.

1. Er hat mich *heute* wieder furchtbar geärgert. 2. Dein Vater hat es dir *gestern* doch

ganz anders dargestellt. 3. Wir haben ihn *zufällig* auf dem Weg nach Hause getroffen. 4. Er hat mir *die Frage* leider immer noch nicht beantwortet. 5. Der Koffer steht *seit zehn Jahren* bei uns im Keller. 6. Ihr habt *mich* überhaupt nicht beachtet. 7. Der Zeuge hat ihn *trotz der Sonnenbrille* sofort erkannt. 8. Sie hat ihm *wütend* die Tür vor der Nase zugeschlagen. 9. Es hat *in der Nacht* stark geregnet. 10. Sie hat es mir *bis heute* verschwiegen. 11. Er hat *den Jugendlichen* mit seinem Zeitungsartikel nur geschadet. 12. Der Bäcker bringt mir *seit drei Monaten* die Brötchen ins Haus. 13. Sie ist *natürlich* immer vorsichtig gefahren. 14. Der Bauer schlug *vor Ärger* mit der Faust auf den Tisch. 15. Er gibt mir die Papiere *übermorgen* zurück. 16. Sie erklärte uns *vorsichtshalber* die ganze Sache noch einmal. 17. Der Nachbar hat ihnen *schon seit langem* mißtraut. 18. Es geht *mir* eigentlich gut. 19. Das Gold liegt *aus Sicherheitsgründen* im Keller der Bank. 20. Der Beamte hat es euch *bestimmt* gesagt.

5 Ergänzen Sie die Pronomen.

1. Der Museumsdirektor zeigte den Gästen die Ausstellung. In einem zweistündigen Vortrag führte ... ... jedes einzelne Bild vor. 2. Der Vater hatte dem Sohn nach dem Abitur eine Skandinavienreise versprochen. ... wollte ... ... voll finanzieren. 3. Der Landwirt mußte das Gebäude wieder abreißen. Das Bauamt hatte ... ... nicht genehmigt. 4. Die Studentin hatte sich von ihrem Freund ein Armband gewünscht. ... schenkte ... ... zu ihrem Geburtstag. 5. Der Gefangene bat um seine Uhr, aber man gab ... ... nicht. 6. Ein Dieb hatte einer Rentnerin die Handtasche gestohlen. Nach einer Stunde konnte man ... ..., allerdings ohne Geld und Papiere, zurückgeben. 7. Ein Bauer hatte den Wanderern den Weg zur Berghütte erklärt. Sie fanden ihr Ziel leicht, denn ... hatte ... ... sehr gut beschrieben. 8. In ihrem Testament vermachte (= schenkte) die alte Dame ihren Nichten und Neffen ihr ganzes Vermögen. Der Notar ließ ... ... durch die Bank überweisen. 9. Die Polizei hatte dem Kaufmann den Führerschein entzogen. Nach einem Jahr gab ... ... zurück. 10. Der Gast hatte bei der Kellnerin noch ein Bier bestellt, aber ... brachte ... ... nicht. 11. Alle Kinder hören gern Märchen, und Großmütter erzählen ... ... gern. 12. Sie bat die Ärztin um den Termin für die Operation, aber ... teilte ... ... nicht mit.

VII Satzstellung mit adverbialen und präpositionalen Angaben

Subjekt	II	*wann?* (temporal)	*warum?* (kausal)	*wie?* (modal)	*wo? wohin?* (lokal)
Ich	komme	morgen		mit Vergnügen	zu eurer Party.
Sie	schlief	gestern	vor Ärger	sehr schlecht.	
Sie	ging	heute früh	wegen der Prüfung	voller Furcht	zur Schule.

Regeln

Für die Stellung der adverbialen Angaben gibt es zwar keine festen Regeln, im allgemeinen gilt aber die Anordnung **T K M L** (= **t**emporal, **k**ausal, **m**odal, **l**okal).

VIII Satzstellung mit Objekten und adverbialen Angaben

		Spalte A		Spalte B		Spalte C	
I	II	*wann?*	*Dat.-objekt*	*warum?*	*wie?*	*Akk.-obj.*	*wo? wohin?*
Er	hilft	abends	seinem Vater		gerne		im Büro.
Ich	schreibe	morgen	meinem Mann	wegen der Sache		einen Brief	nach Italien.
Sie	riß		dem Kind		voller Angst	das Messer	aus der Hand.

Regeln

Für die Stellung der Satzglieder gibt es keine festen Regeln. Im allgemeinen gilt folgende Anordnung:

a) Hinter dem konjugierten Verb (Spalte A) steht die temporale Angabe und das Dativobjekt oder umgekehrt.
b) In der Mitte des Satzes (Spalte B) steht die kausale und die modale Angabe.
c) Hinten im Satz (Spalte C) steht das Akkusativobjekt und die lokale Angabe, besonders die *wohin*-Angabe.

IX Umstellung

	I	II	III	
a) temporale Angabe	**Heute**	fährt	mein Vetter	nach Köln.
b) kausale Angabe	**Wegen der Hitze**	arbeiteten	die Angestellten	nur bis 14 Uhr.
c) konzessive Angabe	**Trotz des Verbots**	rauchte	der Kranke	zwanzig Zigaretten pro Tag.
d) modale Angabe	**Höflich**	öffnete	der Herr	der Dame die Tür.
e) lokale Angabe (wo?)	**Im Garten**	fand	der Junge	sein Taschenmesser wieder.
f) Akkusativobjekt	**Den Lehrer**	kennen	alle Bauern	seit ihrer Kindheit.
g) Dativobjekt	**Dem Gast**	hat	das Essen	leider nicht geschmeckt.
h) Akkusativ-Pronomen	**Mich**	sieht	die Schwiegermutter	niemals wieder.
i) Dativ-Pronomen	**Mir**	tut	das Mißverständnis	noch immer leid.

Regeln

zu a–e) 1. Temporale, kausale, konzessive und modale Angaben können jederzeit in die Position I gestellt werden, aber immer nur eine Angabe derselben Art.
2. Die lokale Angabe auf die Frage *wo?* wird gerne in der Position I gebraucht, während die lokale Angabe auf die Frage *wohin?* im allgemeinen am Ende des Satzes steht.

zu f–i) Substantive und Pronomen können als Akkusativ- oder Dativobjekt in der Position I stehen. Sie werden dann beim Sprechen stärker betont. Oft ist die Voranstellung für den Zusammenhang von Aussagen nötig.
Nur das Akkusativ-Pronomen *es* steht nie in der Position I.

Anmerkungen

1. Die *wann-wo*-Angaben: Zur Information über Zeit und Ort einer Handlung, z. B. in Nachrichten und Berichten, gebraucht man diese beiden Angaben gerne vorn im Satz:
   Im Frankfurter Hauptbahnhof fuhr *gestern nachmittag* eine Lokomotive auf einen vollbesetzten Zug.
   Am Ostersonntag fand *in Rom* ein feierlicher Gottesdienst statt.
2. Die lokale Angabe auf die Frage *woher?* steht meistens – ebenso wie die *wohin*-Angabe – ganz hinten im Satz. Wenn beide Angaben nötig sind, steht die *woher*-Angabe im allgemeinen vor der *wohin*-Angabe:
   Er kam gestern mit einer Reisegesellschaft *aus Polen* zurück.
   Die Angestellten strömten *aus den Büros* (woher?) *auf die Straße* (wohin?).

X Satzstellung mit präpositionalen Objekten

Er schrieb seit Jahren zum ersten Mal wieder einen Brief **an seinen Vater.**
Jetzt denkt das alte Fräulein nur noch **an ihn.**
Natürlich ärgert er sich schon lange **darüber.**

Regeln

1. Das präpositionale Objekt steht im allgemeinen ganz hinten im Satz, und zwar hinter den Objekten und sonstigen Angaben.
2. Das präpositionale Pronomen mit *da(r)-* steht je nach dem Zusammenhang und der Betonung oft in der Position I:
   Darüber haben wir uns schon lange gewundert.
   Damit habe ich mich leider niemals beschäftigt.

ÜBUNGEN

1 Stellen Sie die Satzglieder in die richtige Reihenfolge.

1. Er kam . . . .
   a) ins Büro   b) aufgeregt   c) gegen 9 Uhr

2. Sie hat ... geantwortet.
   a) wegen ihrer Krankheit
   b) bis jetzt noch nicht
   c) uns

3. Er teilt ... mit.
   a) das Ergebnis der Besprechung
   b) erst morgen
   c) mir

4. Sie steigt ... ein.
   a) jetzt immer langsam und vorsichtig
   b) wegen ihrer Verletzung
   c) in die Straßenbahn

5. Der Bus fährt ... vorbei.
   a) an unserem Haus
   b) ab heute
   c) wegen der Umleitung

6. Er hat ... gelegt.
   a) voller Wut
   b) den Brief
   c) auf den Schreibtisch
   d) ihr

7. Sie hat ... vergessen.
   a) im Zug c) ihre Tasche
   b) gestern d) dummerweise

8. Er hat ... vorgestellt.
   a) immer c) es
   b) genau so d) sich

9. Er gab ... zurück.
   a) das falsche Buch
   b) mit Absicht
   c) dem Professor
   d) nach dem Examen

10. Sie hat ... verlassen.
   a) die Wohnung
   b) wegen der bösen Bemerkungen ihres Mannes
   c) heute morgen
   d) wütend

11. Er brachte ... .
   a) mit einer Entschuldigung
   b) ins Hotel
   c) mir
   d) den geliehenen Mantel
   e) erst gegen Mitternacht

2 Ebenso. Ein Satzglied kann in der Position I stehen.

1. Ein Bauer hat ... getreten.
   a) bei einer Jagdgesellschaft
   b) aus Versehen
   c) auf den Fuß
   d) seinem Fürsten

2. Der Gast überreichte ... .
   a) einen Blumenstrauß
   b) an der Wohnungstür
   c) mit freundlichen Worten
   d) der Dame des Hauses
   e) zu ihrem 75. Geburtstag

3. Die junge Frau gab ... .
   a) zum Abschied
   b) an der Autotür
   c) einen Kuß
   d) ihrem Mann

4. Der Arzt legte ... .
   a) prüfend
   b) auf die Stirn
   c) dem Fieberkranken
   d) vor der Untersuchung
   e) die Hand

5. Die Versammelten verurteilten ... .
   a) in ein unabhängiges Land
   b) einstimmig
   c) den Einmarsch fremder Truppen
   d) Anfang Februar

6. Der Verfolgte sprang ... .
   a) mit letzter Kraft
   b) über den Gebirgsbach
   c) kurz vor seiner Verhaftung

7. Der Motorradfahrer riß ... .
   a) die Einkaufstasche
   b) aus der Hand
   c) einer alten Dame
   d) gestern gegen 17 Uhr

8. Der Vater zog ... weg.
   a) die Bettdecke
   b) wütend
   c) um 11 Uhr
   d) dem schlafenden Sohn

9. Du hast ... erzählt.
   a) schon gestern
   b) mir
   c) in der Mensa
   d) diese Geschichte

10. Er bot ... an.
   a) mit freundlichen Worten
   b) ihm
   c) es
   d) zum zweiten Mal

11. Ich habe ... vorgestellt.
   a) auf der Party
   b) ihm
   c) selbstverständlich
   d) mich

3 Üben Sie die Umstellung.

Nehmen Sie die Übung 1, und beginnen Sie Satz 1 mit b; 2 mit a; 3 mit a; 4 mit b; 5 mit c; 6 mit a; 7 mit d; 8 mit b; 9 mit d; 10 mit b; 11 mit e.

§ 23 Satzverbindungen: Konjunktionen in der Position Null

HAUPTSATZ			Konjunktion	HAUPTSATZ		
I	II	III		I	II	
....	Verb	....	...... 0	....	Verb	....

I Satzstellung

	0	I	II	
Die Eltern fahren nach Italien,	und	die Tante	sorgt	für die Kinder.
Die Eltern fahren nach Italien,	aber	die Kinder	bleiben	zu Hause.
Die Eltern fahren unbeschwert ab,	denn	die Tante	sorgt	für die Kinder.
Entweder fahren die Eltern allein,	oder	sie	nehmen	die Kinder mit.
Die Eltern fahren nicht weg,	sondern	sie	bleiben	bei den Kindern.

Regel

Die Konjunktionen *und, aber, denn, oder, sondern* stehen in der Position Null. Danach folgt ein Hauptsatz mit normaler Satzstellung: das Subjekt steht in der Position I und das konjugierte Verb wie immer in der Position II.

II Umstellung

	0	I	II	III	
Ich habe heute die Prüfung bestanden,	und	**morgen**	bekomme	**ich**	das Zeugnis.
Ich habe das Zeugnis abgeholt,	aber	**leider**	war	**mein Name**	falsch geschrieben.
Ich habe das Zeugnis zurückgegeben,	denn	**so**	ist	**es**	nicht brauchbar.
Entweder hat sich die Sekretärin verschrieben,	oder	**in meinem Paß**	steht	**der Name**	falsch.
Heute abend kann ich nichts mehr tun,	sondern	**erst morgen**	kann	**ich**	etwas unternehmen.

Regel

Nach *und, aber, oder, denn, sondern* kann, wie in jedem Hauptsatz, auch die Umstellung erfolgen: ein anderes Satzglied steht in der Position I, darauf folgt das konjugierte Verb in der Position II und dann das Subjekt in der Position III.

III Umstellung mit Pronomen

	0	I	II	III *Pronomen*	IV *Subjekt* (Substantiv)
Er hatte gut geschlafen,	und	**am Morgen**	weckten	**ihn**	**die Vögel.**
Er wollte aus dem Zug springen,	aber	**im letzten Augenblick**	hielt	**ihn**	**der Schaffner** zurück.

Regel

Wenn ein Pronomen vorkommt, steht es hinter dem konjugierten Verb. Das Subjekt wird dann in die Position IV verschoben.

IV Weglassen des Subjekts nach „und"

	0	I	II	
Ich ließ ihn stehen,	und	ich	rannte	davon.
besser:				
Ich ließ ihn stehen	und		rannte	davon.
Der Verkäufer irrte sich,	und	er	schrieb	eine zu hohe Rechnung aus.
besser:				
Der Verkäufer irrte sich	und		schrieb	eine zu hohe Rechnung aus.

Regeln

1. Wenn zwei Hauptsätze das gleiche Subjekt haben und mit *und* verbunden sind, dann ist es stilistisch besser, das Subjekt nach *und* wegzulassen. Es entsteht ein Hauptsatz mit zwei Satzaussagen, und das Komma fällt weg.

2. Man kann auch mehrere Satzaussagen reihen. Wenn das Subjekt gleich ist, wird es nicht wiederholt:
Er kam nach Hause, *sagte* kein Wort, *holte* eine Flasche Bier aus dem Kühlschrank und *setzte sich* vor den Fernsehapparat.

3. Wenn das Subjekt nach *und* nicht in der Position I steht, also bei einer Umstellung, muß es wiederholt werden:

	0	I	II	III	
Er hörte nur kurz zu,	und	sofort	war	**er**	dagegen.
Heute packe ich,	und	morgen	fahre	**ich**	fort.

4. Nach *aber, oder, sondern* sollte man das Subjekt wiederholen, auch wenn es gleich ist:
Er verlor sein Vermögen, aber *er* war nicht unglücklich.
Entweder helft *ihr* ihm, oder *ihr* laßt ihn in Ruhe.
Sie beklagten sich nicht, sondern *sie* begannen von vorn.

5. Nach *denn* muß das Subjekt in jedem Fall stehen:
Er ist nicht mehr ausgegangen, denn *er* war müde.

V Erläuterungen zu den Konjunktionen „aber, oder, denn, sondern"

1. *aber* verbindet gegensätzliche Satzglieder oder Sätze, *aber erst, aber doch* kann auch eine Einschränkung ausdrücken (siehe § 24 II 3c):
Er bot mir Kekse und Schokolade an, *aber* keinen Kaffee.
Sie kamen endlich an, *aber erst* nach langem Suchen.
Gewiß, er hat sein Ziel erreicht, *aber doch* nicht ohne unsere Hilfe.
aber muß nicht in der Position Null stehen. Es kann auch frei im Satz stehen, je nach der Betonung:

	0	I	II	III	
Du kannst zu uns kommen,	**aber**	du	kannst	hier	nicht übernachten.
Du kannst zu uns kommen,		du	kannst	**aber** hier	nicht übernachten.
Du kannst zu uns kommen,		hier **aber**	kannst	du	nicht übernachten.
Du kannst zu uns kommen,		du	kannst	hier **aber**	nicht übernachten.

2. Im gleichen Sinn wie *aber* werden *allein, doch* und *jedoch* gebraucht. Dabei steht *allein* immer in der Position Null, *doch* und *jedoch* in der Position Null oder I:
   Er versuchte, den Gipfel des Berges zu erreichen, *allein* er schaffte es nicht.

   Er beeilte sich sehr, *doch* er kam trotzdem zu spät.
   Er beeilte sich sehr, *doch* kam er trotzdem zu spät.

   Er wollte gern Maler werden, *jedoch* er hatte zu wenig Talent.
   Er wollte gern Maler werden, *jedoch* hatte er zu wenig Talent.

3. *oder* verbindet alternative Satzglieder oder Sätze. Entweder ist etwas so, *oder* es ist anders:
   Du bringst ihr *entweder* Blumen mit *oder* Süßigkeiten.
   Entweder ist er wirklich krank, *oder* er tut nur so.

4. *denn* ist eine kausale Konjunktion, die einen vorangegangenen Satz begründet:
   Ich konnte nicht mit ihm sprechen, *denn* er war verreist.

5. *sondern* berichtigt eine vorangegangene negative Aussage. Zur Ergänzung gebraucht man oft *nicht nur . . . , sondern auch:*
   Ich habe *nicht* dich gefragt, *sondern* ihn.
   Sein Verhalten ist *keine* Hilfe, *sondern* es bringt nur zusätzlichen Ärger.
   Er war *nicht nur* arm, *sondern* er war *auch* krank und einsam.

ÜBUNGEN

1 Verbinden Sie die Sätze mit „und". Wiederholen Sie das Subjekt nicht, wenn es nicht nötig ist. Achten Sie beim Schreiben auf das Komma.

Ich bleibe hier. *Du* gehst fort.
Ich bleibe hier, und *du* gehst fort.

Ich bleibe hier. *Ich* erledige meine Arbeit.
Ich bleibe hier und erledige meine Arbeit.

Wir bleiben hier. Abends machen *wir* noch einen Besuch.
Wir bleiben hier, und abends machen *wir* noch einen Besuch.

Aus der Zeitung

a) Nachtwächter zerstört drei Wohnungen

1. Ein Nachtwächter übte Pistolenschießen. Er zerstörte mit einem Schuß drei Wohnungen. 2. Der Mann hatte Dosen auf die Gasuhr seiner Wohnung gestellt. Er versuchte, sie zu treffen. 3. Dabei traf er die Gasuhr. Gas strömte in großen Mengen aus. 4. Das Gas entzündete sich an einer Zigarette. Es entstand eine furchtbare Explosion. 5. Drei Wohnungen wurden zerstört. Der Nachtwächter mußte mit schweren Verbrennungen ins Krankenhaus gebracht werden.

b) Frau jagt Haus in die Luft

1. Eine Frau wollte ihre Kleidung in der Waschmaschine reinigen. Sie zerstörte dabei ihr Haus. 2. Sie war sehr sparsam. Sie wollte das Geld für die Reinigung sparen. 3. Sie schüttete Benzin in die Waschmaschine. Sie stellte den Schalter auf 60 Grad. 4. Schließlich schaltete sie die Maschine an. Dann ging sie aus dem Zimmer. 5. Plötzlich gab es eine starke Explosion. Ein Teil des Hauses brach zusammen und brannte. 6. Die Feuerwehr wurde gerufen. Die Löscharbeiten begannen. 7. Die Frau war gerade in den Keller gegangen. Dort wurde sie von der Explosion überrascht. 8. Sie erlitt einen schweren Schock. Deshalb mußte sie sofort ins Krankenhaus gebracht werden.

c) Hund erschießt Hund

1. Die Jäger hatten ihre Jagd beendet. Nun saßen sie an einer Waldecke am Feuer. 2. Es war schon kalt. Die Jäger waren halb erfroren. 3. Jetzt freuten sie sich über die Wärme. Sie legten immer wieder Holz auf das Feuer. 4. Natürlich erzählten sie ganz unglaubliche Jagdgeschichten. Niemand achtete auf die Hunde. 5. Die Gewehre hatten sie an einen Baum gestellt. Die Hunde waren angebunden. 6. Aber plötzlich kamen die Tiere in Streit. Ein Gewehr fiel um. 7. Dabei löste sich ein Schuß. Er traf einen der Hunde tödlich. 8. Nun standen die Jäger um den toten Hund. Sie waren sehr erschrocken. 9. Nachdenklich packten sie zusammen. Sie fuhren nach Hause.

d) Dackel frißt Haschisch
(der Dackel = kleine Hunderasse)

1. Spaziergänger gingen durch einen Frankfurter Park. Sie beobachteten einen lustigen, kleinen Dackel, der auf einer Wiese herumsprang.
2. Der Hund hatte die Nase immer dicht am Boden. Er schnüffelte. Er suchte anscheinend etwas. Er begann plötzlich zu graben.
3. Auf einmal hatte der Dackel ein weißes Päckchen zwischen den Zähnen. Er spielte damit. Er biß darauf herum.
4. Da kam ein Mann angelaufen. Er jagte den Hund. Er packte und schüttelte ihn. Er riß ihm das Päckchen aus den Zähnen.
5. Die Besitzerin des Dackels, eine ältere Dame, lief sofort aufgeregt auf die Wiese. Die Spaziergänger folgten ihr.
6. Der Mann ließ den Dackel los. Er lief mit dem Päckchen ins Gebüsch.
7. Die Dame nahm den Hund auf den Arm. Sie tröstete und beruhigte ihn. Sie brachte ihn nach Hause.
8. Dort benahm sich der Dackel wie ein Betrunkener. Er lief von einer Ecke des Zimmers zur anderen. Er schlief plötzlich mitten im Zimmer auf dem Teppich ein.

9. Die Dame war beunruhigt. Sie telefonierte nach einem Taxi. Sie fuhr mit dem Hund zum Tierarzt.
10. Der Tierarzt untersuchte das kranke Tier. Er stellte eine Haschischvergiftung fest. Er gab der Dame den Rat, den Dackel ausschlafen zu lassen.
11. Die Dame rief bei der Polizei an. Sie erzählte ihr Erlebnis. Sie erhielt die Auskunft, daß man schon lange einen Haschischhändler in dem Park vermutete.
12. Die Dame beschrieb den Mann. Sie gab den Ort und die Uhrzeit genau an. Vier Polizisten machten sich auf die Suche nach dem Rauschgifthändler.

2 „aber" auf der Position Null oder frei im Satz.

Seine Frau hatte zu ihm gesagt:
Fahr nicht zu schnell! – *Aber* er ist doch zu schnell gefahren.
Er ist *aber* doch zu schnell gefahren.

1. Gib nicht zuviel Geld aus!
2. Schreib nicht zu undeutlich!
3. Komm nicht zu spät!
4. Lauf nicht zu schnell!
5. Laß dir nicht zuviel gefallen!
6. Iß nicht zu hastig!
7. Zieh dich nicht zu leicht an!
8. Fotografier nicht zuviel!

3 Üben Sie nach folgendem Muster:

(n) Stahlmesser / Brotmesser (zum B.)
Das Stahlmesser ist ein Messer aus Stahl, das Brotmesser aber ist ein Messer zum Brotschneiden.

1. (m) Eisenofen / Holzofen (für H.) 2. (m) Porzellanteller / Suppenteller (für S.) 3. (m) Holzkasten / Kohlenkasten (für K.) 4. (f) Ledertasche / Schultasche (für die S.) 5. (n) Papiertaschentuch / Herrentaschentuch (für H.) 6. (n) Baumwollhemd / Sporthemd (für den S.) 7. (Pl.) Lederschuhe / Wanderschuhe (zum W.) 8. (m) Plastikbeutel / Einkaufsbeutel (zum E.)

4 Verbinden Sie die Sätze mit „denn", „aber" oder „sondern". Wählen Sie die passende Konjunktion.

In einer Großgärtnerei können die Kunden ihre Erdbeeren selber pflücken. Folgende Anzeige steht in der Zeitung:

Erdbeeren vom Feld!

1. Sie kaufen die Erdbeeren nicht fertig im Korb. Sie pflücken sie selbst!
2. Sie haben nur erstklassige Beeren. Was Ihnen nicht gefällt, pflücken Sie nicht.
3. Wir können Sie billig bedienen. Wir zahlen keine Ladenmiete!
4. Besuchen Sie uns bald! Wir sind am Ende der Saison.
5. Viele kommen nicht allein. Sie bringen ihre Familie mit.
6. Bringen Sie auch die Kleinen mit. Sie sind in unserem Kindergarten gut aufgehoben.
7. Sie sparen nicht nur Geld. Sie machen beim Sammeln gleich ein bißchen Gymnastik.
8. Sie sind nicht einsam. Die Sammler haben sich immer etwas zu erzählen.
9. Erdbeermarmelade kann man jeden Tag essen. Auch Erdbeersaft ist erfrischend zu jeder Jahreszeit!
10. Essen Sie mal ein paar Tage nur Erdbeeren! Das ist gesund.

5 Urlaubssorgen – Verbinden Sie die Sätze mit „denn", „aber", „oder", „sondern", „und". Wählen Sie die passende Konjunktion.

1. Ilse möchte im Urlaub in den Süden fahren. Sie liebt die Sonne und das Meer. 2. Willi und Helga möchten auch in Urlaub fahren. Sie müssen dieses Jahr zu Hause bleiben. Ihr Junge ist krank. 3. Ich verbringe meinen Urlaub auf einem Bauernhof. Ich bleibe zu Hause. Ich muß sparen. 4. Fritz macht keinen Urlaub auf dem Bauernhof. Er arbeitet lieber in seinem eigenen Garten. 5. Ruth bleibt dieses Jahr zu Hause. Sie will im nächsten Jahr zu ihrer Schwester nach Kanada fliegen. Dafür muß sie fleißig sparen. 6. Wolfgang und Heidi fliegen nicht nach Spanien. Sie fahren mit ihren Kindern an die Nordsee. Für die Kinder ist ein rauhes Klima besser, sagt der Arzt. 7. Eberhard will ins Hochgebirge. Er klettert gern. Seine Mutter ist davon nicht begeistert. 8. Rosemarie fährt zu ihrem Bruder nach Wien. Sie besucht ihre Verwandten in Leipzig.

§ 24 Satzverbindungen: Konjunktionen in der Position I

Vorbemerkung

Außer den in § 23 genannten Konjunktionen in der Position Null stehen alle anderen satzverbindenden Konjunktionen in der Position I. Konjunktionen in der Position I leiten einen Hauptsatz ein. Sie geben die Sinnrichtung dieses Satzes an.

I Satzstellung

Konjunktionen in der Position I (= a) und Umstellung (= b)

	I	II	III	IV	
Er will abreisen,	a) **darum** b) er	hat hat	er **darum**		sein Zimmer gekündigt.
Er hatte sich sehr beeilt,	a) **trotzdem** b) er	kam kam	er **trotzdem**		zu spät.
Du schuldest mir noch 20 Mark,	a) **folglich** b) ich	gebe gebe	ich dir	dir **folglich**	nur 10 Mark zurück.
Wir mußten ihn anrufen,	a) **dann** b) er	kam kam	er **dann**		endlich.
Einerseits wollte er mitkommen,	a) **andererseits** b) er	fürchtete fürchtete	er sich	sich **andererseits**	vor den Unkosten. vor den Unkosten.
Er hat bestimmt viel Arbeit,	a) **sonst** b) er	wäre wäre	er **sonst**		gekommen.

Regeln

zu a) Die Konjunktionen stehen meistens zwischen den Sätzen in der Position I, dann folgt das konjugierte Verb in der Position II und das Subjekt in der Position III.

zu b) Die meisten Konjunktionen in der Position I können auch nach den Regeln der Umstellung in der Position III stehen, oder in der Position IV, wenn ein Pronomen im Satz nötig ist.

II Erläuterungen zu den Konjunktionen

1. Kausale Konjunktionen sind *darum, deshalb, deswegen, daher,* u. a. Sätze mit diesen Konjunktionen folgen auf einen Satz, der angibt, *warum* etwas ist oder geschieht:
   Warum ging er zur Polizei? *Er hatte seinen Paß verloren, darum* ging er zur Polizei.
   Weshalb mußt du jetzt gehen? *Wir erwarten Gäste, deshalb* muß ich jetzt gehen.
   Weswegen zog er sich zurück? *Man hatte ihn belogen, deswegen* zog er sich zurück.
   Aus welchem Grund interessiert er sich für griechische Kultur? *Seine Mutter stammt aus Griechenland, daher* interessiert er sich für griechische Kultur.
2. Konsekutive Konjunktionen sind *also, so, folglich, infolgedessen, demnach, insofern,* u. a. Sätze mit diesen Konjunktionen geben die Folge einer Aussage an:
   Die alte Dame war erblindet, *also (so)* war sie gezwungen, in ein Heim zu gehen.
   In dem Geschäft hat man mich betrogen, *folglich* kaufe ich dort nicht mehr.
   Der Kassierer hatte Geld aus der Kasse genommen, *infolgedessen* wurde er entlassen.
   Er fuhr bei Rot über die Kreuzung, *demnach* handelte er verkehrswidrig.
   Er war immer pünktlich und fleißig, *insofern* ist die Kündigung nicht gerechtfertigt.
3. a) Konzessive Konjunktionen sind *trotzdem, dennoch, allerdings, indessen,* u. a. Sätze mit diesen Konjunktionen geben eine Einschränkung oder einen Gegensatz zu einer vorangehenden Aussage an:
   Sie war ein freundliches und hübsches Mädchen, *trotzdem* liebte er sie nicht.
   Er hatte die besten Zeugnisse, *dennoch* bekam er die Stelle nicht.
   Er ist ein großartiger Mathematiker, *allerdings* verrechnet er sich immer wieder.
   Er spielte leidenschaftlich gern, er hatte *indessen* nur selten Glück.

   b) Zur stärkeren Betonung kann man konzessive Satzverbindungen mit *zwar* beginnen. *Zwar* steht entweder in der Position I oder III (bzw. IV):
   Zwar war das Zimmer ungeheizt, *trotzdem* liefen die Kinder barfuß umher.
   Er kennt mich *zwar* vom Sehen, *allerdings* grüßt er mich nicht.

   c) Zu den konzessiven Konjunktionen gehört auch *aber doch,* wobei *aber* entweder am Anfang des Satzes in der Position Null steht oder mit *doch* zusammen in der Position III (bzw. IV):
   Zwar hatte er seit langem Kopfschmerzen, *aber* er wollte *doch* keinen Arzt aufsuchen.
   Er hatte *zwar* seit langem Kopfschmerzen, er wollte *aber doch* keinen Arzt aufsuchen.
4. Temporale Konjunktionen sind *dann, danach, da, daraufhin, inzwischen,* u. a. Sätze mit diesen Konjunktionen zeigen an, wie eine Handlung in der Zeit weitergeht:
   Er begrüßte sie zuerst sehr feierlich, *dann* lachte er und umarmte sie.
   Ich kam zuerst an, *danach* kam mein Bruder.

Wir waren kaum zehn Schritte aus dem Haus, *da* begann es plötzlich heftig zu regnen.
Sie hatte nur eine unbedeutende Bemerkung gemacht, *daraufhin* rannte er aus dem Zimmer.
Die Touristen füllten die Formulare aus, *inzwischen* brachte der Hoteldiener die Koffer in die Zimmer.

Anmerkung

Die Bedeutung der temporalen Konjunktionen ist verschieden:
1. Mit *dann* werden gleiche Handlungen im Zeitablauf gereiht.
2. *danach* zeigt die jeweils nächste Handlung im Zeitablauf an.
3. *da* zeigt eine plötzlich eintretende Handlung an.
4. *daraufhin* zeigt an, welche Folge eine Handlung im Zeitablauf hat.
5. *inzwischen* oder *unterdessen* zeigen an, was in der Zwischenzeit geschieht oder geschehen ist.

5. Alternative Konjunktionen sind zweiteilig: *entweder – oder, nicht nur – sondern ... auch, weder – noch, einerseits – andererseits, mal – mal, bald – bald,* u. a. Im ersten Satz wird die eine Möglichkeit gezeigt, im zweiten die andere Möglichkeit.

a) entweder – oder

I	II	III		0	I	II	
Entweder	kommt	er	noch heute,	**oder**	er	kommt	überhaupt nicht mehr.

entweder steht in der Position I oder III, *oder* wie immer in der Position Null.

b) nicht nur – sondern ... auch

I	II	III		0	I	II	
Er	hatte	**nicht nur**	private Sorgen,	**sondern**	er	war	**auch** finanziell am Ende.

nicht nur steht fast immer in der Position III, *sondern* wie immer in der Position Null. Nach dem konjugierten Verb folgt meistens *auch*.

c) weder – noch

I	II	III		I	II	III	
Er	war	**weder**	zu Hause,	**noch**	konnten	wir	ihn in seinem Büro erreichen.

weder – noch drückt eine doppelte Negation aus: das eine ist nicht so und das andere auch nicht. *weder* steht meistens in der Position III, seltener in der Position I; im zweiten Satz folgt *noch* in der Position I.

d) einerseits – andererseits, mal – mal, bald – bald

Einerseits ist er geizig und rechnet mit jedem Pfennig, **andererseits** gibt er das Geld mit vollen Händen aus.
Mal putzt sie das Treppenhaus, **mal** tut er es.
Bald ist die Patientin optimistisch, **bald** ist sie verzweifelt.

ÜBUNGEN

1 Wählen Sie eine passende Konjunktion aus, und setzen Sie sie in die Lücken ein. I: darum, deshalb, deswegen, daher; II: trotzdem, dennoch, allerdings.

1. Mein Bruder hat tausend Hobbys, ... hat er nur selten Zeit dafür. 2. Herr M. geht nicht gern ins Theater, ... tut er es seiner Frau zuliebe. 3. Herr K. macht nicht gern große Reisen, ... hat er sich jetzt einen Garten gekauft. 4. Ich habe ihm erst kürzlich wieder 100 Mark gegeben, ... soll er mich jetzt mal in Ruhe lassen. 5. Frau H. hat sich soviel Mühe mit dem Essen gegeben, es schmeckte ... nicht besonders gut. 6. Gisela hat heute nacht bis drei Uhr gearbeitet, ... braucht sie jetzt Zeit zum Schlafen. 7. Die Ärzte haben alles versucht, ... konnten sie den Patienten nicht retten. 8. Es hört dem Professor kein Mensch mehr zu, er spricht ... ruhig weiter. 9. Der Vortrag war schrecklich langweilig, ... schliefen die Zuhörer langsam ein. 10. Mein Freund hatte sich das Bein gebrochen, ... hat ihm der Arzt das Tennisspielen verboten, ... spielt er natürlich längst wieder mit. 11. Herr Z. ist Diabetiker, ... darf er bestimmte Speisen nicht essen. 12. Die Kinder sollen nicht an dem gefährlichen Fluß spielen, sie tun es ... immer wieder. 13. Das ganze Haus schläft, ... stellt Herr N. das Radio auf volle Lautstärke. 14. Mein Schreibpapier ist zu Ende, ... höre ich jetzt auf zu schreiben.

2 Verbinden Sie die Sätze sinngemäß mit einer Konjunktion der Gruppe I oder II aus Übung 1.

Er läuft gern Ski. a) Er fährt diesen Winter nicht in Urlaub.
b) Er legt seinen Urlaub in den Winter.
Er läuft gern Ski, *allerdings* fährt er diesen Winter nicht in Urlaub.
Er läuft gern Ski, *darum* legt er seinen Urlaub in den Winter.

1. Die Kartoffeln sind noch nicht gar. a) Wir essen sie jetzt. b) Sie müssen noch fünf Minuten kochen. 2. Das Eis auf dem See ist noch nicht fest. a) Der Junge läuft darauf Schlittschuh. b) Das Betreten der Eisfläche ist gefährlich. 3. Die Familie kennt die Pilze nicht. a) Sie läßt sie stehen. b) Sie nimmt sie mit nach Hause. 4. Der kleine Kerl friert sehr. a) Er geht jetzt raus aus dem Wasser. b) Er bleibt stundenlang im Wasser. 5. Die Wanderer sind längst müde vom Laufen. a) Sie wollen die restliche Strecke noch schaffen. b) Sie machen erst einmal Pause. 6. Rauchen ist in diesem Gebäude verboten. a) Einige Leute rauchen ruhig weiter. b) Die meisten Leute machen ihre Zigarette aus. 7. Benzin wird immer teurer. a) Die meisten Autobesitzer wollen nicht auf ihr Fahrzeug

verzichten. b) Immer mehr Personen fahren mit dem Zug. 8. Sie hat hohes Fieber. a) Sie bleibt im Bett liegen. b) Sie geht in den Dienst. 9. Er kann nicht schwimmen. a) Er geht gern segeln. b) Er hat immer Angst auf dem Wasser. 10. Er verdient sehr viel. a) Er kann sich die Villa kaufen. b) Er ist immer unzufrieden. 11. Kein Mensch will dick sein. a) Viele Menschen essen zuviel. b) Viele Leute sind vorsichtig mit dem Essen. 12. Sie ißt sehr wenig. a) Sie wiegt noch zuviel. b) Sie ist immer müde.

3 Vervollständigen Sie die Sätze selbständig.

1. Die Kellner in dem Restaurant waren recht unhöflich; infolgedessen ... 2. Die Kinder bekamen auf der Geburtstagsfeier von jedem Kuchen ein Stück; so ... 3. Die Autobahn war zwischen Kassel und Göttingen gesperrt; folglich ... 4. In der Studentengruppe waren Anhänger der verschiedensten politischen Parteien; infolgedessen ... 5. Der Redner beschimpfte die Anwesenden immer von neuem; insofern ... 6. Nach kurzer Zeit sahen die Wanderer wieder ein Wanderzeichen; also ... 7. Das Wasser war eiskalt; insofern... 8. Die Zahl der Brände in Hochhäusern nimmt zu; demnach... 9. Die Kinokarten waren ausverkauft; folglich... 10. Die Strecke a ist so lang wie die Strecke c, die Strecke b ist ebenfalls so lang wie c; demnach...

4 Verbinden sie die Sätze mit „zwar ..., aber (doch)".

Das Heizen mit Strom ist bequem. Es ist teuer. *Zwar* ist das Heizen mit Strom bequem, *aber* es ist *(doch)* teuer. Das Heizen mit Strom ist *zwar* bequem, es ist *aber (doch)* teuer.

1. Das Wasser ist kalt. Wir gehen schwimmen. 2. Das Bild ist teuer. Das Museum kauft es. 3. Ich wollte jetzt schlafen. Ich helfe dir erst. 4. Genf ist 600 Kilometer von Frankfurt entfernt. Wir schaffen die Strecke in fünf bis sechs Stunden. 5. Der Patient ist sehr schwach. Er muß sofort operiert werden. 6. Ich habe dir meinen Plan neulich erklärt. Ich erkläre dir jetzt alles noch einmal. 7. Du bist ein kluger Kopf. Alles verstehst du auch nicht. 8. Meine Eltern tun alles für mich. Meinen Studienaufenthalt können sie nicht bezahlen. 9. Deutschland gefällt mir ganz gut. Die Schweiz gefällt mir besser. 10. Die Schweiz ist schön. In Österreich lebt man billiger.

5 „da", „dann" oder „daraufhin"?

1. Zunächst gab es eine Wirtschaftskrise, ... kam die Geldentwertung; ... verlor die Regierungspartei die nächste Wahl. 2. Ich beende erst mein Studium, ... muß ich zum Militärdienst. 3. Wir waren gerade beim Essen, ... klingelte das Telefon. 4. Die Vorstellung war zu Ende, ... schrie plötzlich jemand ,,Feuer!" 5. Er wollte bezahlen, ... merkte er, daß er sein Geld vergessen hatte. 6. Er mußte sich nun erst Geld besorgen, ... konnte er weiterreisen. 7. Alles war still, ... fiel plötzlich ein Schuß. 8. Erst waren alle ganz erschrocken, ... redeten alle durcheinander. 9. Die beiden Alten gingen durch den Wald, ... trat plötzlich ein Mann mit einer Pistole in der Hand hinter einem Baum hervor und sagte: ,,Erst das Geld, ... können Sie weitergehen." ... gaben ihm die beiden ihr gesamtes Geld. ... zog der Alte, ein pensionierter Polizeibeamter, seine Pistole und sagte: ,,Erst die Pistole, und ... kommen Sie mit!"

6 Setzen Sie sinnvoll ein: „da“, „dann“, „daraufhin“, „also“, „darum“, „trotzdem“.

1 Es war nachts gegen halb vier. Der Wächter im Kaufhaus war beinah eingeschlafen, ... hörte er ein verdächtiges Geräusch. Er lauschte einige Zeit, ... schlich er sich vorsichtig
3 in die Lebensmittelabteilung hinunter. Die Nachtbeleuchtung war merkwürdigerweise ausgeschaltet, ... knipste er seine Taschenlampe an und bemerkte sofort, daß die Büro-
5 tür nicht geschlossen war. Er wußte genau, daß die Tür vorher verschlossen war, ... war ein Fremder in das Haus eingedrungen. Der Wächter zog seinen Revolver und atmete
7 einmal tief durch, ... riß er die Tür auf und schrie: „Hände hoch!“ Die beiden Männer im Büro waren schwer bewaffnet, ... verlor der Wächter keinen Augenblick die Ruhe, und
9 es gelang ihm, den Alarmknopf neben dem Schreibtisch zu erreichen. Seine Tat wurde in der Presse groß herausgebracht, ... erhöhte die Geschäftsleitung sein Gehalt.

7 Ausbildungs- und Berufsfragen – Bilden Sie mit den angegebenen Wörtern Sätze mit „entweder ..., oder“.

der Ausländer / jetzt / die Prüfung / bestehen / / er / in sein Heimatland / zurückkehren müssen
Entweder besteht der Ausländer jetzt die Prüfung, oder er muß in sein Heimatland zurückkehren.

1. Helga / Medizin / studieren / / sie / die Musikhochschule / besuchen
2. er / jetzt / die Stelle als Ingenieur in Stuttgart / erhalten / / er / eine Stelle in der Schweiz / annehmen
3. mein Bruder / den Facharzt / machen / / er / praktischer Arzt / werden
4. der Arbeitslose / die angebotene Stelle / annehmen / / er / die Arbeitslosenunterstützung / verlieren
5. Fritz / jetzt / das Abitur / bestehen / / er / die Schule / verlassen müssen
6. meine Mutter / jetzt / eine Stelle als Sekretärin / erhalten / / sie / eine neue Stellenanzeige in der Zeitung / aufgeben
7. ich / ab Januar / eine Gehaltserhöhung / bekommen / / ich / meine Stellung kündigen
8. der Schüler / einen Notendurchschnitt von 1,7 / erhalten / / er / keine Zulassung zur Universität / bekommen

8 „Jedes Ding hat seine zwei Seiten“ – Bilden Sie mit den angegebenen Wörtern Sätze mit „einerseits ..., andererseits“.

Felix / ein sehr guter Schüler / sein / / er / überhaupt kein Selbstvertrauen / besitzen
Felix ist *einerseits* (oder: *Einerseits* ist Felix) ein sehr guter Schüler, *andererseits* besitzt er (oder: ...., er besitzt *andererseits*) überhaupt kein Selbstvertrauen.

1. Klaus / ein sehr langsamer Schüler / sein / / er / immer / gute Noten / nach Hause bringen
2. das Institut / genug Lehrer für 200 Schüler / haben / / nicht genügend Räume / für den Unterricht / vorhanden sein
3. der Mann / ein Vermögen / verdienen / / er / keine Zeit haben, / das Leben zu genießen
4. das Land / sehr gute Möglichkeiten zur Förderung des Tourismus / haben / / dazu / das Geld / fehlen

5. man / immer mehr elektrischen Strom / benötigen / / die Leute / keine Kraftwerke / in ihrer Nähe / haben wollen
6. jeder / mehr Geld / haben wollen / / alle / weniger arbeiten wollen
7. er / ein Haus / bauen mögen (... möchte er) / / er / Angst vor den hohen Kosten / haben
8. sie / heiraten und Kinder haben mögen / / sie / ihre Freiheit / nicht verlieren wollen

9 Beim Radiohändler – Bilden Sie mit den angegebenen Wörtern Sätze mit „nicht nur ..., sondern ... auch".

an diesem Fernseher / der Lautsprecher / kaputt sein / / das Bild / gestört sein An diesem Fernseher ist *nicht nur* der Lautsprecher kaputt, *sondern* das Bild ist *auch* gestört.

1. diese Musik / viel zu laut sein / / sie / ganz verzerrt / klingen
2. mit diesem Radiogerät / Sie / Mittelwelle und UKW / empfangen können / / Sie / die Kurzwellensender im 41 und 49 Meter-Band hören können
3. dieser Apparat / Ihnen / Stereoempfang / bieten / / er / einen eingebauten Cassettenrecorder / enthalten
4. wir / Ihnen / ein Fernsehgerät / zu einem günstigen Preis / verkaufen / / wir / es / ins Haus bringen und / ihn einstellen
5. dieser Videorecorder / jedes Fernsehprogramm / aufzeichnen / / er / in Ihrer Abwesenheit / sich automatisch an- und abstellen
6. der Cassettenrecorder / viel zu teuer sein / / er / einen schlechten Klang / haben
7. der Apparat / mit 220 Volt arbeiten / / er / mit eingebauter Batterie oder mit den 12 Volt aus dem Auto / funktionieren
8. ich / einen Fernseher / kaufen / / ich / eine neue Dachantenne / brauchen

10 Gesundheit und Krankheit – „entweder ..., oder", „nicht nur ..., sondern ... auch" oder „einerseits ..., andererseits"? Verbinden Sie die Sätze mit der passenden Konjunktion. (Manchmal passen auch zwei der angegebenen Doppelkonjunktionen.)

1. Ich muß ständig Tabletten nehmen. Ich muß mich operieren lassen.
2. Ich fühle mich müde. Ich kann nicht schlafen.
3. Sie brauchen viel Schlaf. Sie müssen viel an die frische Luft.
4. Sie nehmen Ihre Medizin jetzt regelmäßig. Ich kann Ihnen auch nicht helfen.
5. Sie haben Übergewicht. Sie sind zuckerkrank.
6. Sie wollen gesund werden. Sie leben sehr ungesund.
7. Sie sind stark erkältet. Sie haben hohes Fieber.
8. Dieses Medikament gibt es in Tropfenform. Sie können es in Tabletten bekommen.
9. Es wird Ihnen Ihre Schmerzen nehmen. Sie werden auch wieder Appetit bekommen.
10. Ihnen fehlt der Schlaf. Sie brauchen unbedingt Erholung.
11. Sie hören sofort auf zu rauchen. Ich behandle Sie nicht mehr.
12. Ihr Kind leidet an Blutarmut. Es ist sehr nervös.
13. Sie müssen sich natürlich viel bewegen. Sie dürfen den Sport nicht übertreiben.
14. Sie trinken keinen Alkohol mehr. Sie werden nie gesund.

§ 25 Nebensätze

Allgemeine Regeln

1. Nebensätze sind inhaltlich unvollständige Sätze. Sie ergänzen einen Hauptsatz und dürfen in der Regel nicht allein stehen.
2. Grammatisch sind Nebensätze aber vollständige Sätze, d.h. sie brauchen immer ein Subjekt und ein konjugiertes Verb. Auch wenn das Subjekt im Haupt- und Nebensatz gleich ist, muß es wiederholt werden:
   Er sprang in den Fluß, als *er* Hilferufe hörte.
3. Nebensätze werden mit einer Nebensatz-Konjunktion eingeleitet, die dem Satz eine bestimmte Sinnrichtung gibt:
   ..., *als* er nach Hause kam.
   ..., *obwohl* er nicht schwimmen konnte.
4. In Nebensätzen steht das Subjekt meistens hinter der Konjunktion. Das konjugierte Verb steht am Ende des Nebensatzes (Ausnahmen, siehe § 18 II–IV, § 19 III).
5. Nebensätze können vor oder hinter einem Haupt- oder Beziehungssatz stehen.
   a) Der Nebensatz steht hinter dem Hauptsatz:
      Er schrieb an seine Tante, *als er Geld brauchte.*
   b) Wenn der Nebensatz vor dem Hauptsatz steht, gilt er soviel wie die Position I. Das konjugierte Verb des Hauptsatzes steht dann in der Position II, also direkt hinter dem Komma; dann folgt das Subjekt in der Position III (IV):

I	II	III	
Als er Geld brauchte,	schrieb	er	an seine Tante.

6. Nebensätze können aber auch von anderen Nebensätzen, von Infinitivkonstruktionen oder Relativsätzen abhängen:
   Er ärgerte sich, *weil sie ihn nicht begrüßte, als er ankam.*
   Der Besucher fürchtet, *die Gastgeber zu kränken, wenn er das Hammelfleisch zurückweist.*
   Es gibt Medikamente, *die frei verkäuflich sind, obwohl sie schädliche Stoffe enthalten.*
   Beachten Sie: In den folgenden Erklärungen wird der Nebensatz zur Vereinfachung immer nur auf einen Hauptsatz bezogen.

§ 26 Temporale Nebensätze (Nebensätze der Zeit)

I wenn, als

a) **Wenn** der Wecker klingelt, stehe ich sofort auf.
b) **Jedesmal (Immer) wenn** es an der Tür läutete, erschrak er furchtbar.
c) **Als** er das Feuer bemerkte, rannte er sofort zur Tür.

Regeln

zu a) Man gebraucht *wenn* im Präsens und Futur bei einmaligen Handlungen (siehe auch Bedingungssätze, § 28).

zu b) Man gebraucht *wenn* im Präsens und in allen Zeiten der Vergangenheit bei wiederholten Handlungen.
Wenn der Nebensatz vorn steht, kann man zur stärkeren Betonung *jedesmal* oder *immer* davorstellen.
Bei einer wiederholten Handlung kann man auch die Nebensatz-Konjunktion *sooft* verwenden: *Sooft* es an der Tür läutete, ...

zu c) *als* steht bei einmaligen Handlungen in der Vergangenheit:

	Gegenwart	*Vergangenheit*
einmalige Handlung	**wenn**	**als**
wiederholte Handlung	**wenn**	**wenn**

II während, solange, bevor

a) **Während** er am Schreibtisch arbeitete, sah sie fern.
b) **Solange** er studierte, war sie berufstätig.
c) **Bevor** er studieren konnte, mußte er eine Prüfung machen.

Regeln

zu a + b) Man gebraucht *während* und *solange* bei zwei (oder mehr) gleichzeitig ablaufenden Handlungen. Die Zeiten im Haupt- und Nebensatz sind immer gleich.

zu c) Man gebraucht *bevor* bei einer Handlung, die zeitlich nach der Handlung im Hauptsatz geschieht. Trotzdem wird im Deutschen im allgemeinen im Haupt- und Nebensatz die gleiche Zeit gebraucht.
Im gleichen Sinne wie *bevor* kann man auch *ehe* benutzen: *Ehe* er studieren konnte, ...

Anmerkung

während kann auch einen Gegensatz bezeichnen (= adversative Bedeutung):
Ich habe mich sehr gut unterhalten, *während* er sich gelangweilt hat.
Sie schickte ihm seine Briefe zurück, *während* sie die Geschenke behielt.

III nachdem, sobald

a) **Nachdem** er **gefrühstückt hat, beginnt** er zu arbeiten.
Nachdem er **gefrühstückt hatte, begann** er zu arbeiten.

b) **Sobald** er eine Flasche **ausgetrunken hat, öffnet** er gleich eine neue.
Sobald er eine Flasche **ausgetrunken hatte, öffnete** er gleich eine neue.

Regeln

zu a + b) Die Handlung im Nebensatz mit *nachdem* und *sobald* liegt vor der Handlung des Hauptsatzes; bei Satzgefügen mit *nachdem* ist immer Zeitenwechsel nötig:

Nebensatz	*Hauptsatz*
Perfekt	→ Präsens
Plusquamperfekt	→ Imperfekt

Bei *nachdem* kann eine gewisse Zeitspanne zwischen den beiden Handlungen liegen; bei *sobald* folgt eine Handlung sofort auf die andere.
In Sätzen mit *sobald* ist im Haupt- und Nebensatz auch Gleichzeitigkeit möglich:
Sobald ein Streit *ausbricht, zieht* er sich *zurück.*
Sobald ein Streit *ausbrach, zog* er sich *zurück.*

IV bis, seit(dem)

a) **Bis** er aus Amsterdam anruft, bleibe ich im Büro.
b) **Bis** unsere Tochter heiratet, haben wir etwa 10000 Mark gespart.
c) **Seitdem** ich in Hamburg bin, habe ich eine Erkältung.
d) **Seit** man das Verkehrsschild hier aufgestellt hat, passieren weniger Unfälle.

Regeln

zu a) Die Konjunktion *bis* gebraucht man meist für Handlungen, die in die Zukunft weisen. Die Hauptsatz-Handlung endet zu einem bestimmten Zeitpunkt, an dem die Nebensatz-Handlung anfängt.
Im allgemeinen steht im Haupt- und im Nebensatz Präsens oder Futur. In Erzählungen sind auch Zeiten der Vergangenheit möglich.:
Er *war* immer vergnügt und lustig, *bis er heiratete.*

zu b) Wenn die Hauptsatz-Handlung eindeutig vor der Nebensatz-Handlung liegt, kann im Hauptsatz Perfekt (Futur II) und im Nebensatz Präsens (Futur I) stehen.

zu c) Die Konjunktionen *seit* oder *seitdem* gebraucht man bei gleichzeitigen Handlungen, die in der Vergangenheit begonnen haben und bis jetzt andauern. In diesem Fall sind die Zeiten im Haupt- und Nebensatz gleich.

zu d) Wenn in der Vergangenheit eine einmalige Handlung geschehen ist, die bis jetzt weiterwirkt, gebraucht man einen Zeitenwechsel.

ÜBUNGEN

1 An der Grenze – „wenn" oder „als"? Setzen Sie die richtige Konjunktion ein.

1. Haben dich die Zollbeamten auch so gründlich untersucht, ... du nach Tirol gefahren bist? 2. Ja, sie sind immer besonders genau, ... junge Leute im Auto sitzen. 3. ... ich neulich über den Brenner-Paß fuhr, mußte ich jeden Koffer aufmachen. 4. ... ich früher

nach Tirol fuhr, habe ich nie ein Gepäckstück öffnen müssen. 5. Ja, ... du damals nach Italien gefahren bist, gab's noch keine Terroristen! 6. ... ich neulich in Basel über die Grenze fuhr, haben sie einem Studenten das halbe Auto auseinandergenommen! 7. Im vorigen Jahr haben sie immer besonders genau geprüft, ... ein Auto aus dem Orient kam. 8. Ich glaube, sie haben immer nach Rauschgift gesucht, ... sie diese Wagen so genau untersucht haben. 9. Hast du auch jedesmal ein bißchen Angst, ... du an die Grenze kommst? 10. Ja, ... mich neulich der deutsche Zollbeamte nach Zigaretten fragte, fing ich gleich an zu stottern. 11. Aber jetzt nehme ich keine Zigaretten mehr mit, ... ich über die Grenze fahre. 12. Und ich habe es den Zollbeamten immer lieber gleich gesagt, ... ich etwas zu verzollen hatte.

2 Bilden Sie aus den ersten Sätzen Nebensätze mit „wenn" oder „als".

1. Ich war im vorigen Sommer in Wien. Ich besuchte meine Schwester.
2. Der Junge war sechs Jahre alt. Da starben seine Eltern.
3. Die Menschen waren früher unterwegs. Sie reisten mit einem Pferdewagen.
4. Man senkte den Vorhang. Ich verließ das Theater.
5. Ich hatte in den Semesterferien Zeit. Ich ging immer Geld verdienen.
6. Er hatte ein paar Glas Bier getrunken. Er wurde immer sehr laut.
7. Sie dachte an ihre Seereise. Es wurde ihr jedesmal beinahe schlecht.
8. Ich traf gestern meinen Freund auf der Straße. Ich freute mich sehr.
9. Der Redner schlug mit der Faust auf den Tisch. Alle Zuhörer wachten wieder auf.
10. Er kam vom Urlaub. Er brachte immer Räucherfisch mit.

3 „wenn" oder „als"? Beantworten Sie die Fragen nach folgendem Muster:

Wann wurde J. F. Kennedy ermordet? (1963 / im offenen Auto durch die Stadt Dallas fahren) J. F. Kennedy wurde ermordet, *als* er 1963 im offenen Auto durch die Stadt Dallas *fuhr*.

1. Wann verschloß man früher die Stadttore? (es / abends dunkel werden)
2. Wann brachen früher oft furchtbare Seuchen aus? (Krieg / herrschen und Dörfer und Städte / zerstört sein)
3. Wann mußten sogar Kinder 10 bis 15 Stunden täglich arbeiten? (in Deutschland / die Industrialisierung beginnen)
4. Wann fand Robert Koch den Tuberkulosebazillus? (er / 39 Jahre alt sein)
5. Wann wurden früher oft Soldaten in fremde Länder verkauft? (die Fürsten / Geld brauchen)
6. Wann mußten die Kaufleute unzählige Zollgrenzen passieren? (sie / vor 200 Jahren z. B. von Hamburg nach München fahren)
7. Wann fuhren früher viele Menschen nach Amerika? (sie / in Europa / aus religiösen oder politischen Gründen / verfolgt werden)
8. Wann kam es zum Zweiten Weltkrieg? (die deutschen Truppen unter Hitler im August 1939 in Polen einmarschieren)

4 Im Restaurant – Verbinden sie die Sätze mit „während" oder „bevor".

> Ich betrete das Lokal. Ich schaue mir die Preise auf der Speisekarte vor der Tür an.
> *Bevor* ich das Lokal *betrete,* schaue ich mir die Preise auf der Speisekarte vor der Tür an.

1. Ich bestelle mein Essen. Ich studiere die Speisekarte. 2. Ich warte auf das Essen. Ich lese die Zeitung. 3. Ich esse. Ich wasche mir die Hände. 4. Ich warte auf den zweiten Gang. Ich betrachte die Gäste und suche nach alten Bekannten. 5. Ich esse. Ich unterhalte mich mit den Gästen an meinem Tisch. 6. Ich bezahle. Ich bestelle mir noch einen Kaffee. 7. Ich trinke meinen Kaffee. Ich werfe noch einen Blick in die Tageszeitung. 8. Ich gehe. Ich zahle.

*** 5 Verwandeln Sie den schräg gedruckten Satzteil in einen Nebensatz mit „bevor" oder „während", ähnlich dem Muster der Übung 4.**

1. *Während des Studiums* arbeitet sie bereits an ihrer Doktorarbeit.
2. Sie hatte *vor dem Studium* eine Krankenschwesternausbildung mitgemacht.
3. *Vor ihrem Examen* will sie ein Semester in die USA gehen. (Examen machen)
4. *Während ihres Aufenthalts in den USA* kann sie bei ihrer Schwester wohnen. (sich aufhalten)
5. Ihren Mann hat sie schon *vor dem Studium* gekannt.
6. *Vor ihrer Heirat* wohnte sie in einem möblierten Zimmer.
7. *Vor Verlassen der Universität* will sie promovieren.
8. *Während ihrer Arbeit fürs Examen* findet sie wenig Zeit für ihre Familie.
9. *Während ihrer Hausarbeit* denkt sie immer an ihre wissenschaftliche Tätigkeit. (Hausarbeit machen)
10. *Vor Sonnenaufgang* steht sie schon auf und setzt sich an ihren Schreibtisch.
11. *Während ihres Examens* muß ihr Mann für die Kinder sorgen.
12. *Vor Eintritt in die Firma ihres Mannes* will sie ein Jahr Pause machen.

6 Welche Bedeutung hat „während" in den folgenden Sätzen: temporal oder adversativ? – Formen Sie die Sätze um, die einen Gegensatz bezeichnen, indem Sie „dagegen" oder „aber" gebrauchen.

> *Während er sich über die Einladung nach Australien freute*, brach sie in Tränen aus.
> Er freute sich über die Einladung nach Australien, *dagegen brach sie in Tränen aus*.

1. Während die öffentlichen Verkehrsmittel, Busse und Bahnen oft nur zu zwei Dritteln besetzt sind, staut sich der private Verkehr auf Straßen und Autobahnen.
2. Der Forscher entdeckte, während er sein letztes Experiment prüfte, daß seine gesamte Versuchsreihe auf einem Irrtum beruhte.
3. Während die Studenten „streikten", fielen die Vorlesungen an allen hessischen Universitäten aus.
4. Während die hessischen Studenten „streikten", gingen ihre bayerischen Kommilitonen brav in ihre Vorlesungen.
5. In den Abendstunden sind berufstätige Mütter im allgemeinen total überlastet, während die meisten Väter ihre Freizeit genießen.

6. Obwohl er sich sehr anstrengte, schaffte er es kaum, 20 Kilometer pro Tag zu wandern, während trainierte Sportler mühelos 60 bis 80 Kilometer täglich laufen.
7. Die Mieter der Häuser in der Altstadt hoffen immer noch auf eine gründliche Renovierung, während der Abriß des gesamten Stadtviertels schon längst beschlossen ist.
8. Während ich anerkennen muß, daß deine Argumente richtig sind, ärgere ich mich darüber, daß du mich immerzu persönlich beleidigst.
9. Während er in seine Arbeit vertieft ist, hört er weder die Klingel noch das Telefon.
10. In dem Scheidungsurteil bestimmte der Richter, daß die Frau das Haus und das Grundstück behalten sollte, während der Ehemann leer ausging.
11. Während früher die Post zweimal am Tag ausgetragen wurde, kommt der Briefträger jetzt nur noch einmal, und samstags bald überhaupt nicht mehr.
12. Ich habe genau gesehen, daß er, während wir spielten, eine Karte in seinen Ärmel gesteckt hat.

7 Auf dem Kongreß – Setzen Sie das in Klammern stehende Verb mit der richtigen Endung in die richtige Zeit.

1. Nachdem der Präsident die Gäste (begrüßen), begeben sich alle in den Speiseraum. 2. Alle Teilnehmer der Konferenz begaben sich in den Versammlungsraum, nachdem sie (essen). 3. Nachdem alle Gäste Platz genommen haben, (beginnen) der erste Redner seinen Vortrag. 4. Nachdem der Vortragende (enden), setzte eine lebhafte Diskussion ein. 5. Nachdem man dann eine kurze Pause gemacht hatte, (halten) ein Teilnehmer einen Lichtbildervortrag. 6. Nachdem alle Gäste zu Abend gegessen hatten, (sitzen) sie noch eine Zeitlang zusammen und (sich unterhalten). 7. Nachdem man so drei Tage (zuhören, lernen und diskutieren), fuhren alle Teilnehmer wieder nach Hause.

*** 8 Der Briefmarkensammler. – Verwandeln Sie den schräg gedruckten Satzteil in einen Nebensatz mit „nachdem".**

Nach dem Kauf der Briefmarken beim Briefmarkenhändler steckt sie der Sammler in sein Album. *Nachdem* der Sammler die Briefmarken beim Briefmarkenhändler *gekauft hat,* steckt er sie in sein Album.

1. *Nach einer halben Stunde in einem Wasserbad* kann man die Briefmarken leicht vom Papier ablösen. (in einem Wasserbad liegen)
2. *Nach dem Ablösen der Briefmarken von dem Brief* legt sie der Sammler auf ein Tuch und läßt sie trocknen.
3. *Nach dem Trocknen der Briefmarken* prüft er jede Marke genau auf Beschädigungen.
4. *Nach dem Aussortieren der schon vorhandenen Briefmarken* steckt er die anderen in sein Briefmarkenalbum.
5. *Nach dem Einsortieren jeder einzelnen Briefmarke* stellt er ihren Wert in einem Katalog fest.
6. *Nach Beendigung dieser Arbeit* sortiert er die Doppelten in Tüten, die nach Ländern geordnet sind, um sie mit seinen Freunden zu tauschen.

*** 9 Aufgabe wie bei Übung 8. Achten Sie auf die Zeit!**

1. *Nach dem Ende der Demonstration* wurde es still in den Straßen.
2. *Nach gründlicher Untersuchung des Patienten* schickte der Arzt den Kranken ins Krankenhaus.
3. *Nach dreistündigem Aufenthalt in Zürich* reisten die Touristen nach Genua weiter. (sich aufhalten)
4. *Nach der Lösung aller Probleme* konnten die Architekten mit dem Bau des Hochhauses beginnen.
5. *Nach Bestehen des Staatsexamens* wird Herr M. eine Stelle als Assistenzarzt in einem Krankenhaus antreten.
6. *Nach Auflösung der verschiedenen Mineralien* sollte die Säure auf ihre Bestandteile untersucht werden. (sich auflösen)
7. *Nach Ende des Unterrichts* geht er zur Mensa.
8. *Nach Beginn der Vorstellung* wird kein Besucher mehr eingelassen.
9. *Nach der Entdeckung Amerikas* kehrte Columbus nach Europa zurück.
10. *Nach dem Regen* steigt Nebel aus dem Wald. (... es geregnet ...)

10 „bis" oder „seit"? Setzen Sie die passende Konjunktion ein.

1 ... seine Eltern gestorben waren, lebte der Junge bei seiner Tante. Dort blieb er, ... er 14 Jahre alt war. ... er die Hauptschule verlassen hatte, trieb er sich in verschiedenen
3 Städten herum. Er lebte von Gelegenheitsarbeiten, ... er in die Hände einiger Gangster fiel. ... er bei diesen Leuten lebte, verübte er nur noch Einbrüche, überfiel Banken und
5 stahl Autos, ... er dann schließlich von der Polizei festgenommen wurde. ... er nun im Gefängnis sitzt, schreibt er an seiner Lebensgeschichte. ... er in drei Jahren entlassen
7 wird, will er damit fertig sein.

*** 11 Verwandeln Sie den schräg gedruckten Satzteil in einen Nebensatz mit „seit" (bzw. „seitdem") oder „bis".**

1. *Seit der Einführung der 5-Tage-Woche* ist die Freizeitindustrie stark angewachsen.
2. *Seit der Erfindung des Buchdrucks* sind über 500 Jahre vergangen.
3. *Seit dem Bau des Panamakanals* brauchen die Schiffe nicht mehr um Kap Hoorn zu fahren.
4. *Seit der Verlegung des ersten Telefonkabels von Europa nach USA im Jahr 1956* ist der Telefonverkehr sicherer und störungsfreier geworden.
5. *Bis zum Bau des Tunnels* ging der ganze Verkehr über den 2500 m hohen Paß.
6. *Bis zur Entdeckung des ersten Betäubungsmittels* mußten die Menschen bei Operationen große Schmerzen aushalten.
7. *Bis zur Einrichtung von sogenannten Frauenhäusern* wußten manche Frauen nicht, wo sie Schutz vor ihren aggressiven Männern finden konnten.
8. *Bis zur Einführung der 25-Stunden-Woche* werden wohl noch viele Jahre vergehen.

***12 Nach einem Unfall – Verwandeln Sie den präpositionalen Ausdruck in einen Nebensatz.**

Vor Eintreffen des Krankenwagens ... *Bevor der Krankenwagen eintraf, ...*
Während des Transports des Patienten ins Krankenhaus ... *Während man den Patienten ins Krankenhaus transportierte, ...*
Nach Ankunft des Verletzten im Krankenhaus ... *Nachdem der Verletzte im Krankenhaus angekommen war, ...*
Sofort nach der Untersuchung ... *Sobald man den Patienten untersucht hatte, ...*
Bei der Untersuchung des Patienten ... *Als man den Patienten untersuchte, ...*
Seit der Operation des Patienten ... *Seitdem man den Patienten operiert hat, ...*

1. *Vor Ankunft des Krankenwagens an der Unfallstelle* wurde der Verletzte von einem Medizinstudenten versorgt.
2. *Während des Transports des Verletzten in ein Krankenhaus* wurde er bereits von einem Notarzt behandelt.
3. *Sofort nach Ankunft des Verletzten im Krankenhaus* haben Fachärzte ihn untersucht.
4. *Bei der Untersuchung des Verletzten* stellte man innere Verletzungen fest.
5. *Vor der Operation des Patienten* gab man ihm eine Bluttransfusion.
6. *Vor Beginn der Operation* legte man alle Instrumente bereit.
7. *Nach der Operation* brachte man den Patienten auf die Intensivstation. (die Operation beenden)
8. *Nach einigen Tagen* brachte man den Patienten in ein gewöhnliches Krankenzimmer. (Tage vergehen)
9. *Vor seiner Entlassung* hat man ihn noch einmal gründlich untersucht.
10. *Nach seiner Rückkehr in seine Wohnung* mußte der Patient noch vierzehn Tage im Bett liegen bleiben.
11. *Seit seinem Unfall* kann der Verletzte nicht mehr Tennis spielen. (einen Unfall haben)

***13 Ebenso:**

Ein Fußballspiel

1. *Vor Beginn des Fußballspiels* loste der Schiedsrichter die Spielfeldseiten aus.
2. *Während des Spiels* feuerten die Zuschauer die Spieler durch laute Rufe an.
3. *Bei einem Tor* gab es jedesmal großen Jubel.
4. *Sofort nach einem Foul* zeigte der Schiedsrichter einem Spieler die gelbe Karte.
5. *Seit dem Austausch eines verletzten Spielers* wurde das Spiel deutlich schneller.
6. *Nach Beendigung des Spiels* tauschten die Spieler ihre Trikots.

§ 27 Kausale Nebensätze (Nebensätze des Grundes)

weil, da, zumal

a) **Weil** man starke Schneefälle vorausgesagt hatte, mußten wir unseren Ausflug verschieben.
Da eine Bergwanderung im Schnee gefährlich ist, hat man uns geraten, darauf zu verzichten.

b) Bei solchem Wetter bleiben wir lieber im Hotel, **zumal** unsere Ausrüstung nicht gut ist.

Regeln

zu a) 1. Die kausalen Konjunktionen *weil* und *da* werden oft gleichbedeutend gebraucht.
2. Die Zeitenfolge in Satzgefügen mit *weil* und *da* richtet sich ganz nach dem Sinn der Aussage. Es sind sowohl gleichzeitige Handlungen möglich als auch Handlungen mit verschiedenen Zeiten (= Zeitenwechsel).

zu b) 1. Der Nebensatz mit *zumal* gibt zu einem wichtigen vorhergehenden Grund noch einen weiteren wichtigen Grund an. *zumal* wird beim Sprechen betont.
2. Der Nebensatz mit *zumal* steht meistens hinter dem Hauptsatz.

Anmerkung

Unterscheidung zwischen *da* und *weil:*
1. Im Nebensatz mit *weil* wird ein zunächst noch nicht bekannter Grund für eine Aussage oder Handlung angegeben.
2. Der Nebensatz mit *da* begründet und betont eine schon allgemein bekannte Aussage oder Handlung.

ÜBUNGEN

1 Die Gruppe hat abends gefeiert. Alle sind froh, aber jeder hat einen anderen Grund. – Bilden Sie Sätze mit „weil".

A.: Ich habe eine gute Arbeit geschrieben; deshalb bin ich froh.
A. ist froh, *weil* er eine gute Arbeit *geschrieben hat.*

B.: Ich habe eine nette Freundin gefunden. (B. ist froh, weil . . .)
C.: Hier kann ich mal richtig tanzen.
D.: Ich kann mich mal mit meinen Freunden aussprechen.
E.: Ich kann mich hier mal in meiner Muttersprache unterhalten.
F.: Ich brauche mal keine Rücksicht zu nehmen.
G.: Ich habe mal Gelegenheit, meine Sorgen zu vergessen.
H.: Ich bin so verliebt.
I.: Ich höre gern die Musik meiner Heimat.

2 Am nächsten Tag ist die Gruppe nicht rechtzeitig zum Unterricht gekommen. Jeder hatte eine andere Ausrede. – Bilden Sie Sätze mit „weil“.

A. ist nicht gekommen, weil er Kopfschmerzen hat.
B.: Der Autobus hatte eine Panne.
C.: Der Wecker hat nicht geklingelt.
D.: Die Straßenbahn war stehen geblieben.
E.: Der Zug hatte Verspätung.
F.: Die Mutter hat verschlafen.
G.: Das Motorrad ist nicht angesprungen.
H.: Die Straße war wegen eines Verkehrsunfalls gesperrt.
I.: Er mußte seinen Bruder ins Krankenhaus fahren.
J.: Sie ist in den falschen Bus gestiegen.

3 Einige konnten beim Fußballspiel nicht mitspielen.

Ich konnte nicht mitspielen, weil . . .
A.: Ich hatte keine Zeit.
B.: Ich habe mir den Fuß verletzt.
C.: Ich habe zum Arzt gehen müssen.
D.: Ich habe mir einen Zahn ziehen lassen müssen.
E.: Ich habe das Auto in die Werkstatt bringen müssen.
F.: Ich bin entlassen worden und habe mir einen neuen Job suchen müssen.
G.: Ich habe mich bei meiner neuen Firma vorstellen müssen.
H.: Ich habe zu einer Geburtstagsparty gehen müssen.
I.: Ich habe auf die Kinder meiner Wirtin aufpassen müssen.

4 Bilden Sie aus dem zweiten Satz einen weil-Satz.

Frau Müller hat wieder als Sekretärin gearbeitet. Die Familie hat mehr Geld für den Hausbau sparen wollen. Frau Müller hat wieder als Sekretärin gerarbeitet, *weil* die Familie mehr Geld für den Hausbau *hat sparen wollen.*

1. Herr Müller hat mit dem Bauen lange warten müssen. Er hat das notwendige Geld nicht so schnell zusammensparen können.
2. Er und seine Familie haben fünf Jahre auf alle Urlaubsreisen verzichtet. Sie haben mit dem Bau nicht so lange warten wollen.
3. Herr Müller hatte das Haus zweistöckig geplant. Er hat durch Vermietung einer Wohnung schneller von seinen Schulden herunterkommen wollen.
4. Er hat dann aber doch einstöckig gebaut. Das Bauamt hat ihm eine andere Bauart nicht erlauben wollen.
5. Herr Müller war zunächst ziemlich verärgert. Er hat einstöckig bauen sollen.
6. Später war er sehr froh. Sie haben alle Kellerräume für sich benutzen können.

5 In einem Möbelhaus – Üben Sie nach folgendem Muster:

einen Schrank zum Kunden bringen Unser Kundendienst ist nicht da, *weil* ein Schrank zu einem Kunden *gebracht werden muß.*

Unser Kundendienst ist nicht da, weil ...
1. neue Möbel abholen 2. bei einem Kunden einen Schrank aufbauen 3. bei einer Kundin die Eßzimmermöbel austauschen 4. in einem Vorort ein komplettes Schlafzimmer ausliefern 5. in der Innenstadt eine Küche einrichten 6. bei einer Firma sechs Ledersessel ausliefern 7. in einem Hotel einen Elektroherd installieren 8. in einer Neubauwohnung Teppiche verlegen

6 Arbeit bei der Stadtverwaltung – Bilden Sie mit den Wörtern der Übung § 19 Nr. 6 Sätze nach folgendem Muster:

Wiedereröffnung des Opernhauses Ich habe noch viel zu tun, *weil* das Opernhaus *wiedereröffnet wird.* Ich habe noch viel zu tun, *weil* das Opernhaus *wiedereröffnet werden soll.*

7 Bilden Sie mit den Wörtern der Übung § 19 Nr. 9 Sätze nach folgendem Muster:

Sagst du nichts, *weil* du nicht *gefragt worden bist*?

§ 28 Konditionale Nebensätze (Bedingungssätze)

I wenn, falls

a) **Wenn** ich das Stipendium bekomme, kaufe ich mir als erstes ein Fahrrad.
b) **Bekomme** ich das Stipendium, kaufe ich mir als erstes ein Fahrrad.
c) **Falls** ich ihn noch treffe, was ich aber nicht glaube, will ich ihm das Päckchen gern geben.
d) **Treffe** ich ihn noch, was ich aber nicht glaube, will ich ihm das Päckchen gern geben.
e) Du kannst dir eine Decke aus dem Schrank nehmen, **wenn** du frierst.

Regeln

zu a) 1. Konditionale Satzgefüge mit *wenn* zeigen an, daß zunächst eine Bedingung erfüllt sein muß, bevor die Aussage im Hauptsatz Wirklichkeit werden kann.
2. Konditionale Satzgefüge stehen im Präsens und Futur. Im Deutschen sind die temporalen und konditionalen Satzgefüge mit *wenn* kaum zu unterscheiden.

zu b) Bedingungssätze können auch ohne *wenn* gebraucht werden. Dann steht das konjugierte Verb am Anfang des Satzes und *wenn* fällt weg.

zu c + d) Bei eindeutig konditionalen Sätzen wird die Konjunktion *falls* gebraucht. *Falls* kann auch wegfallen, wobei das konjugierte Verb an den Anfang des Satzes gestellt wird.

zu e) Wenn der Nebensatz mit *wenn* oder *falls* hinter dem Hauptsatz steht, gebraucht man im allgemeinen den vollständigen Nebensatz mit der Konjunktion.

Anmerkung

Bedingungssätze in der Vergangenheit sind nur irreal möglich. Sie werden mit dem Konjunktiv II gebraucht (siehe § 54 II).

II Differenzierte Bedingungssätze

a) **Angenommen, daß** der Angeklagte die Wahrheit sagt, so muß er freigesprochen werden.
Ich gehe nicht zu ihm, **es sei denn, daß** er mich um Verzeihung bittet.

b) **Angenommen, der Angeklagte sagt die Wahrheit,** so muß er freigesprochen werden.
Ich gehe nicht zu ihm, **es sei denn, er bittet mich um Verzeihung.**

Regeln

FolgendeWendungen kann man gebrauchen, um eine Bedingung auszudrücken:

angenommen, daß ...	im Fall, daß ...
es sei denn, daß ...	unter der Bedingung, daß ...
gesetzt den Fall, daß ...	vorausgesetzt, daß ...

zu a) Die genannten Wendungen entsprechen in differenzierter Form einem Konditionalsatz mit *wenn* oder *falls:*
Wenn der Angeklagte die Wahrheit sagt, muß er freigesprochen werden.

zu b) Diesen konditionalen Wendungen kann auch ein Hauptsatz folgen. Das Subjekt steht in der Regel in der Position I.
Nach *im Fall* und *unter der Bedingung* gebraucht man allerdings meist einen *daß*-Satz.

ÜBUNGEN

1 Postangelegenheiten – Verbinden Sie die Sätze.

Der Brief ist unterfrankiert. Der Empfänger zahlt eine ,,Einziehungsgebühr".
Wenn der Brief *unterfrankiert ist,* zahlt der Empfänger eine Einziehungsgebühr.
Der Empfänger zahlt eine Einziehungsgebühr, *wenn* der Brief *unterfrankiert ist.*

1. Der Empfänger nimmt den Brief nicht an. Der Brief geht an den Absender zurück. 2. Der Brief soll den Empfänger möglichst schnell erreichen. Man kann ihn als Eilbrief schicken. 3. Es handelt sich um sehr wichtige Mitteilungen oder Dokumente. Sie schikken den Brief am besten per Einschreiben. 4. Ein Brief oder eine Postkarte ist größer oder kleiner als das Normalformat. Die Sendung kostet mehr Porto. 5. Eine Warensen-

dung ist über zwei Kilogramm schwer. Man kann sie nicht als Päckchen verschicken. 6. Nützen Sie die verkehrsschwachen Stunden im Postamt. Sie sparen Zeit. 7. Sie telefonieren in der Zeit von 18 Uhr bis 8 Uhr. Sie zahlen wesentlich weniger für das Gespräch. 8. Sie wollen die Uhrzeit, das Neueste vom Sport oder etwas über das Wetter vom nächsten Tag erfahren. Sie können den Telefonansagedienst benützen. 9. Sie wollen ein Glückwunschtelegramm versenden. Die Postämter halten besondere Schmuckblätter für Sie bereit. 10. Sie haben ein Postsparbuch. Sie können in verschiedenen europäischen Ländern Geld davon abheben.

2 Bilden Sie Konditionalsätze ohne „wenn". Verwenden Sie die Sätze der Übung 1.

Ist der Brief unterfrankiert, so zahlt der Empfänger eine „Einziehungsgebühr".

Statt „so" kann man auch „dann" setzen; der Satz kann auch ohne „so" bzw. „dann" stehen.

* 3 Bilden Sie aus dem schräg gedruckten Satzteil einen wenn-Satz.

Bei der Reparatur einer Waschmaschine muß man vorsichtig sein. *Wenn* man eine Waschmaschine *repariert,* muß man vorsichtig sein.

1. *Beim Motorradfahren* muß man einen Sturzhelm aufsetzen. (Wenn man ...) 2. *Bei Einnahme des Medikaments* muß man sich genau an die Vorschriften halten. 3. *Beim Besuch des Parks* muß man ein Eintrittsgeld bezahlen. (... besuchen will ...) 4. *Bei großer Hitze* fällt der Unterricht in der 5. und 6. Stunde aus. (es / sehr heiß sein) 5. *Bei einigen Französischkenntnissen* kann man an dem Sprachkurs teilnehmen. (Wenn man ... hat) 6. *Bei achtstündigem Schlaf* ist der Erwachsene im allgemeinen ausgeschlafen. 7. *Bei entsprechender Eile* kannst du den Zug noch bekommen. (sich entsprechend beeilen) 8. *Bei Nichtgefallen* kann die Ware innerhalb von drei Tagen zurückgegeben werden. (nicht gefallen) 9. *Bei unvorsichtigem Umgang mit dem Pulver* kann es explodieren. 10. *Bei sorgfältiger Pflege* werden Ihnen die Pflanzen jahrelang Freude bereiten. (Wenn Sie ... pflegen) 11. *Bei unerlaubtem Betreten des Geländes* erfolgt Strafanzeige. (Passiv) 12. *Beim Ertönen der Feuerglocke* müssen alle Personen sofort das Gebäude verlassen.

4 Bilden Sie Bedingungssätze.

(Sie / die Reise nicht antreten können) ..., so müssen Sie 80 Prozent der Fahrt- und Hotelkosten bezahlen. (gesetzt den Fall) *Gesetzt den Fall,* Sie können die Reise nicht antreten, so müssen Sie 80 Prozent der Fahrt- und Hotelkosten bezahlen.

1. (ich / krank werden) ..., so muß ich von der Reise zurücktreten. (angenommen) 2. (der Hausbesitzer / mir die Wohnung kündigen) ..., so habe ich immer noch ein Jahr Zeit, um mir eine andere Wohnung zu suchen. (angenommen) 3. Ich gehe nicht zu ihm, ... (er mich rufen) (es sei denn) 4. (ihr alle / den Protestbrief auch unterschreiben) ..., so bin ich bereit, ebenfalls zu unterschreiben. (vorausgesetzt) 5. (das Telefon / klingeln) ..., so bin ich jetzt nicht zu sprechen. (gesetzt den Fall) 6. (er / den Unfall verursacht

haben) . . . , so wird man ihm eine Blutprobe entnehmen. (gesetzt den Fall) 7. (sie / den Leihwagen eine Woche vorher bestellen) . . . , so können Sie sicher sein, daß Sie einen bekommen. (unter der Voraussetzung) 8. (Sie / den Leihwagen zu Bruch fahren) . . . , so zahlt die Versicherung den Schaden. (gesetzt den Fall) 9. Wir fahren auf jeden Fall in die Berge, . . . (es / in Strömen regnen) (es sei denn) 10. (ich / gleich im Krankenhaus bleiben sollen) . . . , so muß ich dich bitten, mir Verschiedenes herzubringen. (angenommen)

5 Bilden Sie mit den Beispielen der Übung 4 Bedingungssätze mit „daß".

(Sie / die Reise nicht antreten können) . . . , so müssen Sie 80 Prozent der Fahrt- und Hotelkosten bezahlen. (gesetzt den Fall)
Gesetzt den Fall, daß Sie die Reise nicht antreten können, so müssen Sie 80 Prozent der Fahrt- und Hotelkosten bezahlen.

6 Ergänzen Sie selbständig.

1. Angenommen, daß er mir das Geld nicht zurückgibt, . . .
2. Gesetzt den Fall, daß ich das gesamte Erbe meiner Tante bekomme, . . .
3. Im Fall, daß es Krieg gibt, . . .
4. Unter der Bedingung, daß du mich begleitest, . . .
5. Vorausgesetzt, daß ich bald eine Anstellung erhalte, . . .
6. . . . , es sei denn, daß ich wieder diese starken Rückenschmerzen bekomme.

§ 29 Konsekutive Nebensätze (Nebensätze der Folge)

I so daß; so . . . , daß

a) Der Gast stieß die Kellnerin an, **so daß** sie die Suppe verschüttete.
b) Er fuhr **so** rücksichtslos durch die Pfütze, **daß** er alle Umstehenden bespritzte.
c) Er war ein **so erfolgreicher** Geschäftsmann, **daß** er in kurzer Zeit ein internationales Unternehmen aufbaute.
d) Sein Bart wächst **so, daß** er sich zweimal am Tag rasieren muß.

Regeln

zu a) Nebensätze mit *so daß* geben die Folge an, die sich aus einer vorangehenden Handlung ergibt. Der Nebensatz mit *so daß* steht also immer hinter dem Hauptsatz.

zu b) 1. Wenn im Hauptsatz ein Adverb steht, wird *so* meistens vor dieses Adverb gestellt. *So* und auch das Adverb werden dann beim Sprechen betont.
2. Wenn man aber die Folge betonen will, kann es auch heißen: Er fuhr rücksichtslos durch die Pfütze, *so daß* er alle Umstehenden bespritzte.

zu c) 1. Wenn man im Hauptsatz ein Adjektiv-Attribut hat, wird *so* meistens direkt davorgestellt. Dadurch wird das Adjektiv-Attribut betont:

Er war ein *so erfolgreicher* Geschäftsmann, daß ... (= Singular)
Sie waren *so erfolgreiche* Geschäftsleute, daß ... (= Plural)
2. Zur Betonung der Folge kann es auch heißen: Er war ein erfolgreicher Geschäftsmann, *so daß* er in kurzer Zeit ...

zu d) Manchmal kann *so* auch ohne Adverb im Hauptsatz stehen, weil man das Adverb leicht ergänzen kann: Sein Bart wächst *so* (schnell), *daß* ...

II solch- ..., daß; dermaßen ..., daß

a) Es herrschte **eine solche Kälte, daß** die Tiere im Wald erfroren.
b) Es herrschte **solch eine Kälte, daß** die Tiere im Wald erfroren.
c) Es war **dermaßen kalt, daß** die Tiere im Wald erfroren.

Regeln

zu a) Wenn im Hauptsatz ein bestimmtes Substantiv betont werden soll, gebraucht man oft *solch-* mit der entsprechenden Adjektiv-Endung: *ein solcher Tag, eine solche Kälte; solche Fragen* (Pl.).

zu b) Man kann *solch* auch ohne Endung verwenden, dann steht es vor dem unbestimmten Artikel: *solch ein Tag, solch eine Kälte* (siehe auch § 39 V d).

zu c) Anstelle von *so* kann auch *dermaßen* stehen, allerdings nur vor einem Adverb oder Adjektiv-Attribut. Das ist dann die stärkste Betonung: *dermaßen groß, ein dermaßen großer Mensch.*

Anmerkung

Folgesätze mit *zu ..., als daß* werden mit dem irrealen Konjunktiv gebraucht (siehe § 54 V).

ÜBUNGEN

1 Verbinden Sie die Sätze mit „so daß" oder „so ..., daß".

Erdbeben

Das Haus fiel zusammen. Die Familie war plötzlich ohne Unterkunft.
Das Haus fiel zusammen, *so daß* die Familie plötzlich ohne Unterkunft *war.*

Das Erdbeben war stark. Es wurde noch in 300 Kilometer Entfernung registriert.
Das Erdbeben war *so* stark, *daß* es noch in 300 Kilometer Entfernung *registriert wurde.*

1. Die Erde bebte plötzlich stark. Die Menschen erschraken zu Tode und rannten aus ihren Häusern. 2. Immer wieder kamen neue Erdbebenwellen. Die Menschen wollten nicht in ihre Häuser zurückkehren. 3. Viele Häuser wurden durch das Erdbeben zerstört. Die Familien mußten bei Freunden und Bekannten Unterkunft suchen. 4. Die Zerstörungen waren groß. Das Land bat andere Nationen um Hilfe. 5. Das Militär

brachte Zelte und Decken. Die Menschen konnten notdürftig untergebracht werden. 6. Es wurden auch Feldküchen vom Roten Kreuz aufgestellt. Die Menschen konnten mit Essen versorgt werden. 7. Die Menschen in den benachbarten Ländern waren von den Bildern erschüttert. Sie halfen mit Geld, Kleidung und Decken. 8. Bald war genug Geld zusammen. Es konnten zahlreiche Holzhäuser gebaut werden.

2 Verbinden Sie die Sätze mit „so ..., daß".

Die Kinder waren vom Zirkus begeistert. Sie erzählten noch stundenlang davon.
Die Kinder waren vom Zirkus *so* begeistert, *daß* sie noch stundenlang davon *erzählten.*

1. Der Clown machte komische Bewegungen. Wir mußten alle lachen. 2. Die Seiltänzerin machte einen gefährlichen Sprung. Die Zuschauer hielten den Atem an. 3. Der Jongleur zeigte schwierige Kunststücke. Die Zuschauer klatschten begeistert Beifall. 4. Ein Löwe brüllte laut und böse. Einige Kinder fingen an zu weinen. 5. Ein Zauberkünstler zog viele Blumen aus seinem Mantel. Die Manege (= der Platz in der Mitte des Zirkus) sah aus wie eine Blumenwiese. 6. Die Musikkapelle spielte laut. Einige Leute hielten sich die Ohren zu. 7. Man hatte viele Scheinwerfer installiert. Die Manege war taghell beleuchtet. 8. Einige Hunde spielten geschickt Fußball. Die Zuschauer waren ganz erstaunt.

§ 30 Konzessive Nebensätze (Nebensätze der Einschränkung)

I obwohl, obgleich, obschon

a) **Obwohl** wir uns ständig streiten, sind wir doch gute Freunde.
b) **Obgleich** wir uns schon seit zwanzig Jahren kennen, hast du mich noch niemals besucht.
c) **Obschon** der Professor nur Altgriechisch gelernt hatte, verstanden ihn die griechischen Bauern.

Regeln

zu a–c) 1. *obwohl, obgleich, obschon* werden gleichbedeutend gebraucht (*obschon* ist nur noch selten).
2. Diese drei Konjunktionen zeigen an, daß die Handlung des Nebensatzes im Gegensatz oder in einer gewissen Einschränkung zur Hauptsatz-Handlung steht.
3. Die Zeitenfolge in konzessiven Nebensätzen richtet sich nach dem Sinn der Aussage.

Anmerkung

obwohl leitet einen Nebensatz ein, *trotzdem* leitet einen Hauptsatz ein. Beide Konjunk-

tionen dürfen nicht verwechselt werden (In der älteren Literatur findet man manchmal *trotzdem* anstelle von *obwohl*):
Obwohl wir uns ständig *streiten,* sind wir doch gute Freunde.
Wir sind gute Freunde; *trotzdem streiten wir uns* ständig.

II wenn ... auch noch so

a) **Wenn** er **auch noch so** schlecht schlief, **so** weigerte er sich, eine Tablette zu nehmen.
b) **Wenn** er **auch noch so** schlecht schlief, **er weigerte sich,** eine Tablette zu nehmen.
c) **Schlief** er **auch noch so** schlecht, **er weigerte sich,** eine Tablette zu nehmen.

Regeln

zu a) 1. Dieses schwierige Satzgefüge drückt den Gegensatz noch etwas betonter aus als der *obwohl*-Satz.
2. Der Nebensatz beginnt zwar mit *wenn,* nach dem Subjekt steht aber *auch noch so,* wodurch der Satz einen konzessiven Sinn erhält. Der Hauptsatz beginnt meist mit *so,* was auf den vorangehenden Nebensatz zurückweist.

zu b) Nach dem Nebensatz kann der Hauptsatz auch ohne Umstellung stehen (= Subjekt in der Position I, dann das konjugierte Verb in Position II); diese Satzstellung ist nach anderen Nebensätzen nicht möglich.

zu c) Auch bei diesen konzessiven Nebensätzen kann *wenn* wegfallen. Das konjugierte Verb tritt dann an seine Stelle.

ÜBUNGEN

1 Verbinden Sie die Sätze mit „obwohl", „obgleich" oder „obschon".

1. *Er ist nicht gekommen, ...*
   a) Ich hatte ihn eingeladen.
   b) Er hatte fest zugesagt.
   c) Er wollte kommen.
   d) Ich benötige seine Hilfe.
   e) Er wollte uns schon seit langem besuchen.
   f) Er wußte, daß ich auf ihn warte.
2. *Sie kam zu spät, ...*
   a) Sie hatte ein Taxi genommen.
   b) Sie hatte sich drei Wecker ans Bett gestellt.
   c) Sie hatte sich übers Telefon wecken lassen.
   d) Die Straße war frei.
   e) Sie hatte pünktlich kommen wollen.
   f) Sie hatte einen wichtigen Termin.
   g) Sie hatte mir versprochen, rechtzeitig zu kommen.

3. *Ich konnte nicht schlafen, ...*
   a) Ich hatte ein Schlafmittel genommen.
   b) Ich war nicht aufgeregt.
   c) Niemand hatte mich geärgert.
   d) Ich hatte bis spät abends gearbeitet.
   e) Ich war sehr müde.
   f) Das Hotelzimmer hatte eine ruhige Lage.
   g) Kein Verkehrslärm war zu hören.
   h) Ich hatte eigentlich gar keine Sorgen.
4. *Das Hallenbad wurde nicht gebaut, ...*
   a) Es war für dieses Jahr geplant.
   b) Die Finanzierung war gesichert.
   c) Der Bauplatz war vorhanden.
   d) Der Bauauftrag war bereits vergeben worden.
   e) Die Bürger der Stadt hatten es seit Jahren gefordert.
   f) Auch die Schulen benötigen es dringend.
   g) Auch die Randgemeinden waren daran interessiert.
   h) Man hatte es schon längst bauen wollen.

2 Verbinden Sie die Sätze der Übung 1 mit „zwar ..., aber“, „zwar ..., aber doch“, „zwar ..., allerdings“, „dennoch“ oder „trotzdem“ in wechselnder Form.

3 Bilden Sie mit der Übung § 24 Nr. 2 Sätze nach folgenden Muster:

Obwohl er gern Ski *läuft,* fährt er diesen Winter nicht in Urlaub. *Weil* er gern Ski *läuft,* legt er seinen Urlaub in den Winter.

4 Verbinden Sie die Sätze mit den angegebenen Konjunktionen.

1. Er war unschuldig. Er wurde bestraft. (dennoch; obwohl)
2. Die Familie wohnte weit von uns entfernt. Wir besuchten uns häufig. (zwar ..., aber doch; obgleich)
3. Wir mußten beide am nächsten Tag früh zur Arbeit. Wir unterhielten uns bis spät in die Nacht. (trotzdem; dennoch; obwohl)
4. Wir stritten uns häufig. Wir verstanden uns sehr gut. (allerdings; obschon)
5. Die Gastgeber waren sehr freundlich. Die Gäste brachen frühzeitig auf und gingen nach Hause. (zwar ..., dennoch; obwohl)
6. Die Arbeiter streikten lange Zeit. Sie konnten die geforderte Lohnerhöhung nicht durchsetzen. (obwohl; trotzdem)
7. Er hatte anfangs überhaupt kein Geld. Er brachte es durch seine kaufmännische Geschicklichkeit zu einem großen Vermögen. (indessen; obgleich)
8. Die Jungen waren von allen Seiten gewarnt worden. Sie badeten im stürmischen Meer. (dennoch; obwohl)

§ 31 Modale Nebensätze (Nebensätze der Art und Weise)

I wie, als (Vergleichssätze)

a) Er ist **so reich, wie** ich vermutet habe.
b) Er machte **einen so hohen Gewinn** bei seinen Geschäften, **wie** er gehofft hatte.
c) Er verhielt sich **(genau)so, wie** wir gedacht hatten.

d) Er ist noch **reicher, als** ich erwartet habe.
e) Er machte **einen höheren Gewinn, als** er angenommen hatte.
f) Er verhielt sich ganz **anders, als** wir uns vorgestellt hatten.

Regeln

In Vergleichssätzen mit *wie* und *als* steht oft Zeitenwechsel, denn meistens wird eine vorherige Erwartung oder Vermutung mit einer Tatsache verglichen.

zu a + b) Wenn eine Tatsache und die Ansicht darüber übereinstimmen, gebraucht man einen Nebensatz mit *wie.* Im Hauptsatz steht *so (genauso, ebenso, geradeso)* vor dem Adverb oder dem Adjektiv-Attribut in der Grundform.

zu c) Manchmal kann *so (genauso, ebenso, geradeso)* auch ohne Adverb im Hauptsatz stehen. Dann wird *so* stark betont.

zu d + e) Wenn eine Tatsache und die Ansicht darüber nicht übereinstimmen, gebraucht man einen Nebensatz mit *als.* Im Hauptsatz steht der Komparativ.

zu f) Nach *anders, ander-* (z. B. Er hat gewiß *andere Pläne, als* . . .) steht ein Vergleichsatz mit *als.*

II je . . ., desto (Vergleichssätze)

Nebensatz	Hauptsatz			
	I	II	III	
a) **Je schlechter** die Wirtschaftslage ist,	**desto schneller**	steigen	die Preise.	
b)	**umso schneller**	steigen	die Preise.	
	desto höhere Steuern	müssen		gezahlt werden.
c)	**desto mehr Geld**	fließt		ins Ausland.
	desto mehr Menschen	werden		arbeitslos.
d)	**eine desto höhere Inflationsrate**	ist		die Folge.

Regeln

1. Sätze mit *je . . ., desto* oder *je . . ., umso* zeigen einen Vergleich zwischen zwei Steige-

rungsformen (Komparativen), wobei beide voneinander abhängen, in der Aussage aber selbständig sind.

2. Satzstellung: Zuerst steht ein Nebensatz mit *je* und einem Komparativ; das konjugierte Verb steht am Ende des Satzes. Dann folgt ein Hauptsatz mit *desto* und einem Komparativ in der Position I. Das konjugierte Verb steht in der Position II und das Subjekt in der Position III (IV).

   zu a) Die gebräuchlichste Form: Zum Vergleich gebraucht man Adverbien im Komparativ.

   zu b) Zum Vergleich können auch Adjektiv-Attribute im Komparativ gebraucht werden, meistens vor artikellosen Substantiven.

   zu c) Wenn kein Attribut vorhanden ist, verwendet man die endungslose Steigerungsform *mehr* oder *weniger.*

   zu d) Eine selten gebrauchte Form: Bei Substantiven im Singular, die einen Artikel brauchen, steht immer der unbestimmte Artikel vor *je* oder *desto.*

3. Alle diese Formen sind im *je-* oder *desto-*Satz variabel. Die jeweils nötigen Substantive können als Subjekt oder als Objekt verwendet werden; sogar als präpositionale Objekte:
   Je schlechter die Wirtschaftslage ist, *mit desto höheren Steuern* muß man rechnen.

III wie (Modalsätze)

a) **Wie** es mir geht, weißt du ja.
Du weißt ja, **wie** es mir geht.
Wie ich ihn kennengelernt habe, habe ich Dir schon geschrieben.
Ich habe Dir schon geschrieben, **wie** ich ihn kennengelernt habe.

b) **Wie gut** er sich verteidigt hat, haben wir alle gehört.
Wir haben alle gehört, **wie gut** er sich verteidigt hat.

c) **Wie ich annehme,** wird er trotzdem verurteilt.
Wie ich gehört habe, hat er sein gesamtes Vermögen verloren.

Regeln

zu a) Modale Nebensätze können aus der Frage nach der Art und Weise entstehen:
Wie geht es dir? Wie es mir geht, weißt du ja.

zu b) Die modale Konjunktion *wie* kann durch ein Adverb ergänzt werden.

zu c) Nebensätze mit *wie* können auch zeigen, wie jemand zu einer Handlung eingestellt ist:
Wie ich annehme, kommt er morgen.
Wie ich glaube, . . .
Wie er sagte, . . .
Wie ich erfahren habe, . . .
Seltener steht dieser modale Nebensatz hinter dem Hauptsatz: *Meine Verwandten sind schon lange umgezogen, wie ich annehme.*

IV indem (Modalsätze)

Sie gewöhnte ihm das Rauchen ab, **indem** sie seine Zigaretten versteckte.
Er kann den Motor leicht reparieren, **indem** er die Zündkerzen auswechselt.

Regeln

Der modale Nebensatz mit *indem* zeigt die Art und Weise oder das Mittel, wie jemand etwas macht. Die Frage ist: Wie wird eine Handlung ausgeführt?

ÜBUNGEN

1 „als" oder „wie"? Welcher Teilsatz der Spalten II + III gehört zum Teilsatz in Spalte I?

I	II	III
1. Es bleibt uns nichts anderes übrig, 2. Der Bauer erntete mehr, 3. Er erntete so dicke Äpfel, 4. Der Patient erholte sich schneller, 5. Die Steuernachzahlung war nicht so hoch, 6. Im letzten Jahr hatte er eine höhere Heizölrechnung, 7. Das Haus ist nicht so alt, 8. Die Reise verlief anders,	als wie	a) im allgemeinen angenommen wird. b) der Busfahrer geplant hatte. c) die Ärzte angenommen hatten. d) er sie in den Wintern zuvor gehabt hatte. e) er sie noch nie geerntet hatte. f) der Kaufmann befürchtet hatte. g) er je zuvor geerntet hatte. h) wieder von vorn anzufangen.

2 Üben Sie den Vergleichssatz.

War das Konzert gut?
Ja, es war *besser, als* ich erwartet *hatte.*
Es war nicht *so gut, wie* ich angenommen *hatte.*

Ergänzen Sie sinngemäß: *als ich gedacht / erwartet / angenommen / gehofft / befürchtet / vermutet / geglaubt hatte.*

1. Waren die Eintrittskarten teuer? 2. War der Andrang groß? 3. Waren die Karten schnell verkauft? 4. Spielten die Künstler gut? 5. Dauerte das Konzert lang? 6. War der Beifall groß? 7. Hast du viele Bekannte getroffen? 8. Bist du spät nach Hause gekommen?

3 Ebenso:

1. War die Tagung lohnend? 2. War das Hotel gut eingerichtet? 3. War euer Zimmer ruhig? 4. War das Essen reichhaltig? 5. Waren die Vorträge interessant? 6. Wurde lebhaft diskutiert? 7. Habt ihr viel gestritten? 8. Habt ihr viele Kollegen getroffen?

4 Verbinden Sie die Sätze mit „je ..., desto".

Wir stiegen hoch; wir kamen langsam vorwärts. *Je* höher wir stiegen, *desto* langsamer kamen wir vorwärts.

1. Er trank viel; er wurde laut. 2. Er ißt wenig; er ist schlecht gelaunt. 3. Du arbeitest gründlich; dein Erfolg wird groß sein. 4. Das Hotel ist teuer; der Komfort ist zufriedenstellend. 5. Der Ausländer sprach schnell; wir konnten wenig verstehen. 6. Die Sekretärin spricht viele Fremdsprachen; sie findet leicht eine gute Stellung. 7. Das Herz ist schwach; eine Operation ist schwierig. 8. Du sprichst deutlich; ich kann dich gut verstehen. 9. Es ist dunkel; die Angst der Kleinen ist groß. 10. Das Essen ist gut gewürzt; es schmeckt gut.

5 Ebenso:

1. Es wurde spät; die Gäste wurden fröhlich. 2. Du arbeitest sorgfältig; du bekommst viele Aufträge. 3. Die Musik ist traurig; ich werde melancholisch. 4. Ich bekomme wenig Geld; ich muß sparsam sein. 5. Der Vertreter muß beruflich weit fahren; er kann viel von der Steuer absetzen. 6. Ihre Schüler waren klug und fleißig; die Arbeit machte ihr viel Spaß. 7. Hans wurde wütend; Gisela mußte laut lachen. 8. Die Künstler, die im Theater auftraten, waren berühmt; viele Zuschauer kamen, aber die Plätze wurden teuer. (desto ..., aber desto). 9. Er hält sich lange in Italien auf; er spricht gut Italienisch. 10. Du fährst schnell; die Unfallgefahr ist groß.

6 Ergänzen Sie selbst.

1. Je leiser du sprichst, ...
2. Je stärker der Kaffee ist, ...
3. Je schlechter die Wirtschaftslage des Landes wird, ...
4. Je größer ein Krankenhaus ist, ...
5. Je mehr sie über ihn lachten, ...
6. Je länger ich sie kannte, ...
7. Je öfter wir uns schrieben, ...
8. Je frecher du wirst, ...
9. Je mehr du angibst, ...
10. Je strenger die Grenzkontrollen werden, ...

7 *Verbinden Sie die Sätze nach folgendem Muster:

Seine Ausbildung ist *gut;* er bekommt ein hohes Gehalt. Je *besser* seine Ausbildung ist, *ein desto höheres Gehalt* bekommt er.

1. Du schreibst höflich; du erhältst eine höfliche Antwort. 2. Du triffst ihn oft; du wirst mit ihm ein gutes Verhältnis haben. 3. Du willst schnell fahren; du mußt einen teuren Wagen kaufen. 4. Das Geld ist knapp; du mußt einen hohen Zinssatz zahlen. 5. Wir kamen dem Ziel nah; ein starkes Hungergefühl quälte mich.

8 Üben Sie den wie-Satz nach folgendem Muster:

Ich werde morgen nach München fahren. – Ich sagte Ihnen (das) schon. *Wie ich Ihnen schon sagte,* werde ich morgen nach München fahren.

Setzen Sie sinngemäß ein: *Wie ich schon erwähnte ...; Wie ich hoffe / geplant habe / Sie schon gebeten habe ...; Wie Sie wissen ...*

1. Ich werde dort mit Geschäftsfreunden zusammentreffen. 2. Wir werden uns sicher einig werden. 3. Ich werde interessante Aufträge für die Firma erhalten. 4. Von München aus werde ich meinen Urlaub antreten. 5. Ich werde zwei Wochen wegbleiben. 6. Die Ruhe wird mir gut tun.

9 Verbinden Sie die Sätze mit „indem", wie in folgendem Muster:

Wie kann man Heizkosten sparen? – Man ersetzt die alten Fenster durch Doppelglasfenster. Man kann Heizkosten sparen, *indem* man die alten Fenster durch Doppelglasfenster ersetzt.

1. Wie kann man die Heizkosten auch noch senken? – Man läßt die Temperaturen abends nicht über 20 Grad steigen und senkt die Zimmertemperatur in der Nacht auf etwa 15 Grad.
2. Wie kann man ferner die Wohnung vor Kälte schützen? – Man bringt Isoliermaterial an Decke, Fußboden und Wänden an.
3. Wie können wir Rohstoffe sparen? – Im sogenannten Recycling verwendet man bereits gebrauchte Materialien wieder.
4. Wie kann man Benzin sparen? – Man fährt kleinere, sparsamere Autos und geht öfter mal zu Fuß.
5. Wie kann die Regierung die Luft vor industrieller Verschmutzung schützen? – Sie schreibt Rauch- und Abgasfilter gesetzlich vor.
6. Wie kann man die Stadtbewohner vor Lärm schützen? – Man richtet mehr Fußgängerzonen ein und baut leisere Motorräder und Autos.

10 Ersetzen Sie die *schräg gedruckten* Wendungen mit „durch..." durch einen Nebensatz mit „indem".

Die Bauern zeigten *durch Demonstrationen mit Traktoren und schwarzen Fahnen* ihren Protest gegen die neuen Gesetze. Die Bauern zeigten ihren Protest gegen die neuen Gesetze, *indem sie mit Traktoren und schwarzen Fahnen demonstrierten.*

1. Die ständigen Überschwemmungen an der Küste können *durch den Bau eines Deiches* verhindert werden. (indem man ...)
2. Die Ärzte konnten das Leben des Politikers *durch eine sofortige Operation nach dem Attentat* retten. (indem sie ihn ...)
3. Als ich meinen Schlüssel verloren hatte, half mir ein junger Mann, *durch die Verwendung eines gebogenen Drahts* die Wohnungstür zu öffnen.
4. Manche Wissenschaftler werden *durch die Veröffentlichung falscher oder ungenauer Forschungsergebnisse* berühmt.
5. Der Chef einer Rauschgiftbande konnte *durch die rechtzeitige Information aller Zollstellen* an der Grenze verhaftet werden.
6. *Durch die Weitergabe wichtiger Informationen an das feindliche Ausland* hat der Spion seinem Land sehr geschadet. (Indem der Spion ...)

7. Als die Räuber mit Masken und Waffen in die Bank eindrangen, konnte der Kassierer *durch den Druck auf den Alarmknopf* die Polizei alarmieren.
8. Kopernikus hat *durch die Beobachtung der Sterne* erkannt, daß die Erde eine Kugel ist, die sich um die Sonne dreht.
9. Es hat sich gezeigt, daß man *durch das Verbot der Werbung für Zigaretten im Fernsehen* den Tabakkonsum tatsächlich verringern kann.
10. Viele Menschen können *durch den Verzicht auf Bier und fette Speisen* sehr schnell abnehmen.
11. Die Menschen in den Industrieländern schaden der Umwelt *durch den Kauf von modischen, aber unbrauchbaren Dingen*, die bald wieder weggeworfen werden.

§ 32 Finalsätze (Absichtssätze)

damit; um ... zu (siehe § 33)

a) **Damit der Arzt** nichts merkte, versteckte **der Kranke** die Zigaretten.

b) **Er** nahm eine Schlaftablette, **damit er** leichter einschlafen konnte.
Er nahm eine Schlaftablette, **um** leichter einschlafen **zu** können.
Er nahm eine Schlaftablette, **um** leichter ein**zu**schlafen.

Regeln

zu a) Der Nebensatz mit *damit* gibt den Zweck oder die Absicht an, die mit einer Handlung verfolgt wird. Man verwendet einen *damit*-Satz, wenn das Subjekt im Haupt- und Nebensatz verschieden ist.
Im *damit*-Satz sind die Modalverben *sollen* und *wollen* nicht möglich, weil die Konjunktion *damit* ihrer Bedeutung nach schon eine Absicht, einen Wunsch oder Willen ausdrückt.

zu b) Wenn das Subjekt im Haupt- und Nebensatz gleich ist, gebraucht man besser die Infinitivkonstruktion mit *um ... zu*. Das Modalverb *können* ist möglich, aber oft nicht notwendig.

ÜBUNGEN

1 Verbinden Sie die beiden Sätze – wenn möglich – mit „um ... zu“, andernfalls mit „damit“. Beachten Sie, daß das Modalverb in der Position II wegfällt.

Ich habe sofort telefoniert. Ich wollte die Wohnung bekommen.
Ich habe sofort telefoniert, *um* die Wohnung *zu bekommen.*

Ich habe sofort telefoniert. Mein Bruder soll die Wohnung bekommen.
Ich habe sofort telefoniert, *damit* mein Bruder die Wohnung *bekommt.*

1. Ich habe die Anzeigen in der Zeitung studiert. Ich wollte eine schöne Wohnung finden. 2. Ich bin in die Stadt gefahren. Ich wollte eine Adresse erfragen. 3. Ich beeilte mich. Es sollte mir niemand zuvorkommen. 4. Viele Vermieter geben aber eine Anzeige unter Chiffre auf. Die Leute sollen ihnen nicht das Haus einrennen. 5. Wir haben die Wohnung genau vermessen. Die Möbel sollen später auch hineinpassen. 6. Ich habe viele kleine Sachen mit dem eigenen Wagen transportiert. Ich wollte Umzugskosten sparen. 7. Wir haben das Geschirr von der Transportfirma packen lassen. Die Versicherung bezahlt dann auch, wenn ein Bruchschaden entsteht. 8. Wir haben den Umzug an den Anfang des Urlaubs gelegt. Wir wollen die neue Wohnung in aller Ruhe einrichten (... zu können). 9. Schließlich haben wir noch eine Woche Urlaub gemacht. Wir wollten uns ein bißchen erholen.

*** 2 Machen Sie aus den schräg gedruckten Sätzen um ... zu-Sätze, oder, wenn dies nicht geht, einen damit-Satz. Beachten Sie, daß das Modalverb in der Position II wegfällt.**

1. Franz Häuser war von Wien nach Steyr gezogen. *Er nahm dort eine Stelle in einer Papierfabrik an.*
2. Eines Tages beschloß Franz, im alten Fabrikschornstein hochzusteigen. *Er wollte sich seine neue Heimat einmal von oben anschauen.* Natürlich war der Schornstein schon lange außer Betrieb.
3. Franz nahm eine Leiter. *Er wollte den Einstieg im Schornstein erreichen.* Dann kroch er hindurch und stieg langsam hinauf.
4. Das war nicht schwer, denn innen hatte man eiserne Bügel angebracht; *die Schornsteinfeger sollten daran hochklettern können.*
5. Fast oben angekommen, brach ein Bügel aus der Mauer. Schnell ergriff er den nächsten Bügel, *denn er wollte nicht in die Tiefe stürzen.*
6. Aber auch dieser brach aus, und Franz fiel plötzlich mit dem Eisen in seiner Hand 35 Meter tief hinunter. Dennoch geschah ihm nichts weiter, nur der Ruß, der sich unten im Schornstein etwa einen Meter hoch angesammelt hatte, drang ihm in Mund, Nase und Augen. Er schrie und brüllte, so laut er konnte. *Seine Kameraden sollten ihn hören.*
7. Aber es war erfolglos, er mußte einen anderen Ausweg finden. *Er wollte nicht verhungern.*
8. Er begann, mit der Spitze des Eisenbügels, den er immer noch in der Hand hielt, den Zement aus den Fugen zwischen den Backsteinen herauszukratzen. *Er wollte die Steine herauslösen.*
9. In der Zwischenzeit hatten seine Kameraden sich aufgemacht. *Sie wollten ihn suchen.*
10. Aber sie fanden ihn nicht. Nach ein paar Stunden hatte Franz eine Öffnung geschaffen, die groß genug war. *Er konnte hindurchkriechen.*
11. Man brachte ihn in ein Krankenhaus. *Er sollte sich von dem Schock und den Anstrengungen erholen.*
12. Dort steckte man ihn zuerst in eine Badewanne. *Er konnte sich dort vom Ruß befreien.*

der Bügel = u-förmig gebogenes Eisen
die Fuge = schmaler Raum, z.B. zwischen zwei Backsteinen
der Ruß = schwarzes Zeug, das sich bei der Verbrennung niederschlägt

*** 3 Antworten Sie, wenn möglich, mit einem um ... zu-Satz, andernfalls mit einem damit-Satz.**

Wozu braucht der Bauer einen Traktor? – Zur Bearbeitung der Felder. Der Bauer braucht einen Traktor, *um die Felder bearbeiten zu können.*

1. Wozu düngt er im Frühjahr die Felder? – Zum besseren Wachstum der Pflanzen.
2. Wozu hält er Kühe? – Zur Gewinnung von Milch.
3. Wozu braucht er eine Leiter? – Zum Ernten der Äpfel und Birnen.
4. Wozu nimmt er einen Kredit von der Bank auf? – Zur Einrichtung einer Hühnerfarm.
5. Wozu annonciert er in der Zeitung? – Zur Vermietung der Fremdenzimmer in seinem Haus.
6. Wozu kauft er eine Kutsche und zwei Pferde? – Zur Freude der Gäste. (sich daran freuen)
7. Wozu richtet er unter dem Dach noch Zimmer ein? – Zur Unterbringung der Gäste. (dort unterbringen)
8. Wozu baut er ein kleines Schwimmbecken? – Zur Erfrischung der Gäste und zu ihrem Wohlbefinden. (sich erfrischen, sich wohl fühlen)

§ 33 Sinngerichtete Infinitivkonstruktionen mit „um ... zu, ohne ... zu, anstatt ... zu“

Vorbemerkungen

1. Im Gegensatz zu Infinitivkonstruktionen, die von bestimmten Verben abhängen, sind die Infinitivkonstruktionen mit *um ... zu, ohne ... zu, anstatt (statt) ... zu* unabhängig und haben eine eigene Sinnrichtung.
   a) Mit *um ... zu* drückt man einen Wunsch oder eine Absicht aus (siehe § 32):
   Ich gehe zum Meldeamt, *um* meinen Paß ab*zu*holen.
   b) Mit *ohne ... zu* zeigt man, daß etwas Erwartetes nicht eingetreten ist:
   Er ging einfach weg, *ohne* meine Frage *zu* beantworten.
   c) Mit *anstatt ... zu* zeigt man, daß sich jemand anders verhält, als es normalerweise erwartet wird:
   Die Gastgeberin unterhielt sich weiter mit ihrer Freundin, *anstatt* die Gäste *zu* begrüßen.

a) Er ging ins Ausland, **um** dort **zu** studieren.
, **ohne** lange **zu** überlegen.
, **anstatt** das Geschäft des Vaters weiter**zu**führen.

b) Er mußte aus dem Ausland zurückkehren, **damit** das Geschäft seines Vaters weitergeführt werden konnte.
, **ohne daß** sein Studium beendet war.
, **anstatt daß** seine Eltern ihn zu Ende studieren ließen.

Regeln

zu a) Infinitivkonstruktionen mit *um ... zu, ohne ... zu, anstatt ... zu* haben kein eigenes Subjekt. Sie beziehen sich auf die Person oder Sache, die als Subjekt im Hauptsatz genannt ist. Konstruktionen mit *um ... zu, ohne ... zu, anstatt ... zu* können vor oder hinter den Hauptsatz gestellt werden.

zu b) Wenn das Subjekt im Hauptsatz und das Subjekt im Nebensatz verschiedene Personen oder Sachen bezeichnen, gebraucht man den vollständigen Nebensatz mit *damit, ohne daß* oder *anstatt daß.*

Anmerkung

Nach *nichts / etwas anderes* oder *alles andere* steht oft eine vergleichende Infinitivkonstruktion mit *als:*
Der Junge hatte *nichts anderes* im Kopf, *als* mit dem Motorrad *herumzufahren.*
Er tut *alles andere, als sich* auf die Prüfung *vorzubereiten.*

ÜBUNGEN

1 Bilden Sie aus dem schräg gedruckten Satz eine Infinitivkonstruktion mit a) „um ... zu", b) „ohne ... zu" oder c) „(an)statt ... zu".

Sie haben den Wagen heimlich geöffnet. *Sie wollten ihn stehlen.*
Sie haben den Wagen heimlich geöffnet, *um ihn zu stehlen.*

Er hat den Wagen gefahren. *Er besaß keinen Führerschein.*
Er hat den Wagen gefahren, *ohne einen Führerschein zu besitzen.*

Sie hat den Unfall nicht gemeldet. Sie ist einfach weitergefahren.
Anstatt den Unfall zu melden, ist sie einfach weitergefahren.

1. Drei Bankräuber überfielen eine Bank. *Sie wollten schnell reich werden.* 2. *Sie zählten das Geld nicht.* Sie packten es in zwei Aktentaschen. 3. Die Bankräuber wechselten zweimal das Auto. *Sie wollten schnell unerkannt verschwinden.* 4. *Sie nahmen nicht die beiden Taschen mit.* Sie ließen eine Tasche im ersten Wagen liegen. 5. *Sie kamen nicht noch einmal zurück.* Die vergeßlichen Gangster rasten mit dem zweiten Auto davon. 6. Sie fuhren zum Flughaften. *Sie wollten nach Amerika entkommen.* 7. *Sie zahlten nicht mit einem Scheck.* Sie kauften die Flugtickets mit dem gestohlenen Geld. 8. *Sie wollten in der Großstadt untertauchen.* Sie verließen in Buenos Aires das Flugzeug, wurden aber sofort verhaftet. 9. Sie ließen sich festnehmen. *Sie leisteten keinen Widerstand.* 10. Sie wurden nach Deutschland zurückgeflogen. *Sie sollten vor Gericht gestellt werden.* 11. Sie nahmen das Urteil entgegen. *Sie zeigten keinerlei Gemütsbewegung.* (ohne irgendeine ...)

2 Bilden Sie – wenn dies möglich ist – aus dem schräg gedruckten Satz eine Infinitivkonstruktion mit „um ... zu", „ohne ... zu" oder „anstatt ... zu". Verwenden Sie andernfalls „damit", „ohne daß" oder „anstatt daß".

1. Herr Huber hatte in einem Versandhaus ein Armband bestellt. *Er wollte es seiner Frau zum Geburtstag schenken.* 2. Er schickte die Bestellung ab. *Er schrieb aber den Absender*

nicht darauf. 3. Er wartete vier Wochen. *Das Armband kam nicht.* 4. *Er rief nicht an.* Er schimpfte auf die langweilige Firma. 5. Dann feierte Frau Huber Geburtstag. *Ihr Mann konnte ihr das Armband nicht schenken.* 6. Schließlich schrieb er an das Versandhaus. *Sie sollten ihm das Armband endlich zuschicken.* 7. Herr Huber erhielt das erwartete Päckchen wenige Tage später. *Das Versandhaus gab keine Erklärung für die Verspätung ab.* 8. *Frau Huber wußte nichts von dem Geschenk ihres Mannes.* Am Tag der Zustellung des Päckchens kam Frau Huber aus der Stadt zurück: Sie hatte sich dasselbe Armband gekauft! (Ohne etwas ..., kam Frau Huber ...)

*** 3 Verbinden Sie den Hauptsatz einmal mit Satz a), dann mit Satz b). Bilden Sie jeweils eine Infinitivkonstruktion und einen daß- bzw. damit-Satz.**

1. Der Schriftsteller schrieb seinen Roman, ohne ...
   a) Er gönnte sich keine Pause.
   b) Kein Verlag hatte ihm die Abnahme garantiert.
2. An der Grenze zeigte der Reisende seinen Paß, ohne ...
   a) Der Beamte warf keinen Blick hinein.
   b) Er war gar nicht darum gebeten worden.
3. Er machte die Taschenlampe an, (*damit* oder *um ... zu*) ...
   a) Sein Freund konnte ihn sehen.
   b) Er konnte von seinem Freund gesehen werden.
4. Er trug das gesamte Gepäck fünf Stockwerke hoch, statt ...
   a) Seine Kinder halfen ihm nicht dabei.
   b) Er benutzte den Aufzug nicht.
5. Die beiden hatten sich etliche Bücher mit auf die Reise genommen, (*damit* oder *um ... zu*) ...
   a) Die Bahnfahrt sollte nicht zu langweilig werden. (langweilig würde)
   b) Sie wollten sich damit die Langeweile vertreiben.
6. Die Arbeiter forderten mehr Lohn, (*damit* oder *um ... zu*) ...
   a) Sie wollten bei sinkender Kaufkraft der Mark wenigstens keinen Einkommensverlust haben.
   b) Ihr Einkommen sollte wenigstens die alte Kaufkraft behalten.
7. Eine Gruppe Arbeiter streikte, ohne ...
   a) Sie hatte sich nicht mit der Gewerkschaftsleitung abgesprochen.
   b) Die Gewerkschaftsleitung war davon nicht informiert worden.
8. Die Unternehmensleitung erlaubte sich teure private Ausgaben, anstatt ...
   a) Sie dachte nicht an das Wohl der Firma.
   b) Wichtige Investitionen wurden nicht gemacht. (worden wären)
9. Die Eigentümer verkauften die Firma, ohne ...
   a) Der Betriebsrat wurde nicht informiert.
   b) Sie informierten den Betriebsrat nicht davon.
10. Die Arbeiter besetzten ihre bankrotte Firma, (*damit* oder *um ... zu*) ...
    a) Die Maschinen sollten nicht heimlich verkauft werden können.
    b) Sie wollten vom Verkauf der Maschinen den Arbeitslohn finanzieren, den sie noch zu bekommen hatten.

§ 34 Fragesätze als Nebensätze

a)	Niemand weiß,	**ob** wir sie jemals wiedersehen.
b) temporal	...	, **wann** sie weggegangen ist.
kausal	...	, **warum** sie sich verstecken muß.
	...	, **weswegen** sie uns verlassen hat.
modal	...	, **wie** es ihr geht.
	...	, **wie** einsam sie jetzt ist.
lokal	...	, **wo** sie jetzt ist.
	...	, **wohin** sie geflohen ist.
c)	...	, **wer** ihr bei der Flucht geholfen hat.
	...	, **was** sie denkt und macht.
	...	, **wessen Befehle** sie ausführt.
	...	, **wem** sie gehorcht.
	...	, **wen** sie kennt.
d)	...	, **an wen** sie sich gewendet hat.
	...	, **vor wem** sie sich fürchtet.
e)	...	, **worauf** sie wartet.
	...	, **womit** sie sich beschäftigt.
	...	, **worunter** sie leidet.

Regeln

Wenn ein Fragesatz als Nebensatz gebraucht wird, muß man ihn mit einer Konjunktion einleiten.

zu a) Bei Fragen ohne Fragewort steht immer die Konjunktion *ob*.

zu b–e) Bei Fragen mit Fragewort gebraucht man das jeweilige Fragewort bzw. die Zusammensetzung mit einer Präposition als Konjunktion.

ÜBUNGEN

1 Bilden Sie aus den Fragen der Übung § 17 Nr. 3 Nebensätze, indem Sie folgende Wendungen davorsetzen: Wissen Sie vielleicht, ...? Können Sie mir sagen, ...? Ist Ihnen vielleicht bekannt, ...? usw.

Backt dieser Bäcker auch Kuchen?
Haben Sie eine Ahnung, *ob* dieser Bäcker auch Kuchen *backt*?

2 Bilden Sie abhängige Fragesätze mit Hilfe der Übung § 17 Nr. 5 in der folgenden Art:

A: Sag mir bitte, *an wen* du geschrieben *hast*!
B: An wen ...? Ich habe an meine Schwester geschrieben.

Üben Sie ggf. zu zweit. A fordert B auf; er beginnt z. B.: *Verrat mir doch, . . . ; Erzähl mir mal, . . . ; Ich möchte wirklich gern wissen, . . . ,* usw. B gibt eine Antwort.

3 Üben Sie nach folgendem Muster. Verwenden Sie dabei Wendungen wie: Ich weiß leider auch nicht, . . . ; Ich kann Ihnen auch nicht sagen, . . . ; Mir ist leider auch nicht bekannt, . . .

Wo kann ich hier eine Auskunft bekommen? Ich kann Ihnen auch nicht sagen, *wo* Sie hier eine Auskunft *bekommen können.*

1. Wo kann ich hier ein Flugticket bekommen? 2. Warum können die Flugzeuge heute von hier nicht starten? 3. Wann soll das Flugzeug aus Kairo ankommen? 4. Um wieviel Uhr muß ich wieder hier sein? 5. Wo kann ich mein Gepäck abgeben? 6. Wieviel türkische Pfund darf ich in die Türkei mitnehmen?

4 Bilden sie aus der Frage einen abhängigen Fragesatz, und setzen sie ihn in den zweiten Satz hinter das Substantiv mit □.

Mietest du ein Zimmer oder eine Wohnung? Die Frage □ ist noch nicht geklärt. Die Frage, *ob* ich ein Zimmer oder eine Wohnung *miete,* ist noch nicht geklärt.

1. Ist der Fahrer unaufmerksam gewesen und deshalb gegen einen Baum gefahren? – Das Rätsel □ ist noch nicht aufgeklärt.
2. Ist er zu schnell gefahren? – Die Frage □ wollte er nicht beantworten.
3. Hat der Verletzte etwas gebrochen? – Von der Feststellung □ hängt seine weitere Behandlung ab.
4. Hat der Fahrer Alkohol im Blut gehabt? – Die Frage □ wird die Blutuntersuchung beantworten.
5. Verliert der Autofahrer seinen Führerschein? – Die Entscheidung □ muß der Richter treffen.
6. Bekommt der Fahrer eine Gefängnisstrafe? – Die Ungewißheit □ macht ihn ganz krank.
7. Hat der Angeklagte sich verfolgt gefühlt? – Von der Feststellung des Richters □ hängt sehr viel ab.
8. Wird der Mann seine Stelle als Fernfahrer behalten? – Die Entscheidung □ hängt ganz vom Ergebnis der Blutuntersuchung ab.

5 Üben Sie nach folgendem Muster:

Kommt er mit uns? – Er hat sich noch nicht geäußert. Er hat sich noch nicht geäußert, *ob* er *mitkommt.* Wohin fahren wir? – Ich erzähle (es) dir nachher. Ich erzähle dir nachher, *wohin* wir *fahren.*

1. Wer fährt sonst noch mit? – Wir werden (es) sehen.
2. Wann kommen wir zurück? – Ich weiß (es) selbst nicht.
3. Müssen wir einen Paß mitnehmen? – Kannst du mir (das) sagen?
4. Was kostet die Fahrt? – Ich möchte (es) gern wissen.
5. Kann ich vorne beim Fahrer sitzen? – Sag mir (das) bitte.
6. Fahren die Frauen auch mit? – Hans möchte (es) gern wissen.
7. Gehen wir zum Mittagessen in ein Restaurant, oder müssen wir das Essen mitnehmen? – Es muß uns doch gesagt werden. (... oder *ob*)
8. Soll ich mein Fernglas mitnehmen? – Ich weiß (es) nicht.
9. Warum soll er seine Kamera nicht mitnehmen? – Hans will (es) wissen.
10. Hat der Bus eine Klimaanlage? – Kannst du mal nachfragen?

§ 35 Relativsätze

Vorbemerkungen

1. Relativsätze sind Nebensätze, die von einem Substantiv abhängen. Sie geben Erklärungen zu diesem Substantiv. Ohne diese Erklärungen ist ein Satz oft unverständlich: Jugendliche, *die einen guten Schulabschluß haben,* finden leichter eine Lehrstelle.

2. Relativsätze werden im allgemeinen direkt hinter das Substantiv gestellt, auf das sie sich beziehen, d. h. sie werden in einen bestehenden Satz eingeschoben oder ihm angefügt, ohne daß sich die Satzstellung des bestehenden Satzes ändert.
Relativsätze können in Hauptsätze, Nebensätze, Infinitivkonstruktionen oder andere Relativsätze eingefügt werden:
   a) Hauptsatz: Der Polizist fragt den Passanten, *der den Unfall gesehen hat,* nach seiner Meinung.
   b) Nebensatz: Der Polizist vermutet, daß der Passant, *der den Unfall gesehen hat,* vor Gericht nicht aussagen will.
   c) Infinitivkonstruktion: Der Polizist hofft, den Passanten, *der den Unfall gesehen hat,* wiederzuerkennen.
   d) Relativsatz: Der Polizist verfolgt den Mann, *der* den Unfall, *bei dem* ein Kind *verletzt worden ist, gesehen hat.*
   Oder einfacher: Der Polizist verfolgt den Mann, *der* den Unfall *gesehen hat, bei dem* ein Kind *verletzt worden ist.*

Anmerkungen

1. Zwischen dem Substantiv und dem Relativsatz können auch Verben, Verbzusätze, Adverbien u. ä. stehen:
Wir müssen noch den Artikel *beenden,* der heute gedruckt werden soll.
Sie rannte dem Kind *hinterher,* das auf die Straße laufen wollte.
2. Das Relativpronomen *welcher, welche, welches* ist veraltet und wird selten gebraucht.

I Relativsätze mit dem Relativpronomen im Nominativ, Akkusativ, Dativ

Nom.	Sg.	m	Der Mann, **der** dort steht,	kennt den Weg nicht.
		f	Die Frau, **die** dort steht,	
		n	Das Kind, **das** dort steht,	
	Pl.		Die Leute, **die** dort stehen,	kennen den Weg nicht.
Akk.	Sg.	m	Der Mann, **den** ich gefragt habe,	ist nicht von hier.
		f	Die Frau, **die** ich gefragt habe,	
		n	Das Kind, **das** ich gefragt habe,	
	Pl.		Die Leute, **die** ich gefragt habe,	sind nicht von hier.
Dat.	Sg.	m	Der Mann, **dem** ich geantwortet habe,	versteht mich nicht.
		f	Die Frau, **der** ich geantwortet habe,	
		n	Das Kind, **dem** ich geantwortet habe,	
	Pl.		Die Leute, **denen** ich geantwortet habe,	verstehen mich nicht.

Regeln

1. Das Relativpronomen richtet sich in Geschlecht (Genus = m., f., n.) und Zahl (Singular, Plural) nach dem Substantiv, von dem es abhängt.
2. Das Relativpronomen richtet sich in seinem Fall (Kasus) nach der Struktur des Relativsatzes.

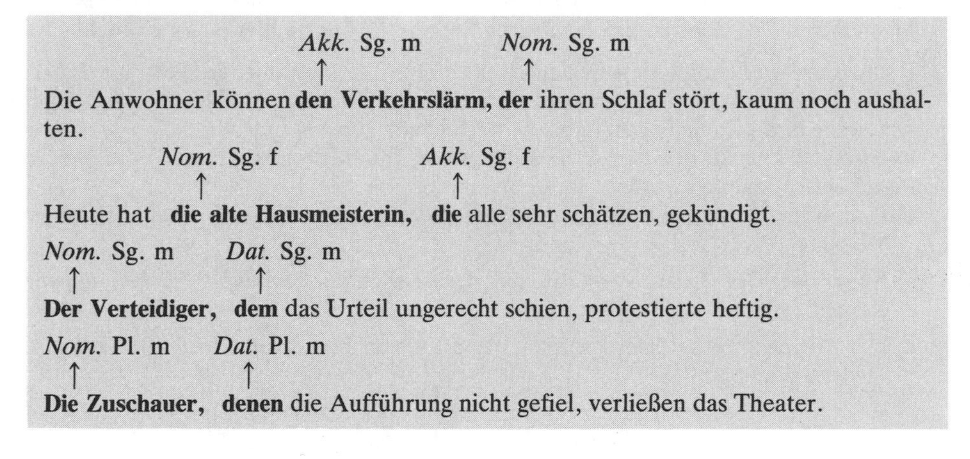

Akk. Sg. m ↑ — *Nom.* Sg. m ↑

Die Anwohner können **den Verkehrslärm, der** ihren Schlaf stört, kaum noch aushalten.

Nom. Sg. f ↑ — *Akk.* Sg. f ↑

Heute hat **die alte Hausmeisterin, die** alle sehr schätzen, gekündigt.

Nom. Sg. m ↑ — *Dat.* Sg. m ↑

Der Verteidiger, dem das Urteil ungerecht schien, protestierte heftig.

Nom. Pl. m ↑ — *Dat.* Pl. m ↑

Die Zuschauer, denen die Aufführung nicht gefiel, verließen das Theater.

II Relativsätze mit dem Relativpronomen im Genitiv

Sg.	m	Der Turm, **dessen** Fundamente morsch sind, soll abgerissen werden.
	f	Die Bibliothek, **deren** Räume renoviert werden, ist zur Zeit geschlossen.
	n	Das Gebäude, **dessen** Dach schadhaft ist, soll renoviert werden.
Pl.		Die Busse, **deren** Motoren zu alt sind, müssen verkauft werden.

Regeln

1. Das Relativpronomen im Genitiv ist ein Ersatz für ein Genitiv-Attribut:
   Die Fundamente des Turmes = dessen Fundamente
   die Räume der Bibliothek = deren Räume
   die Motoren der Busse = deren Motoren
2. Das Substantiv nach dem Relativpronomen im Genitiv wird ohne Artikel gebraucht; also werden auch die folgenden Adjektive artikellos dekliniert:
   Der Turm, dessen feuchtes Fundament ...
   Die Busse, deren alte Motoren ...
3. Das Relativpronomen im Genitiv richtet sich in Geschlecht und Zahl nach dem Substantiv, auf das es sich bezieht. Der Fall (Kasus) des folgenden artikellosen Substantivs hängt von der Struktur des Relativsatzes ab.

Nom. Sg. n ↑ — *Akk.* Sg. n ↑

Das Gebäude, dessen Keller man renovieren will, ...
(= Man will **den Keller des Gebäudes** renovieren.)

Akk. Sg. n ↑ — *Dat.* Pl. n ↑

Wir lieben **das alte Haus, dessen Bewohnern** eine Räumungsklage droht.
(= **Den Bewohnern des alten Hauses** droht eine Räumungsklage.)

ÜBUNGEN

1 Kunden im Warenhaus – Setzen Sie das Relativpronomen im Nominativ und Akkusativ ein.

1. Ist das der Taschenrechner, ... Sie in der Zeitung annonciert haben? 2. Was kosten die Hosen, ... hier hängen? 3. Haben Sie auch Wanduhren, ... mit einer Batterie betrieben werden? 4. Kann ich das Kleid, ... im Schaufenster ausgestellt ist, mal anprobieren? 5. Ich suche einen Elektrokocher, ... man auf verschiedene Temperaturen einstellen kann. 6. Haben Sie Bürolampen, ... man am Schreibtisch anschrauben kann? 7. Wo haben Sie die Kaffeemaschine, ... kürzlich im Test so gut beurteilt wurde? 8. Was kostet der Lautsprecher, ... hier in der Ecke steht? 9. Ich suche ein Kofferradio, ... man sowohl mit Batterie als auch mit Netzstrom betreiben kann. 10. Haben Sie auch Armbanduhren, ... sich automatisch durch die Armbewegung aufziehen? 11. Das ist ein Kästchen mit Spieluhr, ... ein Lied spielt, wenn man den Deckel öffnet. 12. Hier sind die Kerzen, ... nicht nur leuchten, sondern auch Insekten vertreiben. 13. Haben Sie auch einen Kühlschrank, ... man im Campingwagen mitnehmen kann? 14. Haben Sie Batterien, ... wieder aufgeladen werden können?

2 Erklären Sie die Wörter mit einem Relativsatz.

ein Segelflugzeug (ohne Motor durch die Luft fliegen)
Ein Segelflugzeug ist ein Flugzeug, *das* ohne Motor durch die Luft *fliegt*.

1. ein Flußschiff (auf Flüssen verkehren)
2. ein Holzhaus (aus Holz gebaut sein)
3. eine Wochenzeitung (jede Woche einmal erscheinen)
4. eine Monatszeitschrift (?)
5. ein Elektromotor (von elektrischem Strom getrieben werden)
6. ein Motorboot (?)
7. eine Mehlspeise (aus Mehl zubereitet werden)
8. ein Kartoffelsalat (?)
9. eine Orgelmusik (mit einer Orgel ausgeführt werden)
10. eine Blasmusik (mit Blasinstrumenten . . .)
11. ein Holzwurm (im Holz leben)
12. ein Süßwasserfisch (?)

*** 3 Erklären Sie selbständig – ggf. mit Hilfe des Wörterbuchs – nach obigem Muster folgende Wörter:**

1. der Holzfäller
2. der Schornsteinfeger
3. der Wäschetrockner
4. die Instrumentalmusik
5. der Gewohnheitsverbrecher
6. der Jagdhund
7. die Klassenarbeit
8. der Lastkraftwagen
9. die Steuerbehörde
10. die Wasserpflanze

4 Das Relativpronomen im Nominativ oder Akkusativ – Fragen Sie nach den schräg gedruckten Substantiven, und beginnen Sie immer so: Was machst du mit . . . ?

Mein Onkel hat mir ein *Haus* vererbt. Was machst du *mit dem Haus, das* dir dein Onkel vererbt hat?

1. Ich habe *1000 Mark* im Lotto gewonnen. 2. Mein *Hund* bellt von morgens bis abends. 3. Meine Freundin hat das *Bügeleisen* kaputtgemacht. 4. Meine Eltern haben mir eine *Kiste Wein* zum Examen geschickt. 5. Meine Freunde haben mir eine *Palme* gekauft. 6. Mein *Papagei* (m) ruft immer „Faulpelz". 7. Meine Verwandten haben mir ein *Klavier* geschenkt. 8. Meine *Katze* stiehlt mir das Fleisch aus der Küche.

5 Ebenso. Beginnen Sie immer mit „Was hat er denn mit . . . gemacht?"

Er hat sich *Nägel* gekauft. Was hat er denn *mit den Nägeln* gemacht, *die* er sich gekauft hat?

1. Er hat sich *Farbe* (f) gekauft. 2. Sie hat sich *Topfpflanzen* besorgt. 3. Der Schriftsteller hat einen *Roman* geschrieben. 4. Die Kinder haben *Kreide* (f) aus der Schule mitgenommen. 5. Die Katze hat eine *Maus* gefangen. 6. Der junge Mann hat das *Auto* kaputtgefahren. 7. Die Nachbarin hat sich *Kleiderstoffe* (Pl.) gekauft. 8. Fritz hat eine *Brieftasche* gefunden.

6 Bilden Sie selbständig weitere Aussagesätze und Fragen nach dem Muster der Übungen 4 und 5. Beantworten Sie die Fragen auch, z. B.: „Das Haus, das mir mein Onkel vererbt hat, werde ich wahrscheinlich verkaufen."

7 Ergänzen Sie das Relativpronomen im Nominativ, Dativ oder Akkusativ.

1. Wer ist die Frau, ...?
   a) ... immer so laut lacht
   b) ... du eben begrüßt hast
   c) ... du gestern angerufen hast
2. Kennst du die Leute, ...?
   a) ... diese Autos gehören
   b) ... da vor der Tür stehen
   c) ... der Bürgermeister so freundlich begrüßt
3. Frau Huber, ..., ist unsere Nachbarin.
   a) ... du ja kennst
   b) ... auch dieses Haus gehört
   c) ... schon fünfzehn Jahre Witwe ist
4. Ich fahre morgen zu meinem Bruder, ...
   a) ... schon seit zehn Jahren in Stuttgart wohnt
   b) ... ich beim Hausbau helfen will
   c) ... ich schon lange nicht mehr gesehen habe
5. Die Fußballspieler, ..., gaben ihr Letztes.
   a) ... ein Tor nicht genügte
   b) ... von der Menge angefeuert wurden
   c) ... aus Belgien kamen
6. Wer hat denn den Schlüssel weggenommen, ...?
   a) ... hier immer gelegen hat
   b) ... ich hier hingelegt habe
   c) ... ich gerade habe machen lassen
7. Herr Müller, ..., wird 80 Jahre.
   a) ... wir eben gratuliert haben
   b) ... noch jeden Tag in seinem Garten arbeitet
   c) ... man kürzlich operiert hat
8. Der Verkäuferin, ..., wurde gekündigt.
   a) ... man bei einem Diebstahl beobachtet hatte
   b) ... man mehrere Diebstähle vorwirft
   c) ... in der Lebensmittelabteilung gearbeitet hat
9. Der Zahnarzt, ..., mußte seine Praxis aufgeben.
   a) ... seine Patienten grob behandelte
   b) ... die Patienten fürchteten
   c) ... die Bank keinen Kredit mehr geben wollte
10. Die Reisenden, ..., wechselten das Hotel.
    a) ... man ziemlich unhöflich bedient hatte
    b) ... das Essen nicht schmeckte
    c) ... wegen des Lärms nicht schlafen konnten

8 Ergänzen Sie das Relativpronomen im Genitiv.

1. a) Der Baum b) Die Pflanze c) Die Sträucher (Pl.)
   ..., ... Wurzeln krank waren, mußte(n) ersetzt werden.
2. a) Der Reisende b) Die Touristin c) Das Kind
   ..., ... Ausweis nicht zu finden war, konnte die Grenze nicht passieren.
3. a) Der Student b) Die Studentin c) Die Studenten
   ..., ... Doktorarbeit in der Fachwelt großes Interesse fand, wurde(n) von der Universität ausgezeichnet.

4. a) Der Architekt b) Die Architektin c) Das Architektenteam
   ..., ... Brückenkonstruktion plötzlich zusammengebrochen war, wurde vor Gericht gestellt.
5. a) Der Junge b) Das Mädchen c) Die Kinder
   ..., ... Mutter im Krankenhaus lag, wurde(n) von einer Verwandten versorgt.
6. a) Der Arbeiter b) Die Arbeiterin c) Die Arbeiter
   ..., ... Betrieb schließen mußte, war(en) plötzlich arbeitslos.
7. a) Das Fräulein b) Die Dame c) Der Herr
   ..., ... Auto in einen Graben geraten war, bat den Automobilclub telefonisch um Hilfe.
8. a) Der Sportverein b) Die Kleingärtner (Pl.) c) Der Tennisclub
   ..., ... Gemeinschaftsräume zu klein geworden waren, beschloss(en) den Bau eines neuen Hauses.

9 Verbinden Sie die Sätze. Das Relativpronomen steht immer im Genitiv.

Wir beruhigten die Ausländerin. Ihr Sohn war bei einem Unfall leicht verletzt worden.
Wir beruhigten die Ausländerin, *deren Sohn* bei einem Unfall leicht *verletzt worden war.*

1. Der Geiger mußte das Konzert absagen. Sein Instrument war gestohlen worden. 2. Der Dichter lebt jetzt in der Schweiz. Seine Romane waren immer große Erfolge. 3. Man hat das Rathaus abreißen wollen. Seine Räume sind dunkel und schlecht zu heizen. 4. Die Bürger jubelten. Ihre Proteste hatten schließlich zum Erfolg geführt. 5. Der Chirurg wurde von Patienten aus aller Welt angeschrieben. Seine Herzoperationen waren fast immer erfolgreich verlaufen. 6. Der Pilot hatte sich mit dem Fallschirm gerettet. Sein Flugzeug hatte zu brennen begonnen. 7. Der Autofahrer hatte sich verfahren. Seine Straßenkarten waren zu ungenau. 8. Die Reisenden wollten mit dem Bus nicht weiterfahren. Sein Fahrer war betrunken. 9. Wir konnten das Auto nicht selbst reparieren. Sein Motor war defekt. 10. Sie versuchten, die arme Frau zu beruhigen. Ihr Sohn war mit dem Motorrad verunglückt. 11. Kurz nach 17 Uhr kam ich zur Post. Ihre Schalter waren aber inzwischen geschlossen. 12. Der Richter ließ sich von den Zeugen nicht täuschen. Ihre Aussagen waren widersprüchlich. 13. Die Angeklagte wurde zu zwei Jahren Gefängnis verurteilt. Ihre Schuld war erwiesen. 14. Verärgert stand er vor den verschlossenen Türen der Bank. Ihre Öffnungszeiten hatten sich geändert. 15. Für den Deutschen war es schwer, sich in dem fremden Land zurechtzufinden. Seine Fremdsprachenkenntnisse waren sehr gering.

III Relativsätze mit Präpositionen

Einige Häuser, **für die** die Nachbarn gekämpft haben, sollen erhalten bleiben.
(Die Nachbarn haben für die Häuser gekämpft.)

Man will das Schloß, **in dessen** Park jetzt Festspiele stattfinden, renovieren.
(In dem Park des Schlosses finden jetzt Festspiele statt.)

Regel

Wenn zu einem Relativpronomen eine Präposition gehört, steht sie vor dem Relativpronomen.

IV Relativsätze mit „wo(–)"

a) Man hat das Haus, **in dem** wir zwanzig Jahre gewohnt haben, jetzt abgerissen.
Man hat das Haus, **wo** wir zwanzig Jahre gewohnt haben, jetzt abgerissen.
b) Die Kleinstadt, **in die** ich umgezogen bin, gefällt mir sehr gut.
Die Kleinstadt, **wohin** ich umgezogen bin, gefällt mir sehr gut.
c) In der Innenstadt von Hamburg, **wo** der Lärm unerträglich ist, möchte ich nicht wohnen.
d) Man hat den alten Marktplatz umgebaut, **worüber** sich die Bürger sehr aufgeregt haben.
In der Stadt bleibt nur noch wenig übrig, **woran** sich die Bürger erinnern.

Regeln

zu a + b) Die Präposition *in* + Relativpronomen kann bei Ortsangaben durch *wo* (= *in* + Dativ) oder *wohin* (= *in* + Akkusativ) ersetzt werden.
zu c) Nach Städte- oder Ländernamen gebraucht man bei Ortsangaben das Relativpronomen *wo* oder *wohin* (siehe Anmerkung).
zu d) Wenn vor dem Relativpronomen eine Präposition nötig ist und sich der Relativsatz auf die gesamte Aussage des Hauptsatzes bezieht, gebraucht man *wo(r)-* + Präposition.

Anmerkungen

1. Nach Städte- und Ländernamen ohne Artikel (siehe § 3 III) ist das Relativpronomen im Nominativ, Akkusativ oder Dativ neutral:
Hamburg, *das* 100 Kilometer entfernt liegt, ist meine Heimatstadt.
Rußland, *das* er über 50 Jahre nicht mehr gesehen hatte, blieb ihm unvergeßlich.
2. Das Relativpronomen *wo* kann sich auch auf Zeitangaben beziehen:
In den letzten Jahren, *wo* es der Wirtschaft gut ging, hat man die Renten weiter erhöht.
(stilistisch besser: ..., *als* es der Wirtschaft gut ging, ...)

V Relativsätze mit „wer, wessen, wem, wen"

a) **Wer** die Ehrlichkeit des Kaufmanns kennt, (der) wird ihm auch glauben.
b) **Wen** die Götter verderben wollen, (den) schlagen sie mit Blindheit.
c) **Wessen** Herz für die Freiheit schlägt, den nenne ich einen edlen Mann.
d) **Wem** die Bergwanderung zu anstrengend wird, der soll jetzt zurückbleiben.

Regeln

1. Die verkürzten Relativsätze mit *wer, wessen, wem, wen* sind aus Relativsätzen hervorgegangen, die sich auf unbestimmte Personen beziehen:

Jeder, der die Ehrlichkeit des Kaufmanns kennt, wird ihm auch glauben.
Denjenigen, den die Götter verderben wollen, schlagen sie mit Blindheit.
Alle, denen die Bergwanderung zu anstrengend ist, sollen jetzt zurückbleiben.

2. Am Anfang des Hauptsatzes steht oft ein Demonstrativpronomen: *der, den, die* usw., und zwar meistens dann, wenn der Kasus im Relativsatz und im Hauptsatz verschieden ist *(wessen ..., den ...; wem ..., der ...).*

VI Relativsätze mit „was“

a) **Alles, was** du mir erzählt hast, habe ich schon gehört.
Nichts, was du mir mitgeteilt hast, ist mir neu.
Das, was mich ärgert, ist der Inhalt deines letzten Briefes.
Das Schönste, was du geschrieben hast, ist die Nachricht von deiner Verlobung.

b) Er rief gestern plötzlich an, **was** wir nicht erwartet hatten.
Er sagt, daß er Geldschwierigkeiten habe, **was** ich nicht glauben kann.

c) Er hat niemals **davon** gesprochen, **was** bei dem Unfall geschehen ist.
Er kann sich nicht mehr **daran** erinnern, **was** er alles erlebt hat.

d) **Was** sich damals ereignet hat, (das) bleibt unerklärlich.
Was wir an diesem Tag erlebt haben, (das) können wir nie vergessen.
Was die Ursache des Unglücks war, **darüber** wollen wir schweigen.

Regeln

zu a) Nach dem Demonstrativpronomen *das*, nach *alles*, *nichts*, *etwas*, *einiges*, *weniges* usw. und nach dem neutralen Superlativ *das Schönste*, *das Letzte* usw. steht zur Erklärung ein Relativsatz mit *was*.

zu b) Wenn sich ein Relativsatz auf die gesamte Aussage des Hauptsatzes bezieht, wird er mit *was* angeschlossen.

zu c) Wenn sich der Relativsatz mit *was* auf eine Aussage mit einem präpositionalen Objekt (z. B. *über die Ursache*) bezieht, muß *da(r)-* + Präposition im Hauptsatz stehen (siehe § 15 II, § 16 II 2).

zu d) 1. Wenn der *was*-Satz vorangestellt ist, ersetzt er zum Beispiel ein Subjekt, ein Akkusativobjekt oder ein präpositionales Objekt:
Das damalige Erlebnis bleibt unerklärlich. (Subjekt)
Das Erlebnis an diesem Tag können wir nie vergessen. (Akkusativobjekt)
Über die Ursache des Unglücks wollen wir schweigen. (präpositionales Objekt)
2. Zur Verstärkung kann das Demonstrativpronomen *das* am Anfang des Hauptsatzes stehen; *da(r)-* + Präposition muß dagegen immer in der Position I des Hauptsatzes stehen, wenn sich der *was*-Satz auf ein präpositionales Objekt bezieht.
3. Da das Relativpronomen *was* immer Singular ist, muß man aus dem Zusammenhang des Textes erkennen, ob die Aussage im *was*-Satz Singular oder Plural ist. Denkbar wäre bei den oben genannten Beispielen auch: *Die damaligen Ereignisse* bleiben unerklärlich. – *Unsere Erlebnisse* können wir nie vergessen.

ÜBUNGEN

1 Einige Fragen über die deutschsprachigen Länder – Relativpronomen mit Präposition oder „wo".

> In welcher Stadt ist Wolfgang Amadeus Mozart geboren?
> Salzburg ist *die Stadt, in der* Wolfgang Amadeus Mozart geboren ist. (. . . , *wo* . . .)

1. In welcher Gegend gibt es die meisten Industrieanlagen?
2. An welchem Fluß steht der Lorelei-Felsen?
3. In welchem Wald steht das Hermanns-Denkmal?
4. In welchem Gebirge gibt es die höchsten Berge?
5. Auf welchem Berg wurde der Segelflug zum ersten Mal erprobt?
6. In welcher Stadt ist Ludwig van Beethoven geboren, und in welcher Stadt ist er gestorben?
7. In welchem Staat gibt es drei Amtssprachen, aber vier Landessprachen?
8. An welchem See haben drei Staaten einen Anteil?
9. Über welche Leute werden seit einiger Zeit die meisten Witze erzählt?
10. In welcher Stadt standen früher die schönsten Barockbauten Europas?
11. Vor den Mündungen welcher großen Flüsse liegt die Insel Helgoland? (Es sind die Mündungen der . . . und der . . . .)
12. In welchen zwei Städten am Rhein liegen viele deutsche Kaiser und Könige begraben?
13. In der Nähe welcher Stadt wurden die olympischen Winterspiele 1976 ausgetragen? (. . . ist die Stadt, in + Genitiv)
14. Durch welchen Berg führt die Straße von Basel nach Mailand?
15. Nach welchem Berg wird die Hochalpenstraße in Österreich benannt?

Lösungen:
1. das Ruhrgebiet 2. der Rhein 3. der Teutoburger Wald 4. die Alpen (Pl.!) 5. die Wasserkuppe 6. Bonn, Wien 7. die Schweiz 8. der Bodensee 9. die Ostfriesen 10. Dresden 11. die Elbe, die Weser 12. Worms und Speyer 13. Innsbruck 14. der St. Gotthard 15. der Großglockner

2 Bilden Sie Sätze nach folgendem Muster. Vor dem Relativpronomen steht eine Präposition.

> Was ist ein Paß? (Ausweis (m) / mit / in andere Staaten reisen können)
> Ein Paß ist *ein Ausweis, mit dem* man in andere Staaten reisen kann.

1. Was ist ein Holzfaß? (Behälter (m) / in / z. B. Wein lagern können)
2. Was ist ein Fahrrad? (Verkehrsmittel (n) / mit / sich mit eigener Kraft fortbewegen können)
3. Was ist eine Dachrinne? (Rohr (n) / durch / das Regenwasser vom Dach leiten)
4. Was ist ein Staubsauger? (Maschine (f) / mit / Teppiche säubern)
5. Was ist ein Videorekorder? (Gerät (n) / mit / Fernsehsendungen aufnehmen und wiedergeben können)

6. Was ist eine Lupe? (Glas (n) / mit / kleine Dinge groß sehen können)
7. Was ist ein Tresor? (Schrank (m) aus Stahl / in / das Geld vor Dieben oder Feuer schützen können)
8. Was ist ein Herd? (Kücheneinrichtung (f) / auf / warme Speisen zubereiten können)

3 Bilden Sie Sätze nach folgendem Muster. Der Nebensatz wird mit „wer“, „wessen“, „wem“ oder „wen“ eingeleitet.

Hat noch jemand etwas zu diesem Thema zu sagen? – Melden Sie sich bitte! *Wer* noch etwas zu diesem Thema zu sagen hat, der soll sich bitte melden!

1. Gefällt jemandem die Lösung nicht? – Sagen Sie es bitte!
2. Steht jemandem noch Geld zu? – Stellen Sie schnell einen Antrag!
3. Ist jemandes Antrag noch nicht abgegeben? – Geben Sie ihn jetzt gleich im Sekretariat ab! (Wessen Antrag ...)
4. Interessiert das jemanden nicht? – Gehen Sie ruhig schon weg!
5. Ist jemand an der Bildung einer Fußballmannschaft interessiert? – Kommen Sie bitte um 17 Uhr hierher!
6. Hat jemand noch Fragen? – Bringen Sie sie jetzt vor!
7. Versteht jemand die Aufgabe nicht? – Kommen Sie bitte zu mir!
8. Ist jemandem noch etwas Wichtiges eingefallen? – Schreiben Sie es auf einen Zettel, und geben Sie ihn mir!
9. Ist jemandes Arbeit noch nicht fertig? – Geben Sie sie nächste Woche ab!
10. Braucht jemand noch Hilfe? – Wenden Sie sich bitte an den Assistenten!

*** 4 Ergänzen Sie. Außer „was“ und „wo“ soll jedes Wort nur einmal eingesetzt werden; was, wo, wobei, wodurch, wofür, wogegen, womit, woraus, worüber, worunter, wovon, wovor, wozu.**

1. Tu das, ... der Arzt gesagt hat! Schlafen ist das Beste, ... du jetzt machen kannst.
2. Der Schlosser öffnete die Tür mit einem Dietrich, ... man einen hakenförmig gebogenen Draht versteht. Die Frau gab dem Schlosser zwanzig Mark, ... dieser sich sehr freute.
3. Die Jungen gingen auf eine zweiwöchige Wanderung, ... sie sich ein Zelt ausgeliehen hatten. Sie kamen in schlechtes Wetter, ... sie schon gewarnt worden waren. So saßen sie mit ihrem Zelt eine Woche im Regen, ... natürlich nicht so angenehm war.
4. Frau Krüger sammelte Erdbeeren, ... ihr Mann einen sehr guten Wein bereitete. Aber im letzten Jahr hatte er etwas falsch gemacht, ... der Wein zu Essig geworden war.
5. Die Regierung hatte die BAFöG-Gelder heruntergesetzt, ... Studenten und Schüler protestierten. Sie veranstalteten einen Demonstrationsmarsch, ... sie große Protestschilder vor sich hertrugen.
6. Er bastelte ein Bücherregal, ... er Holz im Wert von 250 Mark kaufte. Es war eine Menge Material, ... aber zum Schluß nichts übrigblieb.
7. Herr Spätle hatte eine Alarmanlage gekauft, ... er sein Haus gegen Einbrecher schützen wollte.
8. Bei den Erdbeben verloren die Menschen fast alles, ... sie besaßen. Sie zogen mit dem, ... sie noch retten konnten, zu Verwandten.

9. Rothenburg ob der Tauber, das war das Schönste, ... ich an alten Städten je gesehen habe!
10. ... wir als Kinder Fußball gespielt haben, da steht jetzt ein Hochhaus.
11. Ich weiß nicht, ... die Leute hier suchen.
12. Alles, ... er besaß, schenkte er dem Roten Kreuz.
13. Unser Haus steht dort, ... der hohe Baum ist.
14. Ich gehe wieder nach Tübingen, ... ich studiert habe.

5 Zum Thema Umweltschutz – Bilden Sie Sätze, und verwenden Sie die Angaben in Klammern.

Die Autoabgase enthalten Giftstoffe. Das ist schon lange bekannt. (was) Die Autoabgase enthalten Giftstoffe, *was* schon lange bekannt ist.

1. Tanker (= Ölschiffe) lassen jährlich mehrere Millionen Liter Ölreste ins Meer ab. Dort bilden sich riesige Ölfelder. (wo)
2. Auch mit den Flüssen wird sehr viel Öl ins Meer transportiert. Darauf machen Umweltschützer immer wieder warnend aufmerksam. (worauf)
3. Die Umweltverschmutzung verursacht immer größere Schäden. Darüber machen sich Fachleute große Sorgen. (worüber)
4. Es müssen strenge Gesetze zum Schutz der Umwelt aufgestellt werden. Darüber müssen die Fachleute aller Länder beraten. (worüber)
5. Das Plankton (= Kleinstlebewesen im Meer) wird mit krebserregenden Stoffen angereichert. Dies bedeutet indirekt eine Gefahr für die Ernährung der Menschen. (was)
6. Jährlich verschwindet ein gewisser Prozentsatz Wälder des tropischen Urwaldgürtels. Dadurch wird möglicherweise der Sauerstoffgehalt unserer Luft abnehmen. (wodurch)
7. Immer wieder werden schöne alte Häuser in den Zentren unserer Städte abgerissen. Dagegen protestieren die Bürger der Städte oft heftig. Das hat aber leider nicht immer den gewünschten Erfolg. (wogegen / was)
8. Naturschützer versuchen auch, Wale und Robben vor der Ausrottung (= Vernichtung der Art) zu retten. Dabei setzen sie oft ihr Leben aufs Spiel. (wobei)
9. Jährlich werden viele Quadratkilometer Naturland in Straßen verwandelt. Dadurch wird unser natürlicher Lebensraum immer kleiner. (wodurch)
10. Durch Auto- und Fabrikabgase bildet sich sogenannter „saurer Regen". Darunter leiden besonders unsere Nadelbäume. Er führte aber auch schon zum Fischsterben in schwedischen Seen. (worunter / was)

6 Ein Brief – Bilden Sie was-Sätze nach folgendem Muster:

Ich muß Dir etwas Wichtiges mitteilen. – Das ist eine schlimme Nachricht für Dich. *Was* ich Dir jetzt mitteilen muß, ist eine schlimme Nachricht für Dich. Vorgestern ist etwas passiert. – Und zwar folgendes: Unser Vater hat einen Schlaganfall gehabt. *Was* vorgestern passiert ist, *ist, daß* unser Vater einen Schlaganfall gehabt hat.

1. Etwas macht mir Hoffnung. – Und zwar folgendes: Er steht auf und läuft schon wieder normal.
2. Nach dem Schlaganfall ist leider etwas zurückgeblieben. – Das ist ein leichtes Zittern seiner linken Hand.
3. Sein Arzt hat ihm etwas geraten. – Und zwar folgendes: Er soll das Rauchen aufgeben.
4. Etwas beunruhigt mich. – Das sind seine kleinen Gedächtnislücken.
5. Während seiner Krankheit muß er etwas vergessen haben. – Und zwar, daß er einige Jahre in Berlin gelebt hat.
6. Mir fiel etwas auf. – Und zwar folgendes: Er konnte auf alten Fotos seine ehemaligen Nachbarn nicht wiedererkennen.
7. Etwas tröstet mich. – Und zwar, daß er diesen Gedächtnisverlust gar nicht bemerkt.
8. Trotz seiner 89 Jahre hat er etwas behalten. – Und zwar seine positive Lebenseinstellung.

7 Relativsätze: Gesamtwiederholung

a Bilden Sie Sätze nach folgenden Mustern:

> Ist das der Herr, . . . ? (*Er* wollte mich sprechen.)
> Ist das der Herr, *der* mich sprechen wollte?

1. Du hast gestern *mit ihm* gesprochen.
2. Du hast *ihn* eben gegrüßt.
3. *Seine* Tochter ist eine Freundin von dir.
4. *Er* ist Journalist bei der Norddeutschen Zeitung.
5. *Seine* Bücher habe ich auf deinem Schreibtisch liegen sehen.
6. Du hast mir neulich schon mal *von ihm* erzählt.

b

> Hier ist die Uhr, . . . !

1. Ich habe *sie* so lange gesucht.
2. Du hast *sie* mir geschenkt.
3. Ich bin *damit* versehentlich ins Wasser gegangen.
4. Ich habe das Glas *der Uhr* verloren.
5. Du hast so *davon* geschwärmt.
6. Ich bin *damit* beim Uhrmacher gewesen.

c

> Das Buch, . . . , gehört mir!

1. *Es* hat einen blauen Einband.
2. Du liest *darin*.
3. Du hast *davon* gesprochen.
4. Du hast *es* in deine Mappe gesteckt.
5. Ich habe *es* dir vor einem Jahr geliehen.
6. Du kannst die betreffenden Seiten *daraus* fotokopieren.

d

Das Stipendium, . . . , ist nicht leicht zu bekommen.

1. Man muß *es* bis Ende dieses Monats beantragen.
2. Man muß bestimmte Voraussetzungen *dafür* mitbringen.
3. Ich habe mich *darum* beworben.
4. *Um seinen* Erwerb bemühen sich viele Studenten.
5. *Es* wird von einer privaten Gesellschaft vergeben.
6. Du hast *davon* gehört.

e

Den Test, . . . , habe ich sicher ganz gut bestanden.

1. *Dabei* können auch mehrere Lösungen richtig sein.
2. Einige Assistenten haben *ihn* zusammengestellt.
3. *Er* prüft ein sehr weites Wissensgebiet.
4. Ich habe *ihn* gestern machen müssen.
5. Ich war *von seinem* Schwierigkeitsgrad überrascht.
6. *Von seinem* Ergebnis hängt für mich eine ganze Menge ab.

f

In unserer Firma arbeiten zwei Sekretärinnen, . . .

1. *Sie* feiern heute ihr 40jähriges Dienstjubiläum.
2. Der Chef will *mit ihnen* feiern.
3. Der Betriebsrat will *ihnen* gratulieren.
4. *Sie* sollen ein Geschenk erhalten.

g

1. Wo sind die beiden Jungen, . . . ?

1. *Sie* sollen ein Motorrad gestohlen haben.
2. Man will *ihnen* den Prozeß machen.
3. *Sie* werden von der Polizei gesucht.
4. *Ihre* Eltern sind ganz verzweifelt.
5. Man erzählt noch ganz andere Dinge *von ihnen.*

8 Satzverknüpfungen: Gesamtwiederholung – Verbinden Sie die Hauptsätze bis zum Schrägstrich zu einem sinnvollen Satzgefüge, indem Sie Kausal-, Konzessiv- und Relativsätze verwenden.

1 Ein alter Mann konnte nicht einschlafen. Sein Haus lag in der Nähe einer Eisenbahnstrecke. Das Geräusch des vorbeifahrenden Zuges klang anders als gewöhnlich. / Er
3 stand auf und zog seinen Wintermantel über seinen Schlafanzug. Er wollte nachsehen. Was hatte dieses seltsame Geräusch hervorgerufen? / Er nahm einen Stock. Sein rechtes
5 Bein war im Krieg verletzt worden, und es war Winter. / Der Schnee lag hoch, und sein

Bein begann schon nach wenigen Schritten zu schmerzen. Er kehrte nicht um, sondern
7 kletterte mit vielen Mühen auf den Eisenbahndamm. / Seine kleine Taschenlampe war
gut zu gebrauchen. Er hatte sie vorsichtshalber mitgenommen. Das Licht der Laternen
9 reichte nicht weit. / Nach längerem Suchen fand er endlich die Stelle. Dort war die
Schiene gerissen. / Es war spät in der Nacht, und der Wind pfiff. Er gab nicht auf und lief
11 den langen Weg bis zur nächsten Bahnstation. Er wollte unbedingt die Menschen retten.
Sie saßen ahnungslos in dem nächsten Schnellzug. Der Schnellzug kam aus München. /
13 Der Bahnhofsvorsteher hielt den alten Mann zunächst für verrückt. Der alte Mann
brachte ihm die Nachricht von einer zerrissenen Schiene. Der Beamte kam endlich mit,
15 um den Schaden selbst anzusehen. / Der Schnellzug näherte sich mit großer Geschwindigkeit der gefährlichen Stelle. Es gelang dem Beamten im letzten Augenblick, dem
17 Zugführer ein Zeichen zu geben. Der Beamte schwenkte eine weithin sichtbare rote
Lampe.

9 Ebenso:

1 Ein junger Mann stand vor Gericht. Er hatte einige Zeit in einer Druckerei gearbeitet.
Dort hatte er sich seine Kenntnisse angeeignet. Er hatte falsche Fünfzigmarkscheine
3 hergestellt. / Er war sehr vorsichtig gewesen und hatte nur nachts gearbeitet. Man hatte
ihn erwischt. / Der Hausmeister war aufmerksam geworden und hatte ihn bei der Polizei
5 angezeigt. Er hatte ihn einige Male nachts in den Keller schleichen sehen. / Der Richter
war dem Angeklagten freundlich gesinnt. Der junge Mann war arbeitslos und hatte
7 sofort alles gestanden. Eine Gefängnisstrafe von zwei bis drei Jahren war ihm sicher.
Geldfälschen muß hart bestraft werden. / Zu Beginn der Verhandlung las der Richter die
9 Anklageschrift vor. Darin waren alle Beweisstücke aufgezählt: Der nachgemachte Kel-
lerschlüssel, die Druckplatten und die falschen Fünfzigmarkscheine. / Der Gerichtsdie-
11 ner war gebeten worden, diese Sachen auf den Richtertisch zu legen. Der Gerichtsdiener
war ein ordentlicher Mensch. Man mußte den Geschworenen* die Sachen einzeln zeigen.
13 Zum großen Erstaunen des Richters fehlte das Falschgeld. / Man konnte das fehlende
Beweisstück nicht finden. Es wurde bei der Polizei angerufen. Die Polizei hatte den Fall
15 bearbeitet und das Beweismaterial gesammelt.
Die Antwort war kurz: „Die Fünfzigmarkscheine haben wir Ihnen am 3. dieses Monats
17 durch die Post überweisen lassen."

---

* der Geschworene = Hilfsrichter, Laienrichter

Teil III

§ 36 Demonstrativpronomen

Vorbemerkung

Demonstrativpronomen weisen genauer auf eine Person oder Sache hin als der bestimmte Artikel und werden auch beim Sprechen stärker betont. Sie stehen anstelle des bestimmten Artikels.

I Deklination „dieser, –e, –es"; „jener, –e, –es"; „solcher, –e, –es"

	Singular			*Plural*
	maskulin	feminin	neutral	m + f + n
Nom.	dies**er** Mann	dies**e** Frau	dies**es** Kind	dies**e** Männer / Frauen / Kinder
Gen.	dies**es** Mannes	dies**er** Frau	dies**es** Kindes	dies**er** Männer / Frauen / Kinder
Dat.	dies**em** Mann	dies**er** Frau	dies**em** Kind	dies**en** Männern / Frauen / Kindern
Akk.	dies**en** Mann	dies**e** Frau	dies**es** Kind	dies**e** Männer / Frauen / Kinder

Regeln

1. Die genannten Demonstrativpronomen haben die gleichen Endungen wie der bestimmte Artikel.

2. *dieser, –e, –es* bezeichnet eine bestimmte, schon bekannte Person oder Sache; *jener, –e, –es* weist auf eine Unterscheidung oder Gegenüberstellung hin:
   Ich habe *diesen* Roman noch nicht gelesen.
   Wir haben von *diesem und jenem* Problem gesprochen.

3. *solcher, –e, –es* weist darauf hin, wie eine Person oder Sache geartet ist:
   Er hatte *solchen* Hunger, daß ihm fast schlecht wurde.

Anmerkungen

1. *solch* (undekliniert) steht meist vor dem unbestimmten Artikel. Dann kann *solch* durch *so* ersetzt werden:
   solch ein Mann (= *so ein* Mann) *solch eine* Frau (= *so eine* Frau)
2. Steht *solch-* als Adjektiv-Attribut nach dem unbestimmten Artikel, wird es nach der Adjektivdeklination dekliniert (siehe § 39 II):
   ein solch*er* Mann, eine solch*e* Frau

II Deklination „derselbe, dieselbe, dasselbe"; „derjenige, diejenige, dasjenige"

	Singular						*Plural*
	maskulin		feminin		neutral		m + f + n
Nom.	derselbe	Mann	dieselbe	Frau	dasselbe	Kind	dieselben Männer ...
Gen.	desselben	Mannes	derselben	Frau	desselben	Kindes	derselben Männer ...
Dat.	demselben	Mann	derselben	Frau	demselben	Kind	denselben Männern ...
Akk.	denselben	Mann	dieselbe	Frau	dasselbe	Kind	dieselben Männer ...

Regeln

1. Die genannten Demonstrativpronomen werden im ersten Wortteil *(der-, die-, das-)* wie der bestimmte Artikel dekliniert; die Endung entspricht der Adjektiv-Deklination (siehe § 39 I).
2. *derselbe, dieselbe, dasselbe* bezeichnet eine Person oder Sache, die mit einer vorher genannten identisch ist:
   Heute hast du schon wieder *dasselbe* Kleid an wie gestern und vorgestern.
3. *derjenige, diejenige, dasjenige* weist auf eine Person oder Sache hin, über die in einem nachfolgenden Relativsatz Genaueres gesagt wird. Das Demonstrativpronomen steht ohne Substantiv, wenn der Relativsatz als Information ausreicht:
   Man hatte *denjenigen* Bewerber ausgewählt, der ausreichend Fremdsprachenkenntnisse besaß. – *Diejenigen, die* zuviel rauchen und trinken, schaden sich selbst.

Anmerkung

der gleiche, die gleiche, das gleiche (in zwei Wörtern geschrieben) bezeichnet eine Person oder Sache, die genauso beschaffen ist wie die vorher genannte, die aber nicht mit ihr identisch ist:
Meine Freundin hat sich zufällig *das gleiche* Kleid gekauft wie ich.

III Deklination „der, die, das“ (als Demonstrativpronomen)

	Singular			Plural
	maskulin	feminin	neutral	m + f + n
Nom.	der	die	das	die
Gen.	dessen	deren	dessen	deren (derer)
Dat.	dem	der	dem	denen
Akk.	den	die	das	die

Regeln

1. Die Demonstrativpronomen *der, die, das* werden im Nominativ, Dativ und Akkusativ als selbständiges Subjekt oder Objekt gebraucht. Sie beziehen sich auf ein vorher genanntes Satzglied oder auch auf einen nachfolgenden Relativsatz:
   Sind Ihre Fenster bei der Explosion kaputtgegangen?
   Ja, *die* müssen erneuert werden.

   Haben Ihre Nachbarn wieder soviel Krach gemacht?
   Ja, *denen* werde ich bald mal meine Meinung sagen.

   Den, der mich gerade so beschimpft hat, kenne ich gar nicht.
   Mit *denen,* die Physik studieren wollen, muß ich noch sprechen.

2. Die Demonstrativpronomen *der, die, das* haben die gleichen Formen wie die Relativpronomen, dürfen aber nicht mit ihnen verwechselt werden:
   Kennst du den Film? – Nein, *den kenne* ich nicht.
   Über einen Film, *den* ich nicht *kenne,* kann ich nichts sagen.

3. *der, die, das* werden gebraucht, wenn die Wiederholung eines Substantivs unnötig ist, weil sich im nachfolgenden Satz nur das Attribut ändert:
   Die Sprechweise des jungen Schauspielers ähnelt *der* seines Lehrers.
   Die Treppe in eurem Haus erinnert mich an *die* in Goethes Geburtshaus.

4. a) *das*, verstärkt durch *alles* oder *all*, kann sich auf einen vorhergenannten Satz oder Zusammenhang beziehen:
   Habt ihr von seinem Erfolg gehört? – Ja, *das* hat uns sehr erstaunt.
   Er hat zwei Stunden lang geredet, aber *all das* wissen wir doch längst.
   Sieh dir das dicke Buch an. Als Pharmaziestudent muß ich *das alles* (oder: *alles das*) auswendig lernen.

   b) In Sätzen mit *sein* und *werden* steht das Demonstrativpronomen *das*, auch wenn ein maskulines oder feminines Substantiv folgt oder sogar ein Substantiv im Plural, denn *das* bezieht sich auf die vorherige Aussage. (Das Substantiv nach *sein* und *werden* nennt man Prädikatsnominativ; steht dieses im Plural, steht auch das konjugierte Verb im Plural.) (Siehe § 14 III + Anm.)
   Da geht eine Dame in einem blauen Pelzmantel. *Das* ist meine Chefin.
   Öffentliche Telefonzellen werden häufig demoliert. *Das* ist eine Schande.
   Hier darf man nicht nach links abbiegen, dort nicht nach rechts. *Das* sind unnötige Vorschriften.
   Es regnet schon seit drei Wochen. *Das* wird ein nasser Urlaub.

c) Unterscheiden Sie *das* und *es*:
das bezieht sich auf einen vorherigen Zusammenhang.
es bezieht sich auf eine nachfolgende Erklärung oder Aussage.
Kannst du diese acht Kisten allein in den 5. Stock hochtragen? – Nein, *das* ist unmöglich.
Es ist unmöglich, daß ich diese acht Kisten allein in den 5. Stock hochtrage.

5. a) Die Demonstrativpronomen im Genitiv *dessen* und *deren* werden nur selten gebraucht; meistens kann man sie durch Possessivpronomen ersetzen:
Hast du mit dem Professor selbst gesprochen? –
Nein, nur mit *dessen (seinem)* Assistenten.
Kommen Herr und Frau Sommer heute abend auch? –
Ja, und *deren (ihre)* älteste Tochter.

b) Die Demonstrativpronomen *dessen* und *deren* müssen gebraucht werden, wenn Verwechslungen auftreten können. Durch ein Possessivpronomen allein wird nicht klar, von wem gesprochen wird:
Heute besuchte uns der Direktor mit seinem Sohn und *dessen* Freund. (= der Freund des Sohnes)

c) Die Sonderform im Genitiv Plural *derer* weist auf einen nachfolgenden Relativsatz hin. *derer* entspricht dem Demonstrativpronomen *derjenigen* (= Genitiv Plural):
Die Kenntnisse *derer (derjenigen)*, die Physik studieren wollen, sind ausreichend.

Anmerkungen

1. *selbst* bezieht sich auf ein vorangehendes Satzglied und bestätigt die Identität. *selbst* wird nicht dekliniert.
2. *selbst* (oder umgangssprachlich *selber)* steht
   a) direkt hinter seinem Beziehungswort zur stärkeren Betonung;
   Ich selbst habe keine weiteren Fragen.
   Die Sache selbst interessiert mich.
   In der Stadt selbst hat sich wenig verändert.
   b) frei im Satz:
   Die Arbeiter können *selbst* entscheiden.
   Er kam dann endlich *selbst*, um nachzusehen.
3. Wenn *selbst* vor einem Satzglied steht, hat es die Bedeutung „sogar“ (siehe § 51):
   Er hat *selbst dann* gearbeitet, wenn er krank war.

ÜBUNGEN

1 Nennen Sie die weibliche Entsprechung und die Pluralformen der Substantive.

dieser Student: *diese* Studentin, *diese* Studenten, *diese* Studentinnen

1. derjenige Schüler
2. mit diesem Schweizer
3. von jenem Österreicher
4. wegen jenes Zollbeamten
5. durch denjenigen Polen
6. ein solcher Student
7. trotz dieses Richters
8. solch ein Schauspieler (Pl.: solche Schaupieler)

2 Im Warenhaus

a

Kühlschrank (m) / klein Was halten Sie von *diesem* Kühlschrank hier? Also *diesen* Kühlschrank nehme ich nicht, *der* ist mir zu klein.

1. Waschmaschine (f) / teuer
2. Küchenmöbel (Pl.) / bunt
3. Nähmaschine (f) / unpraktisch
4. Elektroherd (m) / unmodern
5. Dampfbügeleisen (n) / kompliziert
6. Spülbecken (Pl.) / empfindlich

b

Schrank (m) / neben / Bett (n) / Bruder Wie gefällt Ihnen der Schrank neben *diesem* Bett? *Der* gefällt mir recht gut; *denselben* hat mein Bruder.

1. Einrichtung (f) / in / Küche (f) / Schwester
2. Sessel (m) / an / Kamin (m) / Eltern
3. Bücherregal (n) / in / Flur (m) / Freundin
4. Stehlampe (f) / neben / Sitzecke (f) / Freund
5. Stuhl (m) / vor / Schreibtisch (m) / Nachbar
6. Rauchtischchen (n) / in / Ecke (f) / Untermieter

c

Fernseher (m) / sehr zuverlässig *Welchen* Fernseher können Sie mir empfehlen? Ich empfehle Ihnen *diesen* Fernseher, *der* ist sehr zuverlässig.

1. Kofferradio (n) / angenehm leicht
2. Cassettenrecorder (m) / sehr gut
3. Lautsprecher (Pl.) / sehr preiswert
4. Videorecorder (m) / wirklich sehr zuverlässig
5. Taschenrechner (m) / unglaublich preiswert
6. Schreibmaschine (f) / zur Zeit im Sonderangebot

3 Ergänzen Sie – aber nur, wo es nötig ist.

1. Kauf dir doch auch solch__ ein__ Schal (m)! Dann haben wir beide d__selb__ Schals. 2. Bist du auch mit dies__ Zug (m) gekommen? Dann haben wir ja in d__selb__ Zug gesessen! 3. Was machst du eigentlich zur Zeit? – D__ möchtest du wohl gern wissen? Ich treibe mal dies__, mal jen__, mal lebe ich in dies__ Stadt, mal in jen__. 4. Sie sprachen von dies__ und jen__, aber d__ hat mich alles nicht interessiert. 5. Wird Ladendiebstahl schwer bestraft? – D__ weiß ich nicht; frag doch mal Gisela, d__ Mutter (Giselas Mutter!) ist doch Rechtsanwältin, d__ muß es wissen. 6. Niemand kennt die Namen d__ (Gen.), die hier begraben liegen. 7. Die Angst d__jenig__ (Gen.), die auf dem brennenden Schiff waren, war unbeschreiblich. 8. Von dies__ Bekannten habe ich

noch d__ 100 Mark zurückzubekommen, die ich ihm Ostern geliehen habe. 9. Ich spreche von d__jenig__, die immer das letzte Wort haben. Dies__ Leute sind mir nicht sympathisch. 10. D__jenig__, der meine Brieftasche findet, wird gebeten, dies__ gegen Belohnung bei mir abzugeben. 11. Wir sind beide in d__selb__ Ort (m) geboren und auf d__selb__ Schule gegangen. 12. Solch__ ein__ Teppich (m) möchte ich haben! Ein__ solch__ Stück (n) besitzt meine Schwiegermutter; d__ ist ganz stolz darauf. 13. Ich wundere mich, daß er von solch__ ein__ Hungerlohn (m) leben kann und daß er dann ein__ solch__ Wagen fährt. 14. Dies__ Zug fährt abends wieder zurück; wir treffen uns dann wieder in d__selb__ Abteil (n). 15. Es herrscht wieder dies__ Novemberstimmung (f); d__ macht mich ganz krank. An ein__ solch__ Tag möchte ich am liebsten im Bett liegen bleiben.

4 Ergänzen Sie „das“ oder „es“.

1. Ein betrunkener Autofahrer ist direkt auf mich zugefahren. ... ist der Grund, weswegen ich jetzt im Krankenhaus liege.
2. Wenn Kinder krank sind, soll man ihnen spannende Geschichten erzählen, ... hilft oft mehr als die beste Medizin.
3. Natürlich war ... traurig, daß der begabte Künstler nie Erfolg gehabt hatte.
4. Ich war gestern im Moskauer Staatszirkus. ... war erstaunlich zu sehen, wie exakt die Artisten arbeiteten.
5. Glaubt ihr, daß ihr in München so einfach eine Wohnung bekommen könnt? ... müßte schon ein Glücksfall sein.
6. Du mußt endlich deine Steuererklärung machen. ... ist unverantwortlich, daß du die Sache noch weiter hinausschiebst.
7. Daß ein 18jähriger Schüler den Nobelpreis bekommen hat, kann ich nicht glauben. ... ist doch unmöglich.
8. Ich habe viermal angerufen, aber die alte Dame hat sich nicht gemeldet. ... hat mich mißtrauisch gemacht, und ich bin zur Polizei gegangen.
9. Bitte schreib mir öfters. ... macht mich froh, wenn ich von dir höre.
10. Aber ein Glas Rotwein wirst du doch trinken dürfen. ... macht doch nichts, wenn du erst in zwei Stunden nach Hause fährst.
11. Er war bereits morgens betrunken, wenn er zur Arbeit kam. Deshalb war ... nicht verwunderlich, daß er entlassen wurde.

§ 37 Indefinite Pronomen

Vorbemerkung

Indefinite Pronomen zeigen an, daß Personen oder Sachen unbestimmt, unbekannt oder nicht näher bekannt sind. Sie werden klein geschrieben.

I Indefinite Pronomen, die selbständig als Subjekt oder Objekt gebraucht werden

Nom.	man	jemand	einer, –e, –(e)s	irgendwer	etwas / nichts
Gen.	–	jemandes	–	–	–
Dat.	einem	jemand(em)	einem, –er, –em	irgendwem	–
Akk.	einen	jemand(en)	einen, –e, –(e)s	irgendwen	etwas / nichts

Regeln

1. *man* bezeichnet eine Mehrzahl unbekannter Personen oder eine unbestimmte Allgemeinheit. *man* steht im Singular:
   In der Tagesschau kann *man* sich über die Ereignisse des Tages informieren.
   Die Tagesschau gibt *einem* nicht genügend Informationen.
   Das Fernsehprogramm kann *einen* schon manchmal ärgern!

2. *jemand* und *niemand* bezeichnen im positiven wie im negativen Sinn eine oder mehrere unbekannte Personen. Beide Pronomen werden nur im Singular gebraucht. Die Endungen im Dativ und Akkusativ können weggelassen werden:
   Zum Glück hat mir *jemand* beim Einsteigen geholfen.
   Ich wollte, ich wäre auf *niemandes* Hilfe angewiesen.
   Während der Fahrt habe ich mit *niemand(em)* gesprochen.
   Beim Aussteigen habe ich *jemand(en)* um Hilfe gebeten.

3. *einer, eine, eines* bezeichnet eine Person aus einer Gruppe oder eine Sache von vielen (Pl. *welche*); negativ: *keiner, keine, keines* (Pl. *keine*):
   Zehn Leute haben am Seminar teilgenommen, *einer* hat Protokoll geführt.
   Hier soll es günstige Anzüge geben, aber ich habe noch *keinen* gesehen. Hast du *welche* entdeckt?

   Die Form *einander* steht für den Dativ und den Akkusativ:
   Zu Neujahr wünscht man *einander* viel Glück. (= einer *dem* anderen)
   Sie kannten *einander* gut. (= einer *den* anderen)

4. *irgendwer* und *irgend jemand* bezeichnen eine oder mehrere Personen, die beliebig und nicht näher bezeichnet sind:
   Hast du noch *irgendwen* in der Firma erreichen können?
   Das hat *irgend jemand* erzählt, ich weiß nicht mehr, wer.

5. *etwas* und *nichts* werden für Sachen, Begriffe und allgemeine Zusammenhänge gebraucht:
   Ich habe dich *etwas* gefragt!!
   Er hat bei dem Geschäft *nichts* verdient.

II Indefinite Pronomen, die mit oder ohne Substantiv stehen können

Deklination „jeder, –e, –es", Pl.: „alle"; „sämtliche" – „mancher, –e, –es", Pl.: „manche"

	Singular			*Plural*
	maskulin	feminin	neutral	m + f + n
Nom.	jed**er** Mann	jed**e** Frau	jed**es** Kind	all**e** Männer ...
Gen.	jed**es** Mannes	jed**er** Frau	jed**es** Kindes	all**er** Männer ...
Dat.	jed**em** Mann	jed**er** Frau	jed**em** Kind	all**en** Männern ...
Akk.	jed**en** Mann	jed**e** Frau	jed**es** Kind	all**e** Männer ...

Regeln

Die genannten indefiniten Pronomen haben die gleichen Endungen wie der bestimmte Artikel und können an seiner Stelle gebraucht werden.

1. *jeder, –e, –es* wird nur im Singular gebraucht; der entsprechende Plural lautet *alle* oder bei stärkerer Betonung *sämtliche*:
   Zu dem Gartenfest soll *jeder Hausbewohner* etwas mitbringen.
   Jeder muß helfen.
   Alle Hausbewohner feierten bis zum späten Abend. *Alle* waren sehr vergnügt.
   Ich habe bei dieser Gelegenheit *sämtliche Hausbewohner* kennengelernt.

2. *mancher, –e, –es,* Pl. *manche* bezeichnet eine bzw. mehrere nicht näher bestimmte Personen oder Sachen:
   Schon *mancher* (Mensch) hat sich in ihm getäuscht.
   Die Sozialhelferin hat schon *manchem einsamen Menschen* geholfen.
   Manche (Menschen) wollen sich nicht helfen lassen.
   Wir haben schon so *manches* erlebt.

3. a) Die neutrale Form Singular *alles* (Nom., Akk.), *allem* (Dat.) wird gebraucht, wenn ein verständlicher Zusammenhang besteht:
   Jetzt war *alles* wieder genauso wie vorher.
   Man kann mit *allem* fertig werden, wenn man Mut hat.

   b) Der Singular *all-* steht vor substantivierten Adjektiven (Großschreibung!) und artikellosen Substantiven (siehe § 39 Anm.). Er wird wie der bestimmte Artikel dekliniert:
   Ich wünsche Ihnen *alles Gute.* (Akk. Sg. n)
   Zu *allem Unglück* ist er auch noch krank geworden. (Dat. Sg. n)
   Sie trennten sich in *aller Freundschaft.* (Dat. Sg. f)
   Sie hat sich *alle Mühe* gegeben. (Akk. Sg. f)

   c) Die verkürzte Pluralform *all* steht vor dem bestimmten Artikel, einem Demonstrativpronomen oder einem Possessivpronomen:
   Die Kinder freuten sich über *all die vielen Geschenke.*
   Wer kann sich schon *all diese Sachen* leisten?
   Er hat *all seine Kinder und Enkelkinder* um sich versammelt.

Deklination „andere“, „einige“, „einzelne“, „mehrere“, „viele“, „wenige“

	Plural
Nom.	viele Leute
Gen.	vieler Leute
Dat.	vielen Leuten
Akk.	viele Leute

Regeln

1. Die genannten indefiniten Pronomen haben die gleichen Endungen wie das artikellose Adjektiv im Plural (siehe § 39 II). Meistens werden sie im Plural gebraucht:
   Es gibt *viele Probleme* in der Landwirtschaft.
   Vor *einigen chemischen Substanzen* muß gewarnt werden.
   Andere Mittel können ohne Schaden für die menschliche Gesundheit verwendet werden.

   Nach dem Streit verließen *einige* den Raum, *andere* diskutierten weiter.
   Einzelne teilten die Ansicht des Redners, *mehrere* waren dagegen.
   Das Urteil *einiger* wiegt oft schwerer als die Einwände *vieler.*
2. Die neutralen Formen Singular *anderes* (Nom., Akk.), *anderem* (Dat.), *einiges, einigem, vieles, vielem, weniges, wenigem* werden gebraucht, wenn ein verständlicher Zusammenhang besteht:
   Vieles war noch zu besprechen.
   Sie war nur mit *wenigem* einverstanden.
3. Die endungslosen Formen *mehr, viel, wenig* werden mit artikellosen Substantiven im Singular gebraucht (siehe § 3 III und § 39 IV):
   Er hatte nur sehr *wenig Geld.*
   Kinder sollten *mehr Obst* essen.
4. Die endungslose Form *mehr* steht auch vor einem Substantiv im Plural. Meistens handelt es sich um einen Vergleich (siehe § 31 II und § 40 III):
   Es werden *mehr Ärzte* ausgebildet, als gebraucht werden.

Anmerkungen

1. Die Form *anders* (Adverb) antwortet auf die Frage *wie?*:
   Sie kleidet sich jetzt *anders* als früher.
2. Als Adjektivattribut werden gebraucht: *ander-, einzeln-* im Singular und Plural, *viel-, wenig-* nur im Plural:
   Ich meine *einen anderen Film.*
   Wir müssen *jeden einzelnen Fall* genau besprechen.
   Wir können *die vielen Kirschen* nicht brauchen.

ÜBUNGEN

1 Ergänzen Sie sinngemäß „jemand" oder „niemand". Verwenden Sie die deklinierte Form.

1. Er war enttäuscht, denn seine Arbeit wurde von ... anerkannt. 2. Ich kenne ..., der die Reparatur ausführen kann; aber er ist ziemlich teuer! 3. Wenn du ... (Gen.) Rat annehmen willst, ist dir nicht zu helfen. 4. Er langweilte sich auf der Party, denn er kannte .... 5. Wenn ich ... wirklich gern helfen würde, dann bist du es. 6. Ich mußte alles allein machen; ... hat mir geholfen. 7. Alte Leute sind oft alleinstehend und haben ..., der sich um sie kümmert.

2 Üben Sie „einer" – „keiner".

Hat jemand ein Taschenmesser? – Ja, ich habe *eins*. – Nein, ich habe *keins*.

1. Möchte jemand ein Butterbrot? 2. Möchte jemand einen Aperitif? 3. Hat jemand ein Lexikon? 4. Hat jemand vielleicht ein Fünfmarkstück? 5. Backt ihr wieder einen Kuchen? 6. Braucht jemand einen Kalender? 7. Hat jemand einen Fahrplan?

3 Ergänzen Sie „jed-" oder „all-" mit der richtigen Endung.

1 ... Gäste waren pünktlich eingetroffen. Fast ... Gast hatte einen Blumenstrauß mitgebracht. ... einzelne wurde gebeten, sich in das Gästebuch einzutragen, aber nicht ...
3 taten es. Das Bufett war schon vorbereitet, und ... nahm sich, was er wollte. ... mußten sich selbst bedienen, aber bei ... den guten Sachen wußte mancher nicht, was er zuerst
5 nehmen sollte. Natürlich gab es für ... Geschmack etwas zu trinken: Sekt, Wein, Bier, aber auch verschiedene Säfte, denn nicht ... mochte oder durfte Alkohol trinken. Die
7 Hausfrau hatte sich wirklich ... Mühe gegeben. ... schmeckte es offenbar großartig, denn nach zwei Stunden war so gut wie ... aufgegessen.

§ 38 Zahlwörter

I Kardinalzahlen

Regeln

1. Der unbestimmte Artikel *ein, –e, ein* kann als Zahlwort gebraucht werden. Er wird dann beim Sprechen betont:
   Hinter dem Sportplatz steht nur noch *ein* Haus.
   Ich habe *einen* Zentner Kartoffeln gekauft, nicht zwei.
2. Die Kardinalzahl *eins* hat als selbständiges Zahlwort die Endung des bestimmten Artikels:
   Nur *einer* von zehn Schülern war anwesend.
   Mit nur *einem* allein kann man keinen Unterricht machen.

3. Wird die Zahl *eins* mit dem bestimmten Artikel gebraucht, hat sie die Endung des Adjektivs nach dem bestimmten Artikel:
   Nach dem Streit sprach *der eine* nicht mehr mit *dem anderen.*
   Im Gegensatz zu *dem einen* wird oft *der andere* genannt. (Kleinschreibung!)
4. a) Die Kardinalzahlen *zwei* und *drei* werden nur im Genitiv und im Dativ dekliniert:
      Wir begrüßen die Anwesenheit *zweier / dreier* Präsidenten.
      Sie hatte viele Enkel: mit *zweien / dreien* hatte sie ständig Kontakt.
   b) Alle weiteren Kardinalzahlen bis 999999 werden nicht dekliniert.
5. Kardinalzahlen können als Substantive gebraucht werden. Sie werden dann groß geschrieben:
   Eine Null hinter einer Ziffer bedeutet einen Zehnerabstand.
   Der Schüler bekam *eine Eins* für seine Arbeit.
   Endlich schlug die Glocke *Zwölf.*
   Die Zehn hält da hinten. (Straßenbahn)
6. Ebenfalls groß geschrieben werden *eine Million, zwei Millionen; eine Milliarde, –n; eine Billion, –en*:
   Bei dem Geschäft hat er *eine Million* verdient.

Anmerkungen

1. *beide, beides* entspricht der Zahl *zwei,* bezieht sich aber zurück auf schon erwähnte Personen oder Sachen *(beide)* oder Zusammenhänge *(beides).* Die Endungen sind die des bestimmten Artikels:
   Ich habe mit dem Personalchef und dem Abteilungsleiter gesprochen; *beide* haben mir die Stellung zugesagt.

   Die Politik unserer Partei war schwankend, das Wahlergebnis war schlecht; *beides* enttäuschte mich sehr.
2. *ein Paar* (Großschreibung) bedeutet *zwei* Personen oder Sachen, die zusammengehören:
   Die beiden heiraten heute; sie sind *ein hübsches Paar.*

   ein paar (Kleinschreibung) bedeutet *einige* Personen oder Sachen:
   Ich habe für den Balkon *ein paar* Blumen gekauft.
3. *Zwölf* gleichartige Personen oder Sachen nennt man *ein Dutzend*:
   Ein Dutzend Eier sind zwölf Eier.
4. *Hunderte, Tausende,* usw. (= mehrmals die Zahl 100 oder 1000) wird als Subjekt oder Objekt gebraucht und dekliniert:
   Seit dem Erdbeben leben noch *Hunderte* in Baracken.
   Zum Oktoberfest kommen *Tausende* nach München.
   Bei der nächsten Demonstration rechnet die Polizei mit *Zehntausenden.*
5. Zahlen mit der festen Endung *–er* sind deklinierbar:
   Für den Automaten fehlt mir *ein Zehner.* (= 10 Pfennig)
   Man spricht oft von dem raschen Wirtschaftswachstum *in den Fünfzigern.* (= in den 50er Jahren)
   Bewundernswert war die sportliche Leistung eines *Achtzigers.* (= eines Mannes zwischen 80 und 90 Jahren)

Beispiele für den mündlichen Gebrauch von Kardinalzahlen

1. *Uhrzeiten*

9.00	gesprochen:	neun Uhr
8.45		acht Uhr fünfundvierzig oder: Viertel vor neun
13.30		dreizehn Uhr dreißig oder: halb zwei (= nachmittags)
14.50		vierzehn Uhr fünfzig oder: zehn (Minuten) vor drei (= nachmittags)

2. *Angaben in DM* (Deutsche Mark, gesprochen: ,,De-Mark“)

DM 200,—	gesprochen:	zweihundert Mark
DM 2,98		zwei Mark achtundneunzig
DM 33,50		dreiunddreißig Mark fünfzig
DM 0,55		fünfundfünfzig Pfennig(e)

3. *Temperaturen*

14° C	gesprochen:	vierzehn Grad Celsius
0°		null Grad
2°−		zwei Grad minus
2°+		zwei Grad plus
29,9° C		neunundzwanzig Komma neun Grad Celsius

4. *Rechenarten*

$2 + 2 = 4$	gesprochen:	zwei plus (und) zwei ist (gleich) vier
$3 - 2 = 1$		drei minus (weniger) zwei ist (gleich) eins
$3 \cdot 3 = 9$		drei mal drei ist (gleich) neun
$21 : 7 = 3$		einundzwanzig (dividiert/geteilt) durch sieben ist (gleich) drei

5. *Jahreszahlen*

im Jahr(e) 33 v. Chr.	gesprochen:	dreiunddreißig vor Christus
im Jahr 1024 n. Chr.		(ein)tausendvierundzwanzig nach Christus
1492		vierzehnhundertzweiundneunzig
1800		achtzehnhundert
1984		neunzehnhundertvierundachtzig

Anmerkung

Jahreszahlen werden im Deutschen entweder ohne jeden Zusatz gebraucht, oder man stellt *im Jahr(e)* davor. Die Endung *-e* ist eine alte Dativendung, die man auch weglassen kann.

II Ordinalzahlen

Regeln

1. Man schreibt die Ordinalzahlen entweder in Ziffern + Punkt (der 2.) oder in Buchstaben *(der zweite)*. Sie werden immer mit der entsprechenden Adjektivendung gesprochen und gelesen (siehe § 39 I).
2. Die Frage nach einer Ordinalzahl lautet *der wievielte?*

3. Die Ordnungszahlen werden von 2 bis 19 mit *–t* gebildet (auch 102 bis 119 und 1002 bis 1019 usw.); alle weiteren mit *–st. der, die, das erste, der, die das dritte* und *der, die, das achte* sind Sonderformen:

der, die, das **erste**	der, die, das zwanzigste
zweite	einundzwanzigste
dritte	...
vierte	hundertste
...	hundert**einte**
siebente (oder: siebte)	hundert**zweite**
achte (nur ein *t*)	...
...	hundertdreißigste
neunzehnte	der, die, das tausendste
	tausend**einte**
	...
	tausenddreißigste

4. Ordinalzahlen werden wie ein Adjektiv dekliniert (siehe § 39).
   a) In Verbindung mit einem Substantiv:
      Ich habe heute *mein zweites Examen* bestanden.
      Sie arbeitet mit *ihrem dritten Chef* genauso gut zusammen wie mit *ihrem ersten* und *zweiten* (Chef).
   b) Ohne Artikel und Substantiv:
      Beim Pferderennen wurde er *Erster.*
      Sein Konkurrent kam erst als *Dritter* durchs Ziel.
   c) Datumsangaben:
      Der 1. Mai (= Der erste Mai) ist ein Feiertag.
      Er kommt *am Freitag, dem 13.* (= dem dreizehnten)
      Wir haben heute *den 7. Juli.* (= den siebten Juli)

      Briefkopf: Frankfurt am Main, den 20. 8. 1984 (= den zwanzigsten achten ...)
      Heute habe ich Ihren Brief vom 28. 8. (= vom achtundzwanzigsten achten) dankend erhalten.
   d) Römische Ordinalzahlen:
      Karl I. (= Karl der Erste) wurde im Jahr 800 zum Kaiser gekrönt.
      Unter Kaiser Karl V. (= Karl dem Fünften) waren Deutschland und Spanien vereint.
5. Ordinalzahlen ohne Endung nach *zu*:
   Zu meinem Geburtstag waren wir nur *zu dritt.*
   Er brachte seine gesamte Familie mit; sie waren *zu sechst.*
6. Ordinalzahlen ohne Endung mit einem Superlativ:
   Der *zweitschnellste* Läufer kam aus Argentinien.
   Die besten Skiläufer kamen aus Österreich, die *drittbesten* aus Schweden.

Anmerkungen

1. Am Anfang einer Reihe steht *der erste,* am Ende steht *der letzte:*
   Die ersten Besucher bekamen gute Plätze, *die letzten* mußten stehen.

2. Wenn in einem vorhergehenden Zusammenhang zwei Personen oder Sachen gleichen Geschlechts erwähnt werden, gebraucht man zur besseren Unterscheidung *der erstere* und *der letztere* (auch im Plural):
   Der Geselle und der Meister stritten sich. *Der erstere* fühlte sich unterdrückt, *der letztere* (fühlte sich) ausgenutzt.

III Weitere Zahlwörter

1. **Bruchzahlen** bezeichnen einen Teil eines Ganzen.
   a) Die Hälfte des Ganzen ist *ein halb*:
   $\frac{1}{2} \cdot \frac{1}{2} = \frac{1}{4}$ (ein halb mal ein halb ist ein viertel)

als Adjektiv:	Ein *halbes* Kilo Kirschen, bitte.
Zahl + Bruchzahl:	Wir müssen noch ca. *viereinhalb* Kilometer laufen.
	Er war *anderthalb* Jahre in Persien. (= ein und ein halbes Jahr)

   b) Alle weiteren Bruchzahlen bildet man aus den Ordinalzahlen und *-el.* Sie werden nicht dekliniert.

als Substantiv:	Ich gebe *ein Drittel* meines Gehalts für Miete aus.
	Ein Fünftel der Einwohner sind Bauern.
Bruchzahl + Substantiv	Sie bearbeitet ein Maschinenteil in einer *achtel* Minute.
	Die letzte *viertel* Stunde (oder: Viertelstunde) war quälend.
Zahl + Bruchzahl	Er lernte die Sprache in einem *dreiviertel* Jahr.
	Er siegte mit einem Vorsprung von *fünfachtel* Sekunden.

2. **Einteilungszahlen** bezeichnen die Reihenfolge in Aufzählungen. Man bildet sie aus den Ordinalzahlen und *-ens.* Sie werden nicht dekliniert.

Aufzählung in Ziffern:	Repariert wurden: *1.* die Bremsen (erstens), *2.* der Auspuff (zweitens), *3.* der Blinker (drittens).
im fortlaufenden Text:	Ich war von dem Sprachkurs begeistert, weil *erstens* der Unterricht gut war, *zweitens* die anderen Teilnehmer sehr nett waren und ich *drittens* eine Menge gelernt habe.

3. **Wiederholungszahlen** antworten auf die Frage *wie oft? wievielmal?* Als Adverbien werden sie mit *-mal* gebildet und nicht dekliniert. Als Adjektive bildet man sie mit *-malig* und der entsprechenden Adjektivendung:

als Adverb:	Ich bin ihm nur *einmal* begegnet.
	Wir haben bei euch schon *fünfmal* angerufen.
als Adjektiv:	Das war eine *einmalige* Gelegenheit.
	Nach *viermaliger* Behandlung war der Patient geheilt.

Anmerkungen

a) Nach *einmal* zählt man oft mit einer Ordinalzahl und *-mal* oder *Mal* weiter:
   Wir klingelten *einmal,* dann *zum zweiten Mal (zum zweitenmal),* aber erst beim *dritten Mal (beim drittenmal)* machte jemand die Tür auf.
b) Unbestimmte Wiederholungszahlen sind *vielmals, mehrmals, oftmals*:
   Ich bitte *vielmals* um Entschuldigung.
   Im Kaufhof ist schon *mehrmals* eingebrochen worden.

4. **Vervielfältigungszahlen** bezeichnen Angaben, die in gleicher Weise immer wieder vorkommen. Man bildet sie aus den Kardinalzahlen und *–fach*. Sie können als Adverb (undekliniert) oder als Adjektiv (dekliniert) verwendet werden:
   als Adverb: Die Tür ist *dreifach* gesichert.
   als Adjektiv: Man muß den Antrag in *fünffacher* Ausfertigung vorlegen.

   Anmerkungen

   a) Wenn etwas zweimal vorhanden ist, nennt man es auch *doppelt*:
      Wir müssen *doppelt* soviel arbeiten wie die anderen.
      Das nützt nichts, das bringt nur *doppelten* Ärger.
   b) Unbestimmte Vervielfältigungszahlen sind *mehrfach, vielfach*:
      Man kann Kohlepapier *mehrfach* benutzen.
   c) Wenn die Art und Weise besonders hervorgehoben werden soll, gebraucht man *vielfältig*:
      Er erhielt eine *vielfältige* Ausbildung.

5. **Gattungszahlen** bezeichnen verschiedene Arten oder Möglichkeiten. Man bildet sie aus den Kardinalzahlen und *–erlei*. Sie werden nicht dekliniert:
   Der Schrank ist aus *zweierlei* Holz gebaut.
   Es gibt *hunderterlei* Möglichkeiten, eine Lösung zu finden.

Anmerkung

einerlei hat zwei Bedeutungen:
Das ist mir *einerlei*. (= egal, gleichgültig)
Hier gilt *einerlei* Recht. (= das gleiche, nur eins)

ÜBUNGEN

1 Zahlenvergleiche

Es stehen D für die Bundesrepublik Deutschland, A für Österreich und CH für die Schweiz. Alle Zahlen sind auf- oder abgerundet. (km^2 = Quadratkilometer)

	D	A	CH
Fläche in 1000 km^2	357	84	41
Einwohner in Mill.	79	7,6	6,7
Einwohner pro km^2	221	90	163
Ausländer in Mill.	4,9	0,3	1.1
Ausländer im Verhältnis zur Gesamtbevölkerung	6,2%	4%	16%

Stand 1990.

Lesen Sie obige Tabelle laut in folgender Weise:

Deutschland hat eine Fläche von dreihundertsiebenundfünfzigtausend Quadratkilometern und ... Millionen Einwohner, das sind ... pro ... ; es leben vier Komma neun Millionen Ausländer in Deutschland, d.h. auf hundert Einwohner kommen sechs Ausländer.

2 Flächen

(D) ist fast (9) ... wie die Schweiz. Deutschland ist fast *neunmal so groß* wie die Schweiz.

1. (CH) ist rund (1/9) ... (D). 2. (A) ist rund (1/4) ... (D). 3. (A) ist mehr als (2) ... (CH). 4. (CH) ist weniger als (1/2) ... (A). 5. (D) ist etwa (4) wie (A).

3 Einwohnerzahlen

Verglichen mit (CH) hat (D) fast die (12) ... Einwohnerzahl. Verglichen mit der Schweiz hat Deutschland fast die *zwölffache* Einwohnerzahl.

1. ... (A) ... (D) (10). 2. ... (A) ... (CH) ... (1) (fast die gleiche).

4 Bevölkerungsdichte

Die Bevölkerungsdichte in (D) ist etwa (2,5) ... (A). Die Bevölkerungsdichte in Deutschland ist etwa *zwei Komma fünf mal so groß* wie in Österreich.

1. ... (CH) ... (1,8) ... (A). 2. ... (D) ... (über 1,3) ... (CH).

5 Zahl der Ausländer im Verhältnis zur Gesamteinwohnerzahl

In (D) ist von 100 Einwohnern jeder (6) ein Ausländer. In Deutschland ist von 100 Einwohnern jeder *sechste* ein Ausländer.

Nennen Sie ebenso die Zahlen für Österreich und die Schweiz.

6 Zahl der Ausländer im Vergleich

Wievielmal mehr Ausländer gibt es in Deutschland, a) verglichen mit Österreich, b) verglichen mit der Schweiz?

7 Große Städte im deutschsprachigen Raum (in Tausend)

Bundesrepublik Deutschland		*Schweiz*	
Berlin	3268	Zürich	370
Hamburg	1793	Basel	182
München	1293	(Genf*)	156
Köln	995	Bern	145
Essen	715		
Frankfurt am Main	670	*Österreich*	
Düsseldorf	663	Wien	1516
Dortmund	640	Graz	243
Stuttgart	633	Linz	197
Leipzig	563	Salzburg	138
Dresden	516	Innsbruck	116
Chemnitz	316		
Magdeburg	289		
Halle/Saale	232		

(* im französischen Sprachgebiet)

Lesen Sie obige Tabelle laut. Beachten Sie, daß die Zahlen im Tausend angegeben sind. Z. B.: Zürich hat *dreihundertsiebzigtausend* Einwohner.

8 Wie heißen die drei größten Städte der angeführten drei Staaten?

Die größte Stadt Österreichs ist Wien, die *zweitgrößte* ist . . . , usw.

9 An wievielter Stelle der Städte ihres Landes stehen:

z. B. München und Köln? – München und Köln stehen an der *dritten* und *vierten* Stelle der Städte in der Bundesrepublik.

1. Dortmund und Düsseldorf? 2. Bern? 3. Salzburg und Innsbruck? 4. Wien und Graz? 5. Leipzig und Dresden? 6. Magdeburg und Halle?

10 Basel ist die zweitgrößte Stadt der Schweiz. Und Bern? Stuttgart? Chemnitz? Salzburg? Innsbruck? Magdeburg? Essen? Graz?

11 Vergleichen Sie die Größe der angegebenen Städte.

Hamburg – Stuttgart: Hamburg ist ungefähr *dreimal* so groß wie Stuttgart.

1. Zürich – Basel 2. Köln – Düsseldorf 3. Essen – Zürich 4. Berlin – Dortmund 5. Köln – Graz 6. Wien – Innsbruck

12 Ergänzen Sie.

Die Einwohnerzahlen (2) ... Städte in der Bundesrepublik sind ungefähr gleich groß: Frankfurt und Düsseldorf. Erst__ hat ..., letzt__ ... Einwohner.
Nennen Sie die Einwohnerzahlen (3) ... Städte in Österreich. Stuttgart und München sind Großstädte in Süddeutschland; erst__ ist die Hauptstadt des Landes Baden-Württemberg, letzt__ ist die Hauptstadt des Landes Bayern.

13 Üben Sie nach folgendem Beispiel. Lassen Sie die schräg gedruckten Wörter weg.

eine Briefmarke *für* 80 *Pfennig:* eine achtziger Briefmarke eine *Frau von* neunzig *Jahren:* eine Neunzigerin

1. eine 40-*Watt*-Birne
2. eine 100-*Watt*-Birne
3. ein Wein *aus dem Jahr* 82
4. ein rüstiger *Mann von* 80 *Jahren*
5. eine freundliche *Dame von* 70 *Jahren*
6. eine Buskarte, *mit der man* sechs*mal fahren kann*
7. ein Fünf-*Pfennig-Stück*
8. ein Zwanzig-*Mark-Schein*
9. die Jahre *von* 70 *bis 79*
10. ein *Tennisspiel zu* viert
11. ein *Kanu für* zwei *Personen*

14 Ergänzen Sie sinngemäß: –erlei (z. B. dreierlei), –fach (z. B. sechsfach), –mal (z. B. zigmal).

1. Bei Ihrer Reise gibt es (viel) ... zu bedenken: Sie benötigen einen Impfschein in (3) ... Ausfertigung. (3) ... müssen Sie bedenken: 1. Die Reise birgt (1000) ... Gefahren. 2. Das Benzin ist dort (1½) ... so teuer wie bei uns. 3. Sie bekommen (kein) ... Ersatzteile.
2. In diesem vornehmen Hotel zahlst du bestimmt das (3) ... für die Übernachtung. (10) ... Menus stehen auf der Speisekarte.
3. Wenn du mich besuchen willst, mußt du (2) ... an der Haustür klingeln. Das erzähle ich dir jetzt schon zum (3) ... .
4. Der Trapezkünstler im Zirkus machte einen (3) ... Salto. Nach (aller) ... Kunststücken ließ er sich ins Netz fallen.
5. Auf (viel) ... Wunsch wiederholen wir heute das Konzert vom Sonntag.
6. Ich habe nun schon (zig) ... versucht, dich zu erreichen; wo warst du bloß so lange?
7. Wenn du so umständlich arbeitest, brauchst du die (3) ... Zeit.
8. Die Bluse gibt es in (2) ... Ausführung: mit kurzem und mit langem Arm.

15 Lesen Sie die folgende Übung laut, und ergänzen Sie dabei die fehlenden Endungen.

1. Bitte schicken Sie mir die Unterlagen bis spätestens Donnerstag, d__ 8. 4. 2. Ostern ist ein beweglicher Feiertag. 1983 fiel Ostern auf d__ 11./12. 4. 3. Weihnachten hingegen ist immer a__ 25./26. 12. 4. Hamburg, d__ 28. 2. 19__ 5. Vielen Dank für Ihren Brief v__ 28. 2.! 6. Heute ist d__ 1. Mai! 7. Auf d__ 1. Mai haben wir uns schon gefreut. 8. In der Zeit v__ 27. 12. bis 2. 1. bleibt unser Geschäft geschlossen.

16 Lesen Sie laut.

1. Karl der V., ein Enkel Maximilians I., wurde 1520 in Aachen zum Kaiser gekrönt.
2. Ludwig XIV. ließ das Schloß von Versailles bauen. Viele deutsche Fürsten richteten sich in ihrem verschwenderischen Lebensstil nach Ludwig XIV.
3. Der Preußenkönig Friedrich II., ein Sohn Friedrich Wilhelms I. und Enkel Friedrichs I., erhielt später den Beinamen „der Große".
4. Mit 361 gegen 360 Stimmen des Konvents verurteile man Ludwig XVI. 1793 zum Tode.

17 Lesen Sie die folgenden Uhrzeiten laut, und zwar in zwei Lesarten:

17.30 12.20 9.15 11.50 23.57 19.45 14.40 0.03 0.45

18 Lesen Sie die folgenden DM-Beträge laut:

DM 17,20 9,75 376,88 1022,07 536 307,– 1 054 940,–

19 Lesen Sie die folgenden Rechenoperationen laut:

4 + 7 = 11	17 − 8 = 9	9 · 17 = 153	67 · 44 = 2948
9 − 5 = 4	86 + 14 = 100	84 : 12 = 7	99 : 11 = 9

20 Lesen Sie den folgenden Text laut. Stellen Sie dann nach Beispiel III/2 die Einteilungszahlen in den Satz: ... entzogen, weil er erstens zu ..., er zweitens ..., usw.

Ihm wurde der Führerschein entzogen. Gründe:
1. Er war zu schnell gefahren.
2. Er hatte 0,4 Promille Alkohol im Blut.
3. Er hatte die Kreuzung bei Rot überfahren.
4. Er hatte sechs andere Fahrzeuge beschädigt.

§ 39 Deklination des Adjektivs

I Deklination mit dem bestimmten Artikel

	maskulin	feminin	neutral
Singular	**der junge Mann**	**die junge Frau**	**das kleine Kind**
	des jungen Mannes	der jungen Frau	des kleinen Kindes
	dem jungen Mann	der jungen Frau	dem kleinen Kind
	den jungen Mann	**die junge Frau**	**das kleine Kind**
Plural	die jungen Männer	die jungen Frauen	die kleinen Kinder
	der jungen Männer	der jungen Frauen	der kleinen Kinder
	den jungen Männern	den jungen Frauen	den kleinen Kindern
	die jungen Männer	die jungen Frauen	die kleinen Kinder

Regeln

1. Im Singular haben die fünf fett gedruckten Adjektivformen die Endung *-e,* alle anderen haben *-en.*
   Im Plural haben alle Formen die Endung *-en.*

2. Anstelle des bestimmten Artikels können gebraucht werden (siehe § 36 und 37):
   dieser, diese, dieses; Plural: diese
   Dies*es* schön*e* Haus wurde um 1900 gebaut.

   jener, jene, jenes; Plural: jene
   Jen*e* wirtschaftlich*en* Probleme, die wir diskutiert haben, sind noch ungelöst.

   jeder, jede, jedes; Plural: alle
   Jed*er* dritt*e* Teilnehmer mußte wegen Grippe zu Hause bleiben.
   All*e* abwesend*en* Teilnehmer erhalten das Protokoll per Post.

   mancher, manche, manches; Plural: manche
   Manch*er* alt*e* Rentner bekommt zuwenig Geld.

   solcher, solche, solches; Plural: solche
   Mit solch*em* alt*en* Werkzeug kann man nicht arbeiten.

   welcher, welche, welches; Plural: welche
   Welch*es* englisch*e* Wörterbuch möchtest du dir kaufen?

   derjenige, diejenige, dasjenige; Plural: diejenigen
   Diejenig*en* ausländisch*en* Studenten, die eingeschrieben sind, möchten sich bitte im Zimmer 6 melden.

   derselbe, dieselbe, dasselbe; Plural: dieselben
   Jeden Morgen steht derselb*e* rothaarig*e* Polizist an der Ecke.

   beide kann anstelle des bestimmten Artikels stehen oder als selbständiges Adjektiv mit dem bestimmten Artikel gebraucht werden:
   Beid*e* alt*en* Leute sind am gleichen Tag gestorben.
   Die beid*en* alt*en* Leute waren fünfzig Jahre verheiratet.

   sämtliche (= *alle*), *irgendwelche* werden meist im Plural gebraucht:
   Wir haben sämtlich*e* undicht*en* Fenster erneuert.
   Hast du noch irgendwelch*e* alt*en* Sachen für das Rote Kreuz?

Anmerkungen

1. *all-, sämtlich-, irgendwelch-* stehen im Singular vor einem substantivierten Adjektiv oder einem artikellosen Substantiv anstelle des bestimmten Artikels (siehe § 37 II 3): all*es* Gut*e,* all*er* grau*e* Beton, mit sämtlich*em* schwer*en* Gepäck, irgendwelch*es* unbrauchbar*e* Zeug

2. Ebenso wird *einig-* gebraucht, aber nur im Singular (Plural, siehe § 37 II): einig*es* Wesentlich*e,* nach einig*er* groß*en* Anstrengung

3. Es gibt einige Besonderheiten beim Gebrauch des Adjektivs:
   a) Adjektive auf *-el:*

dunkel	aber:	die dun*kle* Straße
edel		ein e*dler* Wein

eitel — ein ei*tles* Mädchen
nobel — ein no*bles* Geschäft

b) Adjektive auf *-er:*
sauer aber: der sau*re* Apfel
teuer — ein teu*res* Auto

dagegen: bitter — ein bitt*e*rer Geschmack
finster — ein finst*e*rer Tunnel

c) hoch aber: ein ho*hes* Gebäude

d) Adjektive auf *–a* werden nicht dekliniert:
eine ros*a* Blume, ein lil*a* Kleid
eine prim*a* Idee

e) Adjektive, die von Städtenamen abgeleitet werden, haben die Endung *–er.* Sie werden nicht dekliniert und immer groß geschrieben:
der Hamburg*er* Hafen, in der Berlin*er* S-Bahn, zum New York*er* Flughafen

ÜBUNGEN

1 Ergänzen Sie die Endungen.

1. der freundlich__ Herr; die alt__ Dame; das klein__ Mädchen
2. wegen des freundlich__ Herrn; wegen der alt__ Dame; wegen des klein__ Mädchens
3. mit dem freundlich__ Herrn; mit der alt__ Dame; mit dem klein__ Mädchen
4. ohne den freundlich__ Herrn; ohne die alt__ Dame; ohne das klein__ Mädchen
5. dieser alt__ Esel; jene klein__ Hexe; manches groß__ Kamel; wegen . . . ; von . . . ; für . . .
6. dieser dunkl__ Wald; jene nass__ Wiese; das tief__ Tal; oberhalb . . . ; gegenüber . . . ; durch . . .
7. der teur__ Mantel; die golden__ Halskette; das wertvoll__ Schmuckstück; statt . . . ; mit . . . ; ohne . . .
8. derselbe frech__ Junge; dieselbe mutig__ Frau; dasselbe vergeßlich__ Fräulein; wegen . . . ; bei . . . ; für . . .

2 Ergänzen Sie die Endungen.

1. die link__ Politiker; trotz der . . . ; von den . . . ; über die . . .
2. die recht__ Parteien; wegen der . . . ; mit den . . . ; ohne die . . .
3. die schweren Lastwagen; infolge der . . . ; zwischen den . . . ; durch die . . .
4. die zu engen Schuhe; trotz der . . . ; mit den . . . ; ohne die . . .
5. sämtliche jung__ Männer; trotz . . . ; von . . . ; gegen . . .
6. beide alt__ Freunde; von . . . ; mit . . . ; für . . .

3 Bilden Sie von Übung 1 den Plural, von Übung 2 den Singular in allen Fällen.

II Deklination mit dem unbestimmten Artikel

	maskulin	feminin	neutral
Singular	**ein junger Mann**	**eine junge Frau**	**ein kleines Kind**
	eines jungen Mannes	einer jungen Frau	eines kleinen Kindes
	einem jungen Mann	einer jungen Frau	einem kleinen Kind
	einen jungen Mann	**eine junge Frau**	**ein kleines Kind**
Plural	junge Männer	junge Frauen	kleine Kinder
	junger Männer	junger Frauen	kleiner Kinder
	jungen Männern	jungen Frauen	kleinen Kindern
	junge Männer	junge Frauen	kleine Kinder

Regeln

1. Im Singular muß man sich die fünf fett gedruckten Adjektivformen merken, alle anderen haben die Endung *–en.*
   Der Plural wird ohne Artikel gebraucht. Dafür erhalten die Adjektive die Endungen des bestimmten Artikels:
   Nom.: –e (di*e*) Dat.: –en (d*en*)
   Gen: –er (d*er*) Akk.: –e (di*e*)
2. Die Adjektivdeklination ohne Artikel im Plural wird nach Kardinalzahlen gebraucht:
   Zwei klein*e* Kinder spielen im Hof.
   Ich habe dir *drei* neu*e* Zeitschriften mitgebracht.
3. Wie das Adjektiv ohne Artikel im Plural werden auch folgende unbestimmte Zahlwörter dekliniert: *andere, einige, etliche, folgende, mehrere, verschiedene, viele, wenige:*
   Singular: mit *einem* nett*en* Freund
   das Ergebnis *einer* lang*en* Besprechung
   ein alt*er* Baum
   Plural: mit *anderen* nett*en* Freunden
   das Ergebnis *einiger* lang*er* Besprechungen
   viele alt*e* Bäume

ÜBUNGEN

1 Setzen Sie die Beispiele mit den genannten Präpositionen in die vier Fälle.

1. ein treu__ Hund; wegen . . . ; außer . . . ; durch . . . 2. ein tief__ Tal (n); ein falsch__ Paß; eine gefährlich__ Kurve (f); ein zerbrochen__ Glas; eine gut__ Freundin; ein wichtig__ Brief

2 Üben Sie nach folgendem Muster:

A: Ein *zerbrochener* Spiegel!
B: Was soll ich denn mit *einem zerbrochenen* Spiegel?
Einen zerbrochenen Spiegel kann ich doch nicht gebrauchen!

1. ein zerrissen__ Tischtuch 2. ein kaputt__ Auto 3. ein defekt__ Fernseher 4. ein

wacklig__ Stuhl 5. ein abgetreten__ Teppich (m) 6. eine durchgebrannt__ Birne (f) 7. eine ungenau gehend__ Uhr 8. ein verbogen__ Fahrrad 9. ein uralt__ Kinderwagen 10. ein stumpf__ Messer (n) 11. ein alt__ Wecker (m) 12. ein veraltet__ Lexikon (n)

3 Ergänzen Sie die Endungen.

1. mit ein__ interessant__ Bericht (m) 2. für ein schön__ Erlebnis 3. ohne ein__ freundlich__ Gruß (m) 4. außer ein__ klein__ Kind 5. während ein__ gefährlich__ Fahrt 6. mit ein__ tüchtig__ Angestellten (f) 7. gegen ein__ stärker__ Gegner 8. durch ein __ älter__ Arbeiter 9. mit ein__ zuverlässig__ Freund 10. außer ein__ alt__ Regenschirm (m) 11. statt ein__ freundlich__ Wortes 12. ein höflich__ Mensch 13. wegen ein__ schwer__ Unfalls 14. infolge ein__ leicht__ Verletzung 15. mit ein__ hilfsbereit__ Schüler 16. ohne ein__ schwer__ Fehler 17. mit ein__ klein__ Pause (f) 18. durch ein__ stark__ Schlag (m) 19. für ein__ gut__ Zweck (m) 20. infolge ein__ stark__ Sturms (m) 21. ein intelligent__ Junge 22. ein klug__ Mädchen

4 Setzen Sie die Beispiele der Übungen 2 und 3 in den Plural.

5 Üben Sie Singular und Plural. B gibt eine jeweils passende Antwort, z.B.: in der Campingabteilung / im 3. Stock, usw.

elektrisch / Kaffeemaschine (f)
A: Ich möchte bitte eine *elektrische* Kaffeemaschine.
B: *Elektrische* Kaffeemaschinen gibt es in der Haushaltsabteilung.

1. tragbar / Fernseher (m) 2. vollautomatisch / Waschmaschine (f) 3. unzerbrechlich / Milchflasche (f) 4. waschbar / Schaffell (n) 5. einbändig / Wörterbuch (n) 6. rund / Tischtuch (n) 7. wasserdicht / Taschenlampe (f) 8. lila(!) / Möbelstoff (m) 9. rosa(!) / Handtuch (n) 10. bunt / Kopftuch (n) 11. echt / Perlenkette (f) 12. dreiflammig / Gasherd (m)

III Deklination mit Possessivpronomen

	maskulin	feminin	neutral
Sg.	**mein alter Freund**	**meine alte Freundin**	**mein altes Auto**
	meines alten Freundes	meiner alten Freundin	meines alten Autos
	meinem alten Freund	meiner alten Freundin	meinem alten Auto
	meinen alten Freund	**meine alte Freundin**	**mein altes Auto**
Pl.	meine alten Freunde	meine alten Freundinnen	meine alten Autos
	meiner alten Freunde	meiner alten Freundinnen	meiner alten Autos
	meinen alten Freunden	meinen alten Freundinnen	meinen alten Autos
	meine alten Freunde	meine alten Freundinnen	meine alten Autos

Regeln

1. Im Singular entsprechen die Adjektivformen denen nach dem unbestimmten Artikel. Im Plural haben alle Formen die Endung *-en*.
2. Ebenso wie das Possessivpronomen wird *kein, keine, kein;* Plural *keine* dekliniert:

Das ist kein*e* besonder*e* Neuigkeit.	Das sind kein*e* besonder*en* Neuigkeiten.
Wir brauchen kein neu*es* Fahrrad.	Wir brauchen kein*e* neu*en* Fahrräder.

ÜBUNGEN

1 Bilden Sie Fragen. Ergänzen Sie dabei die Endungen, wenn dies notwendig ist, und geben Sie selbständig eine Antwort.

Wo ist denn dein__ alt__ Fernseher?
A: Wo ist denn *dein alter* Fernseher?
B: *Meinen alten* Fernseher habe ich verschenkt.

Die Frage klingt verbindlicher, wenn Sie so fragen: *Wo ist eigentlich dein alter Fernseher geblieben?*

Wo ist . . . / Wo sind . . .
1. mein__ alt__ Fahrrad? 2. dein__ gestreift__ Kleid? 3. euer__ wertvoll__ Teppich? 4. eur__ chinesisch__ Vase (f)? 5. Ihr krank__ Hund? 6. eur__ gestrig__ Zeitung? 7. Ihr__ herrlich__ Bilder? 8. dein zweit__ Auto? 9. Ihr__ antik__ Tischlampe?

2 Bilden Sie Fragen mit Hilfe des folgenden Schemas, und finden Sie eine passende Antwort.

Was hast du Was habt ihr Was haben sie Was haben Sie	mit ohne	mein__ dein__ sein__ ihr__ unser__ euer__ Ihr__	elegant__ Wagen (m) schnell__ Motorrad (n) alt__ Wohnung (f) viel__ Geld (n) früher__ Vertrag (m) schwarz__ Katze (f) alt__ Möbel (Pl.) selten__ Briefmarken (Pl.) hübsch__ Garten (m) zweit__ Garage (f)	gemacht?

3 Ergänzen Sie, wo es nötig ist, die Endungen im Genitiv Singular und Plural.

1. wegen ihr__ frech__ Bemerkung__ 2. trotz unser__ wiederholt__ Anfrage__ 3. wegen sein__ interessant__ Bericht__ 4. trotz sein__ unfreundlich__ Brief__ 5. wegen ihr__ krank__ Kind__ 6. während unser__ lang__ Reise__ 7. wegen sein__ ungenau__ Aussage__ (f) 8. trotz ihr__ hoh__ Rechnung__

IV Deklination ohne Artikel im Singular

	maskulin	feminin	neutral
Nom.	guter Wein	klare Luft	reines Wasser
Gen.	gut**en** Weines	klarer Luft	rein**en** Wassers
Dat.	gutem Wein	klarer Luft	reinem Wasser
Akk.	guten Wein	klare Luft	reines Wasser

Regeln

1. Das Adjektiv der artikellosen Deklination im Singular erhält die Endungen des bestimmten Artikels, mit Ausnahme des Genitivs maskulin und neutral (Endung *–en*).
2. Unbestimmte Mengenbegriffe werden oft ohne Artikel gebraucht. Sie sind nicht zählbar und haben deshalb keinen entsprechenden Plural. Dazu gehören:
   a) Materialangaben und Flüssigkeiten, wie *Holz, Eisen, Beton; Wasser, Öl, Benzin,* usw. (siehe § 3 III 2):
   Der Teller ist aus rein*em* Gold.
   Auf dem Bauernhof gibt's frisch*e* Milch.
   Schon der Geruch stark*en* Kaffees belebt mich.
   b) Eigenschaften und Gefühle (oft mit Präposition), wie *Mut, Ehrgeiz, Angst,* usw. (siehe § 3 III 2):
   Alt*e* Liebe rostet nicht.
   Er kämpfte mit groß*em* Mut und zäh*er* Ausdauer für seine Überzeugung.
   Rastlos*er* Ehrgeiz trieb ihn vorwärts.
3. Nach den endungslosen unbestimmten Zahlwörtern *allerlei, etwas, genug, mancherlei, mehr, viel, wenig* stehen oft unbestimmte Mengenbegriffe:
   Im Keller liegt *allerlei* unbrauchbar*es* Zeug.
   Heute trinkt man *mehr* schwarz*en* Tee als früher.
   Ich habe nur noch *etwas* trocken*es* Brot.
4. Nach *nichts* und den oben genannten Zahlwörtern *allerlei* usw. steht oft ein substantiviertes Adjektiv. Es wird dekliniert und groß geschrieben:
   Bei meiner Ankunft habe ich *etwas* Unangenehm*es* erlebt.
   Dabei hatte ich mit *nichts* Bös*em* gerechnet.

Anmerkung

Im Plural haben einige unbestimmte Mengenbegriffe eine andere Bedeutung:
die Abwässer = schmutziges, gebrauchtes Wasser
die Fette = verschiedene von Tieren oder Pflanzen stammende Fettarten, z. B. Butter, Schmalz
die Lüfte = eine sanfte Luftbewegung
die Hölzer = verschiedene Holzarten
die Weine = Weinsorten

ÜBUNGEN

1 Beginnen Sie den Satz mit „Hier steht bzw. liegt ...".

Hier steht *kühles* Bier.

1. kühl__ Bier
2. rot__ Wein
3. kalt__ Sekt (m)
4. eisgekühlt__ Wasser
5. echt__ Obstsaft (m)
6. warm__ Milch
7. erfrischend__ Limonade
8. schwarz__ Tee
9. stark__ Kaffee
10. frisch__ Brot
11. lecker__ Kuchen
12. gesalzen__ Butter
13. geräuchert__ Speck (m)
14. kalt__ Braten (m)
15. heiß__ Suppe

2 Nehmen Sie Übung 1. Sagen Sie, womit Sie Ihre Gäste bewirten bzw. nicht bewirten wollen, z. B.:

... mit kühl__ Bier, nicht mit warm__ Milch.

3 Fordern Sie jetzt Ihre Gäste auf: Bitte, nehmen Sie noch ein Glas (eine Tasse / einen Teller / ein Stück / eine Scheibe) ..., z. B.:

... ein Glas *kühles* Bier!

Höflicher klingt eine Frage in dieser Form: *Möchten Sie nicht noch ein Glas kühles Bier?*

V Deklination ohne Artikel im Singular und Plural

	maskulin	feminin	neutral
Singular	Evas alter Lehrer	Evas alte Lehrerin	Evas altes Heft
	–	–	–
	Evas altem Lehrer	Evas alter Lehrerin	Evas altem Heft
	Evas alten Lehrer	Evas alte Lehrerin	Evas altes Heft
Plural	Evas alte Lehrer	Evas alte Lehrerinnen	Evas alte Hefte
	–	–	–
	Evas alten Lehrern	Evas alten Lehrerinnen	Evas alten Heften
	Evas alte Lehrer	Evas alte Lehrerinnen	Evas alte Hefte

Regeln

Die Adjektivdeklination ohne Artikel im Singular und Plural wird nur in einigen Ausnahmefällen gebraucht. Die Adjektivendungen im Plural entsprechen denen des unbestimmten Artikels Plural. Die Deklination ohne Artikel steht

a) nach dem vorangestellten Genitiv:
Ich habe mir *Roberts neues Haus* angesehen.
In unserer Bibliothek stehen *Goethes gesammelte Werke.*

b) nach dem Fragepronomen *wessen:*
Mit *wessen altem Auto* wollt ihr diesmal nach Spanien fahren?
Wessen klugen Ratschlägen bist du gefolgt?

c) nach dem Relativpronomen im Genitiv *dessen, deren, dessen;* Plural *deren* (siehe § 35 II 2):
Die Freundin, *in deren gemütlicher Wohnung* ich in den Ferien gewohnt habe, ...
Der Nachbar, *dessen reicher Onkel* aus Amerika gekommen ist, ...

d) nach den selten gebrauchten endungslosen Pronomen *manch, solch, welch:*

manch gut*er* Freund	manch gut*e* Freunde
auf solch fruchtbar*em* Feld	auf solch fruchtbar*en* Feldern

e) nach dem Personalpronomen als Anrede oder Selbstanrede. Im Singular wird das Adjektiv nach der Deklination ohne Artikel dekliniert:
Du arm*es* Kind!
Mir ehrlich*em* Steuerzahler bleibt nichts erspart.

Im Plural dagegen hat das Adjektiv hier immer die Endung *-en:*
wir klein*en* Rentner, mit uns schlechtbezahlt*en* Hilfsarbeitern

ÜBUNGEN

1 An der Garderobe ist einiges hängen bzw. liegen geblieben.

rot__ Halstuch (n) ... Ulla
A: Wessen *rotes* Halstuch ist das?
B: Das ist Ullas *rotes* Halstuch.

1. hübsch__ Tasche ... Ilse 2. alt__ Hut ... Albert 3. warm__ Mantel ... Uta 4. gelb__ Mütze (f) ... Ruth 5. hölzern__ Armband (n) ... Gisela 6. wollen__ Schal ... Richard 7. weiß__ Handschuhe (Pl.) ... Ingeborg 8. blau__ Jacke ... Hans 9. braun__ Kamm (m) ... Inge 10. klein__ Kalender (m) ... Michael

2 Nehmen Sie Übung 1, und üben Sie nach folgenden Mustern:

a

Gib mir Ullas *rotes* Halstuch! Ich bring' es ihr.

b

A: Was machst du denn mit Ullas *rotem* Halstuch?
B: Ich will es ihr bringen.

3 Ergänzen Sie die Endungen. Finden Sie zu den Redensarten der linken Seite die passenden Erklärungen auf der rechten Seite.

1. ein salomonisch__ Urteil (n)
2. in den saur__ Apfel beißen
3. jdn. mit offen__ Armen empfangen
4. mit einem blau__ Auge davonkommen
5. jdm. golden__ Berge versprechen
6. wie ein Blitz aus heiter__ Himmel
7. jdm. golden__ Brücken bauen
8. etw. geht nicht mit recht__ Dingen zu
9. dunk__ Geschäfte machen
10. jdn. wie ein roh__ Ei behandeln
11. die erst__ Geige spielen
12. jdm. mit gleich__ Münze (f) heimzahlen, oder: Gleich__ mit Gleich__ vergelten
13. etwas an die groß__ Glocke hängen
14. sich keine grau__ Haare wachsen lassen
15. auf keinen grün__ Zweig kommen

a) ein bestimmt__ Geschehen (n) überall weitererzählen
b) jdm. einen freundlich__ Empfang bereiten
c) die wichtigst__ Person in einer Gruppe sein
d) unrechtmäßig__, betrügerisch__ Handel (m) treiben
e) jdm. groß__ Versprechungen machen, aber das gegeben__ Wort nicht halten
f) jdm. großzüg__ Hilfe anbieten
g) eine klug__ Entscheidung
h) sich keine unnötig__ Sorgen machen
i) nur leicht__ Schaden (m) erleiden, obwohl beinah etwas Schlimm__ passiert wäre
j) ein ganz unerwartet__ Ereignis (n)
k) zu einer unangenehm__ Handlung gezwungen sein
l) im Leben keinen recht__ Erfolg haben
m) jdm. etw. mit der gleich__ Härte zurückgeben
n) ein unerklärlich__ Geschehen / eine ungesetzlich__ Handlung
o) mit jdm. mit groß__ Vorsicht (f) umgehen

4 Ergänzen Sie die Endungen, und versuchen Sie eine Erklärung für die folgenden Redensarten:

1. Er wirkt wie ein rot__ Tuch auf mich. 2. vor sein__ eigen__ Tür kehren 3. Er ist ein Schuft reinst__ Wassers. (Schuft = böser Mensch) 4. etw. ist für den hohl__ Zahn 5. sauer verdient__ Geld 6. alles in rosig__ Licht sehen 7. am gleich__ Strang (m) ziehen (Strang = dickes Seil) 8. leer__ Stroh (n) dreschen 9. taub__ Ohren predigen (Dat.) 10. rein__ Tisch machen 11. hinter schwedisch__ Gardinen sitzen 12. mit offen__ Augen ins Unglück rennen 13. etw. beim richtig__ Namen nennen 14. auf dem letzt__ Loch pfeifen 15. Er ist mit dem link__ Bein zuerst aufgestanden. 16. wie auf glühend__ Kohlen sitzen 17. jdm. klar__ Wein einschenken 18. Er ist ein schwer__ Junge. 19. im siebent__ Himmel sein 20. frei__ Hand haben 21. nur mit halb__ Ohr zuhören 22. nur ein halb__ Mensch sein

5 Ergänzen Sie die Endungen.

a) Doppelt so teuer!

Eine kalifornisch__ Filmgesellschaft wollte einen spannend__ Goldgräberfilm drehen, der zum groß__ Teil in den Wäldern des nördlich__ Kanada spielen sollte. Man hätte natürlich das winterlich__ Goldgräberdorf in den Filmstudios nachbauen können, und die nachgemacht__ Holzhäuser, die krumm__ Straßen mit weiß__, glitzernd__ Salz bestreuen können, aber der Regisseur wünschte echt__ Schnee, wirklich__ Kälte und natürlich__ Licht; deshalb brachte man alles Notwendig__ in mehrer__ schwer__ Lastwagen in ein einsam__ Dorf an der kanadisch__ Grenze. Etwas Besser__ hätten sich die Schauspieler nicht vorstellen können, denn es bedeutete für sie einige herrlich__ Tage in den ruhig__ Wäldern Kanadas. Dort war noch kein richtig__ Schnee gefallen, und die Schauspieler faulenzten in der warm__ Oktobersonne, angelten in den nah__ Seen und genossen ihre frei__ Zeit. Nach drei lang__ Wochen verlor die Filmgesellschaft endlich die Geduld, denn jeder nutzlos__ Tag kostete eine Menge hart__ Dollars (Gen.); so ließ sie zwanzig groß__ Lastwagen voll von teur__ Salz nach Kanada kommen, was wieder einiges gut__ Geld kostete. Das Salz wurde von kanadisch__ Sportfliegern über das ganz__ Dorf verstreut, und es war, als es fertig war, eine wunderschön__ Winterlandschaft. In der nächst__ Nacht begann es zu schneien, am früh__ Morgen lag in den schwarz__ Wäldern ringsum dick__ Schnee, nur in dem Goldgräberdorf war nichts ander__ zu sehen als häßlich__ braun__ Matsch (m).

b*) Vermißt

Vermißt wird seit dem siebent__ Januar der 25jährig__ Liliputaner Bubu Kunz. Er ist etwa 1,30 Meter groß, von bräunlich__ Hautfarbe und untersetzt__ Gestalt. Auffallend sind seine kurz__ gebogen__ Beine, sein ungewöhnlich groß__ Kopf und die verschieden__ Farben seiner Augen; das recht__ ist grünblau, das link__ fast schwarz. Seine abstehend__ Ohren sind mit eisern__ Ringen geschmückt, am recht__ mittler__ Finger fehlt das ober__ Fingerglied. Bubu Kunz war zuletzt als zweit__ Clown am hiesig__ Zirkus angestellt. Da er in wechselnd__ Verkleidung auftrat, kann man über seine jetzig__ Kleidung keine näher__ Angaben machen. Besonder__ Kennzeichen (Pl.): Der Vermißt__ pflegt hinter etwa jedem dritt__ Wort einen kurz__ Laut, der wie ein gepreßt__ „ö“ klingt, auszustoßen.

c) Urlaub machen – aber richtig!

Drei lang__ Wochen richtig faul sein, lang__ schlafen und gut__ Essen genießen, an ein__ schön__ Strand in d__ warm__ Sonne liegen und gelegentlich ein erfrischend__ Bad in sauber__ Meerwasser nehmen, das ist d__ ersehnt__ Urlaubstraum vielbeschäftigt__ Menschen (Gen.), die d__ ganz__ Jahr nie Zeit für sich haben.
Doch gerade dies__ vielgeplagt__ Menschen will das plötzlich__ Faulenzen nicht bekommen. Mit d__ gut__ Schlaf ist es nichts. Man fühlt sich zerschlagen und müde. Für solch__ urlaubsuchend__ Menschen, die ein ganz__ Jahr lang unter stark__ Streß standen, ist das „süß__ Nichtstun“ nicht erholsam. Und für d__jenig__, die ohnehin ein geruhsam__ Leben führen, ist das Faulenzen in d__ dreiwöchig__ Ferien in der Regel langweilig. Kein Wunder, daß sich der Hobbyurlaub immer größer__ Beliebtheit erfreut; Ferien mit interessant__, abwechslungsreich__ Programm.

Im aktiv__ Urlaub bleibt der erholungsuchend__ Mensch tätig. Aktiv__ Urlaub, das kann
13 mit ein__ vormittäglich__ Sprachkurs, tätig__ Mithilfe bei archäologisch__ Ausgrabungen, sportlich__ Segeln, anstrengend__ Bergtouren, konzentriert__ Schachspielen usw.
15 verbunden sein.
Körperlich__ und geistig__ Tätigkeit mildert die ungewohnt__ Belastung durch die plötz-
17 lich__ Umstellung im Urlaub. – Maßvoll__ Streß, das ist wichtig!

d) Wer hat schuld?

1 In den südamerikanisch__ und afrikanisch__ Urwäldern hat in den letzt__ Jahren eine ökologisch__ Tragödie begonnen. Die Zerstörung des brasilianisch__ Urwalds soll hier
3 als warnend__ Beispiel stehen: Brasilien, ein Land mit stark zunehmend__ Bevölkerung, braucht für viel__ Millionen unterernährt__ Menschen neu__ Landwirtschaftsgebiete.
5 Nun gibt es am Amazonas riesig__ Urwälder, und es ist verständlich, daß man diese unbewohnt__ Gebiete nutzbar machen wollte.
7 Auf einer Fläche von mehrer__ 10000 Quadratkilometern wurden sämtliche uralt__ Bäume abgeholzt oder abgebrannt, und die neu__ Siedler, arm__ Leute aus den unter__
9 Schichten der Bevölkerung, begannen mit ihrer schwer__ Arbeit. Im erst__ Jahr bekamen sie reich__ Ernten, das zweit__ Jahr brachte schon geringer__ Erträge und im
11 darauffolgend__ Jahr zeigte sich eine schrecklich__ Katastrophe. Auf dem Boden, der mit so groß__ Mühe bearbeitet worden war, wuchs nichts mehr. Alle jung__ Pflanzen
13 verwelkten, die neugesät__ Saat vertrocknete im unfruchtbar__ Boden. Etwas Unerwartet__ war geschehen? Nein! Der schön__ Plan der brasilianisch__ Regierung war ein
15 schwer__ Irrtum! Erst jetzt begann man mit geologisch__ Untersuchungen des Urwaldbodens und mußte feststellen, es ist Sand, locker__, trocken__ Sand!
17 Die Frage ist nun, wie solche riesig__ Bäume auf diesem sandig__ Boden überhaupt wachsen konnten. Nach unseren neuest__ Erkenntnissen geschieht das so: In dem
19 feucht__ und heiß__ Klima vermodern (= verwesen, verfaulen) herabfallend__ Blätter und Äste sehr schnell und bilden ausreichend__ Dünger für die Bäume, deren weitausge-
21 breitet__ Wurzeln flach unter dem Sandboden liegen.
Nun hatte man aber alle jahrhundertalt__ Bäume abgeholzt; im weit__ Umkreis von
23 viel__ Kilometern war kein einzig__ Baum stehen geblieben, so daß die täglich__ Sonnenhitze und schwer__ Regenfälle den schutzlos__ Boden zerstörten. Nachdem die Sied-
25 ler nach Ablauf des dritt__ Jahres ihr unfruchtbar__ Land wieder verlassen hatten, blieb nichts zurück als eine tot__ Wüste.
27 Etwas ander__ wäre es gewesen, wenn die Experten einig__ Jahre früher genauer__ Bodenuntersuchungen gemacht hätten. Dann hätten sie rechtzeitig festgestellt, daß im
29 Urwaldgebiet groß__ Flächen unbrauchbar sind, daß man aber auf kleiner__ Plätzen, die vom schützend__ Wald umgeben sind, viel__ Menschen ein sinnvoll__ Leben ermögli-
31 chen kann.

§ 40 Komparation des Adjektivs

Vorbemerkungen

1. Sowohl attributive Adjektive wie modale Adverbien kann man steigern, d. h. man kann im Vergleich die höhere Stufe (= Komparativ) und die höchste Stufe (= Superlativ) bilden.
2. Das attributive (hinzugefügte) Adjektiv steht vor dem Substantiv und ist ihm zugeordnet: der sonnig*e* Tag; ein regnerisch*er* Sonntag
3. Modale Adverbien beziehen sich auf das Verb des Satzes. Man fragt *wie?*:
   Der letzte Sommer war *heiß*.

I Allgemeine Regeln

	Adjektivattribut	*Adverb*
	das **kalte** Wetter im Oktober	Im Oktober ist es oft schon **kalt.**
Komparativ	das **kältere** Wetter im November	Im November ist es meistens **kälter.**
Superlativ	der **kälteste** Januar seit zehn Jahren	Im Durchschnitt ist es im Januar **am kältesten.**

1. Der *Komparativ* ist eine Vergleichsform, die einen Unterschied anzeigt. Nach dem Komparativ steht *als* (niemals *wie*!). Man bildet den Komparativ mit *–er*.
   a) Der attributive Komparativ hat *–er* und die Adjektivendung:
   der *stärkere* Wind; ein *leichteres* Gewitter.
   b) Der adverbiale Komparativ hat nur *–er:*
   In Hamburg regnete es *stärker* als in Hannover.

2. Der *Superlativ* bezeichnet die einmalig höchste Stufe; deshalb wird er immer mit dem bestimmten Artikel verwendet. Man bildet den Superlativ mit *–st-*.
   a) Der attributive Superlativ hat *–st-* und die Adjektivendung:
   der *längste* Tag des Jahres
   b) Der adverbiale Superlativ wird immer mit *am . . . –sten* gebildet:
   Am 22. Juli war die Sicht auf die Alpen *am klarsten.*

II Gebrauch des Superlativs

1. Der Superlativ ist die höchste Steigerungsstufe:
   Der Äquator ist der *längste* Breitengrad.

2. Meist ist es notwendig, eine Aussage mit einem Superlativ durch Orts- oder Zeitangaben oder durch andere Hinzufügungen einzuschränken:
   Der Mount Everest ist der *höchste* Berg *der Erde*.
   Das war der *wärmste* Maitag *seit zehn Jahren*.
   Wir wohnen in der *häßlichsten* Stadt, *die ich kenne*.

3. Man kann den Superlativ dadurch einschränken, daß man ihn auf einen (siehe § 37 I 3) aus einer gleichartigen Gruppe bezieht. Diese Gruppe im Genitiv Plural (oder seltener mit *von* + Dativ) bestimmt die Endung von *einer, eine, eines*.

Der Rhein ist *einer der verkehrsreichsten Ströme* (m.).
Die Heuschrecke ist *eines der schädlichsten Insekten* (n.).
Die Königin lebt in *einem der schönsten Schlösser* (n.) von England.
Zum Glück ist meine Wohnung *eine der billigsten* (Wohnungen) in Frankfurt.

III Sonderformen

1. Einige einsilbige Adjektive bilden den Komparativ und den Superlativ mit einem Umlaut:
   arm, *ä*rmer, am *ä*rmsten
   Ebenso: alt, dumm, grob, hart, jung, kalt, klug, krank, kurz, lang, rot, scharf, stark, schwach, warm; auch: gesund.

2. a) Adjektive mit unregelmäßiger Komparation:

hoch	attributiv	das ho**h**e Haus	das hö**h**ere Haus	das hö**ch**ste Haus
	adverbial	es ist ho**ch**	es ist hö**h**er	es ist am hö**ch**sten
nah	attributiv	das na**h**e Ziel	das nä**h**ere Ziel	das nä**ch**ste Ziel
	adverbial	es ist na**h**	es ist nä**h**er	es ist am nä**ch**sten
gut	attributiv	die gute Art	die **bessere** Art	die **beste** Art
	adverbial	es ist gut	es ist **besser**	es ist am **besten**
viel	attributiv	viele Angebote	**mehr** (undeklinierbar) Angebote	die **meisten** Angebote
	adverbial	es gibt viel	es gibt **mehr**	es gibt am **meisten**
gern	adverbial	das tue ich gern	das tue ich **lieber**	das tue ich am **liebsten**

   b) Unregelmäßige Sonderformen auf *–stens,* die nur adverbial gebraucht werden und eine abweichende Bedeutung haben:

höchstens	Kleine Kinder sollten *höchstens* drei Wochen von ihren Eltern getrennt sein.
nächstens	Wir werden Sie *nächstens* genauer informieren.
bestens	Er war *bestens* auf sein Examen vorbereitet.
meistens	Für seine Verspätung hatte er *meistens* eine Ausrede
wenigstens	Schick ihm *wenigstens* hundert Mark.
mindestens	Das Schwein wiegt *mindestens* vier Zentner.
zumind*est*	Du hättest *zumindest* anrufen können.

3. a) Adjektive auf *-d, -t, -tz, -z* und *-sch, -ß* bilden den Superlativ mit einem Hilfs-*e*:

wild	wilder	am wildesten
breit	breiter	am breitesten
stolz	stolzer	am stolzesten
spitz	spitzer	am spitzesten
heiß	heißer	am heißesten
hübsch	hübscher	am hübschesten

b) Ebenso Adjektive, die von einem Partizip Perfekt der schwachen Verben abgeleitet sind:

vertraut	vertrauter	am vertrautesten
zerstört	zerstörter	am zerstörtesten

Ausnahmen ohne Hilfs-e:

a) groß, größer, am größten
b) Adjektive auf *–isch*: am neid*ischst*en, am heim*ischst*en.
c) Adjektive, die von einem Partizip Präsens abgeleitet sind:
bedeutend, bedeutender, am bedeuten*dst*en
zutreffend, zutreffender, am zutreffen*dst*en
d) Adjektive, die von einem Partizip Perfekt der schwachen Verben abgeleitet sind und auf *–ert, –elt* oder *–tet* enden:
begeistert, begeisterter, am begeister*tst*en
bekümmert, bekümmerter, am bekümmer*tst*en
verzweifelt, verzweifelter, am verzweifel*tst*en
gefürchtet, gefürchteter, am gefürchte*tst*en

4. Adjektive auf *–el* oder *-er* haben Sonderformen:

dunk*el*	der dunk*le* Keller	es wird dunk*ler*	es ist am dunk*elsten*
ed*el*	der ed*le* Wein	er ist ed*ler*	er ist am ed*elsten*
teu*er*	der teu*re* Mantel	er ist teu*rer*	er ist am teu*ersten*

ÜBUNGEN

1 Üben Sie den Komparativ.

a

Sprich bitte laut!
Gut, ich werde jetzt *lauter* sprechen als bisher.

Statt „gut" kann man seine Bereitschaft durch „(ja) gern" ausdrücken. Ein klein wenig Ungeduld zeigen Sie, wenn Sie sagen: *Also schön, ich werde . . .,* besonders wenn sie *schön* betonen.

1. Schreib bitte schnell! 2. Sprich bitte deutlich! 3. Rechne bitte genau! 4. Hör bitte gut zu! 5. Sei bitte leise! 6. Lauf bitte langsam! 7. Bediene bitte freundlich! 8. Arbeite bitte sorgfältig! 9. Fahr bitte vorsichtig! 10. Sei bitte ordentlich! 11. Üb bitte viel!

b

Der Bus fährt aber nicht sehr schnell!
Das stimmt, er könnte *schneller* fahren.

Andere Möglichkeiten der Zustimmung: *Da haben Sie recht, . . .; Ja, wirklich, . . .; Da bin ich ganz Ihrer Meinung, . . .* (Betonung auf „wirklich" oder „ganz".)

1. Der Radfahrer fährt aber nicht sehr vorsichtig! 2. Der Motorradfahrer ist aber nicht sehr rücksichtsvoll! 3. Die Fußgänger gehen aber nicht sehr schnell über die Straße! 4. Der Autofahrer ist aber nicht sehr höflich! 5. Die Straßenlaternen sind aber nicht sehr hell! 6. Die Straße ist aber nicht sehr gut! 7. Der Bus ist aber nicht sehr billig! 8. Die Haltestelle ist aber nicht sehr nah!

c

Essen (n) / billig. Dieses Essen ist aber nicht billig! Stimmt, es könnte *billiger* sein.

1. Kellner (m) / höflich 2. Kaffee (m) / stark 3. Brötchen (Pl.) / frisch 4. Suppe (f) / warm 5. Kartoffeln (Pl.) / weich 6. Bier (n) / kalt 7. Pudding (m) / süß 8. Äpfel (Pl.) / saftig

d

Schuhe (Pl.) / bequem. Sind die Schuhe nicht bequem? Sie könnten *bequemer* sein.

Umgangssprachlich setzt man gern „na ja“ vor die Antwort: *Na ja, Sie könnten ...*

1. Jacke (f) / warm 2. Einkaufstasche (f) / fest 3. Mantel (m) / leicht 4. Kleid (n) / modern 5. Anzug (m) / billig 6. Socken (Pl.) / lang 7. Wolle (f) / grob 8. Fell (n) / dick 9. Leder (n) / gut 10. Gürtel (m) / breit

2 Üben Sie die Steigerungsstufen.

Fritz springt ... als Emil. (hoch / Hans) Fritz springt *höher* als Emil. Aber Hans springt *am höchsten.*

1. Stella spricht ... Deutsch als Michaela. (gut / Angela)
2. Müller arbeitet ... als Maier. (zuverlässig / Schulze)
3. Wein trinkt er ... als Bier. (gern / Sekt)
4. Seine Kusinen stehen ihm ... als seine Tante. (nah / Geschwister)
5. Das Radio war ... als der Plattenspieler. (teuer / der Fernseher)
6. Ein Skorpionstich ist ... als ein Wespenstich. (gefährlich / ein Schlangenbiß)
7. Mein Schäferhund ist ... als euer Dackel. (wild / der Jagdhund des Nachbarn)
8. Sie ißt Rindfleisch ... als Schweinefleisch. (gern / Hammelfleisch)
9. Im Einzelhandelsgeschäft ist die Bedienung ... als im Warenhaus. (freundlich / im Tante-Emma-Laden)
10. Im Zug reist man ... als im Bus. (schnell / im Flugzeug)
11. In der Sahara ist es ... als in Israel. (heiß / am Äquator)
12. In Grönland ist es ... als in Schweden. (kalt / im Nordosten der Sowjetunion)
13. Der Amazonas ist ... als der Mississippi. (lang / der Nil)
14. In Asien ist der Analphabetismus ... als in Südamerika. (verbreitet / in Afrika)
15. In Europa ist die Zahl der Deutschsprechenden ... als die Zahl der Menschen, die Englisch als Muttersprache sprechen. (hoch / die Zahl der Russischsprechenden)

3 Üben Sie die Steigerungsstufen.

Ich möchte ein Paar warme Handschuhe. – Haben Sie keine *wärmeren*? Nein, das sind *die wärmsten,* die wir haben.

Die Antwort klingt so höflicher: *Nein, leider ...; Nein, es tut mir leid, ...;* oder: *Ich bedaure, aber das ...*

Ich möchte ... 1. ... einen guten Tennisschläger. 2. ... eine große Einkaufstasche. 3. ... einen kleinen Fotoapparat. 4. ... festes Packpapier. 5. ... ein Paar schwere Wanderschuhe. 6. ... ein Paar leichte Sommerschuhe. 7. ... einen warmen Wintermantel. 8. ... einen billigen Wecker. 9. ... einen bequemen Sessel. 10. ... einen preiswerten Kalender.

4 Herr Neureich ist mit nichts zufrieden.

Die Wohnung ist nicht groß genug. Er möchte eine *größere* Wohnung.

1. Die Lampen sind nicht hell genug. 2. Die Möbel sind nicht elegant genug. 3. Das Porzellan ist nicht wertvoll genug. 4. Der Schrank ist nicht breit genug. 5. Der Orientteppich ist nicht alt genug. 6. Das Fernsehbild ist nicht groß genug.

5 Im Antiquitätenladen findet man ...

interessante Dinge. die *interessantesten* Dinge.

1. elegante Vasen 2. merkwürdige Bilder 3. alte Spielsachen 4. wertvolle Gläser 5. verrückte Bierkrüge 6. teure Möbel 7. hübsche Bilderrahmen 8. altmodische Stehlampen

6 Bilden Sie Fragen mit dem Superlativ, und veranstalten Sie dann ein Quiz. (Lösungen S. 292)

1. Wie heißt das (groß) Säugetier der Erde?
2. Wie heißt das (klein) Säugetier der Erde?
3. Wie heißt das Tier mit dem (hoch) Wuchs?
4. Welches Tier kann am (schnell) laufen?
5. Welche Schlange ist am (giftig)?
6. Wie heißt der (groß) Ozean?
7. Wie tief ist die (tief) Stelle des Meeres?
8. Welches ist der (klein) Erdteil?
9. Wo ist es am (kalt)?
10. Wo regnet es am (viel)?
11. In welcher Gegend der Erde ist es am (stürmisch)?
12. Wann ist auf der Nordhalbkugel der (kurz) Tag?
13. Wann ist auf der Nordhalbkugel der (lang) Tag?

14. Wie heißt das (leicht) Gas?
15. Wann sind wir von der Sonne am (weit) entfernt?
16. Wann ist die Sonne der Erde am (nah)?

7 Üben Sie nach folgendem Muster:

A: (behauptet) Der alte Turm ist *das schönste Gebäude* dieser Stadt.
B: (protestiert) Es gibt aber noch andere schöne Gebäude in dieser Stadt.
A: (muß zugeben) Der alte Turm ist *eines der schönsten Gebäude* in dieser Stadt.

1. Das Herz ist das empfindlichste Organ in unserem Körper.
2. Homer war der größte Dichter im Altertum.
3. Diese chinesische Vase ist das kostbarste Gefäß in diesem Museum.
4. Das Fahrrad ist die nützlichste Erfindung seit 200 Jahren.
5. Das Grippevirus ist wahrscheinlich das gefährlichste (Virus) überhaupt. (Pl: *Viren*)
6. Der Zug von Paris nach Marseille ist der schnellste (Zug) in Frankreich.
7. Als wir den Professor kennenlernten, wußten wir nicht, daß er der bekannteste (Professor) für afrikanische Literaturgeschichte ist.
8. Der französische Regisseur hat den besten Film in dieser Saison gedreht.
9. Wir haben an der tollsten Party in diesem Winter teilgenommen.
10. Eine Gruppe berühmter Architekten entwarf den unpraktischsten und häßlichsten Museumsbau (Pl: *-bauten*) in Köln.
11. Seit der Renovierung gilt unser Haus als das schönste (Haus) im Viertel.
12. Wissen Sie, daß Sie mit dem einflußreichsten Mann in dieser Stadt gesprochen haben?

§ 41 Adjektive und Partizipien als Substantive

a) In unserem Abteil saßen einige **Jugendliche.**
b) Die jungen Leute diskutierten mit den **Reisenden.**
c) Ein alter **Beamter** wollte die Argumente der **Jugendlichen** nicht anerkennen.

Regeln

Adjektive und Partizipien, die als selbständige Substantive gebraucht werden, werden wie ein Adjektiv dekliniert.

zu a) Folgende gebräuchliche Substantive sind aus Adjektiven entstanden:

der Adlige, ein ...er
der Arbeitslose, ein ...er
der Bekannte, ein ...er
der Blinde, ein ...er
der Blonde, ein ...er
der Deutsche, ein ...er
der Farbige, ein ...er
der Fremde, ein ...er
der Geizige, ein ...er
der Gesunde, ein ...er
der Heilige, ein ...er
der Jugendliche, ein ...er

der Kranke, ein ...er
der Lahme, ein ...er
der Rothaarige, ein ...er
der Schuldige, ein ...er
der Staatenlose, ein ...er
der Taubstumme, ein ...er
der Tote, ein ...er
der Verwandte, ein ...er
der Weise, ein ...er
der Weiße, ein ...er

zu b) Folgende gebräuchliche Substantive sind aus dem Partizip Präsens entstanden (Das Partizip Präsens wird gebildet aus dem Infinitiv + *–d*: frage*nd,* laufe*nd*):

der Abwesende, ein ...er
der Anwesende, ein ...er
der Auszubildende, ein ...er
der Heranwachsende, ein ...er
der Leidtragende, ein ...er
der Reisende, ein ...er
der Überlebende, ein ...er
der Vorsitzende, ein ...er

zu c) Folgende gebräuchliche Substantive sind aus dem Partizip Perfekt entstanden (Bildung des Perfekts, siehe § 6 I 5, § 7, 8):

der Angeklagte, ein ...er
der Angestellte, ein ...er
der Beamte, ein ...er
aber: die / eine Beamtin
der Behinderte, ein ...er
der Betrogene, ein ...er
der Betrunkene, ein ...er
der Gefangene, ein ...er
der Gelehrte, ein ...er
der Geschiedene, ein ...er
der Verheiratete, ein ...er
der Verletzte, ein ...er
der Verliebte, ein ...er
der Verlobte, ein ...er
der Verstorbene, ein ...er
der Vorgesetzte, ein ...er

ÜBUNGEN

1 Üben Sie Definitionen.

der Geizige / möglichst nichts von seinem Besitz abgeben wollen
Ein *Geiziger* ist ein Mensch, der möglichst nichts von seinem Besitz abgeben will.

1. der Betrunkene / zuviel Alkohol trinken (Perf.) 2. der Geschiedene / seine Ehe gesetzlich auflösen lassen (Perf.) 3. der Staatenlose / keine Staatszugehörigkeit besitzen 4. der Taubstumme / nicht hören und nicht sprechen können 5. der Weise / klug, vernünftig und lebenserfahren sein 6. der Überlebende / bei einer Katastrophe mit dem Leben davonkommen (Perf.) 7. der Vorsitzende / eine Partei, einen Verein o. ä. leiten 8. der Lahme / sich nicht bewegen können 9. der Auszubildende / eine Lehre machen 10. der Vorgesetzte / anderen in seiner beruflichen Stellung übergeordnet sein

2 Definieren Sie in ähnlicher Weise selbständig:

1. der Weiße 2. der Farbige 3. der Verstorbene 4. der Gefangene 5. der Reisende 6. der Abwesende 7. der Anwesende 8. der Arbeitslose 9. der Einäugige 10. der Schuldige

3 Setzen Sie die Definitionen in den Plural.

der Weiße
Weiße sind Menschen mit heller Hautfarbe.

4 Ergänzen Sie die Endungen.

1 Ein Betrunken__ fuhr gestern auf der Autobahn als sogenannter Geisterfahrer in der falschen Richtung. Dabei rammte er einen Bus. Trotzdem fuhr der Betrunken__ weiter.
3 Die Leidtragend__ waren die Reisend__ in dem Bus, meist Jugendlich__, die zu einem Fußballspiel fahren wollten. Der Bus kam von der Fahrbahn ab und überschlug sich. Das
5 Ergebnis: ein Tot__ und 15 Verletzt__. Ein Schwerverletzt__ wurde mit dem Hubschrauber ins Krankenhaus gebracht. Der Busfahrer, ein Angestellt__ der hiesigen Stadtverwal-
7 tung blieb unverletzt; der Tot__ jedoch ist ein naher Verwandt__ des Fahrers. Dem Schuldig__, den man kurz nach dem Unfall stoppen konnte, wurde eine Blutprobe
9 entnommen. Der Führerschein des Betrunken__ wurde sichergestellt.

§ 42 Adverbien

I Allgemeine Regeln

a) Ich sehe ihn **bald.**	b) Das Wetter war **ungewöhnlich** gut.
Er arbeitet **sorgfältig.**	Sie ist **ziemlich** ungeschickt.
Dein Auto steht **da hinten.**	c) Er hat ein **bewundernswert** gutes Gedächtnis.

Adverbien werden nicht dekliniert. Sie beziehen sich auf das Verb und nehmen eine eigene Position im Satz ein (siehe § 22 VII–IX).
zu a) Man fragt: *Wann, wie, wo* ist oder geschieht etwas?
zu b) Adverbien können sich auf andere Adverbien beziehen. Man fragt: *Wie ungeschickt war sie?* – Antwort: *Ziemlich ungeschickt.*
zu c) Adverbien können sich auch auf Adjektivattribute beziehen. Man fragt: *Was für ein Gedächtnis?* – Antwort: *Ein bewundernswert gutes Gedächtnis.*

II Temporaladverbien

Temporaladverbien geben an, *wann, bis wann, seit wann, wie lange, wie oft* etwas ist oder geschieht.
Die folgende Einteilung entspricht der inhaltlichen Bedeutung der Temporaladverbien, nicht dem Zeitengebrauch im Satz- und Textzusammenhang:

1. Gegenwart: heute, jetzt, nun, gerade – sofort, augenblicklich – gegenwärtig, heutzutage
2. Vergangenheit: gestern, vorgestern – bereits, eben, soeben, vorhin, früher, neulich, kürzlich – inzwischen, unterdessen – einst, einmal, ehemals, jemals – seither, vorher, damals, anfangs
3. Zukunft: morgen, übermorgen – bald, demnächst, nächstens, künftig – nachher, danach, später
4. allgemein: wieder, oft, oftmals, häufig, mehrmals, stets, immer, immerzu, ewig – erst, zuerst, zuletzt, endlich – nie, niemals, morgens, mittags, abends, nachts, vormittags usw.

Anmerkung

Im gleichen Sinn wird auch der Akkusativ der Zeit gebraucht, z.B.: *alle Tage, nächste Woche, jeden Monat, voriges Jahr* usw.

III Modaladverbien

Modaladverbien geben an, *wie, auf welche Art, mit welcher Intensität* etwas ist oder geschieht.

1. Adjektive können als modale Adverbien gebraucht werden:

   Er fragte mich *freundlich*.
   Es geht mir *schlecht*.

2. Die folgenden Modalverbien geben der Aussage eine bestimmte Richtung oder Färbung. Die meisten beziehen sich auf ein übergeordnetes Adverb, und zwar

verstärkend:	sehr, besonders, außerordentlich, ungewöhnlich
abschwächend:	fast, kaum, beinahe – ganz, recht, einigermaßen, ziemlich
in Frage stellend:	wohl, vielleicht, versehentlich, vermutlich, möglicherweise, wahrscheinlich
bestärkend:	sicher, bestimmt, allerdings, natürlich, gewiß, folgendermaßen, tatsächlich, absichtlich, unbedingt
vermeinend:	gar nicht, überhaupt nicht, keineswegs, keinesfalls – vergebens, umsonst

3. Modale Adverbien im Komparativ, die mit *–weise* gebildet werden:

   Er steht *normalerweise* um 7 Uhr auf.
   Er hat *dummerweise* den Vertrag schon unterschrieben.
   Sie haben *glücklicherweise* die Prüfung bestanden.
   Er hat ihm *verständlicherweise* nicht mehr als hundert Mark geliehen.

4. Modale Adverbien zur Angabe eines Grundes oder einer Bedingung, die mit *–halber* oder *–falls* gebildet werden:
   Wir haben *vorsichtshalber* einen Rechtsanwalt genommen.
   Das Haus ist *umständehalber* zu verkaufen.
   Er wird *schlimmstenfalls* eine Geldstrafe zahlen müssen.
   Bestenfalls wird er freigesprochen.

IV Lokaladverbien

Lokaladverbien geben an, *wo* etwas ist oder geschieht, *wohin* sich etwas bewegt oder *woher* etwas kommt:

wo?	da, dort, hier; außen, draußen, drinnen, drüben, innen; oben, unten, mitten, vorn, hinten, links, rechts
wohin?	dahin, dorthin, hierhin; hinaus, heraus, hinein, herein, hinauf, herauf, hinunter, herunter, hinüber, herüber; aufwärts, abwärts, vorwärts, rückwärts, seitwärts – oder mit Präposition: nach unten / oben usw.
woher?	daher, dorther, – oder mit Präposition: von unten / draußen usw.

Anmerkungen

1. Mit Hilfe der Endung *-ig* können aus Adverbien attributive Adjektive gebildet werden:
   der heutige Tag, im vorigen Monat:
   heutig-, gestrig-, morgig-, hiesig-, dortig-, obig-, vorig-
2. Aus den Adverbien *außen, innen, oben, unten, vorn, hinten* usw. können ebenfalls attributive Adjektive gebildet werden:
   äußere Probleme, innere Krankheiten, das untere oder unterste Stockwerk, die hintere oder hinterste Reihe, die vorderen oder vordersten Stühle

ÜBUNGEN

1 Bilden Sie aus dem Adverb ein attributives Adjektiv.

die Zeitung von gestern	die *gestrige* Zeitung

1. die Nachricht von gestern 2. das Wetter von morgen 3. die Stadtverwaltung von hier 4. die Beamten von dort 5. die Jugend von heute 6. die Zeilen von oben 7. das Wissen von jetzt 8. die Versuche bisher

2 Setzen Sie die folgenden Adverbien sinnvoll ein:

a) bestenfalls b) dummerweise c) folgendermaßen d) normalerweise e) oftmals f) verständlicherweise g) vorsichtshalber

1 Wir sind diesen Weg ... gegangen. Dennoch habe ich ... die Wanderkarte mitgenommen. Ich denke, wir laufen am besten ...: von hier über den Blocksberg nach Ixdorf. ...
3 kann man den Weg in einer Stunde zurücklegen. Wegen des Schnees braucht man heute ... etwas länger. Jetzt habe ich doch ... meine Brieftasche zu Hause gelassen! In meinem
5 Portemonnaie habe ich nur noch fünf Mark; das reicht ... für ein Bier für jeden.

§ 43 Modale Adverbien mit Dativ bzw. Akkusativ

I Auswahl der gebräuchlichsten Adverbien mit Dativ

abträglich	Das Rauchen ist *seiner Gesundheit* abträglich.
ähnlich	Das Kind ist *der Mutter* ähnlich.
angeboren	Der Herzfehler ist *ihm* angeboren.
angemessen	Ein Studium an einer Fachhochschule ist *ihm* angemessen.
behilflich	Der Gepäckträger war *der Dame* behilflich.
beschwerlich	Lange Zugreisen sind *mir* zu beschwerlich.
bekannt	Seine Aussage ist *mir* seit langem bekannt.
bewußt	Das ist *mir* noch niemals bewußt geworden.
böse	Er ist *seiner Freundin* böse.
entsprechend	Unser Verhalten war *dem seinen* entsprechend.
feind	Die Geschwister sind *sich* seit langem feind.

fremd	Er ist *mir* immer fremd geblieben.
gegenwärtig	Der Name war *dem Professor* im Augenblick nicht gegenwärtig.
geläufig	Das Wort ist *dem Ausländer* nicht geläufig.
gelegen	Die Nachzahlung kommt *mir* sehr gelegen.
gewachsen	Er ist *den Problemen* nicht gewachsen.
gleichgültig	Die Politik ist *mir* im allgemeinen nicht gleichgültig.
leid	Der kranke Nachbar tut *uns allen* leid.
nahe	Wir waren *dem Ziel* schon nahe.
peinlich	Sein Lob war *mir* peinlich.
recht	Sein Aufenthalt war *den Verwandten* nicht recht.
sympathisch	Die Zeugin war *dem Richter* sympathisch.
treu	Er ist *ihr* treu geblieben.
überlegen	Die bayerische Fußballmannschaft war *den Hamburgern* überlegen.
unterlegen	Er war *seinen Konkurrenten* unterlegen.
vergleichbar	Dein Lebensweg ist *meinem* vergleichbar.
verhaßt	Dieser Mensch ist *mir* verhaßt.
zugetan	Er ist *den Kindern* sehr zugetan.
zuwider	Deine Lügen sind *mir* zuwider.

II Modale Adverbien mit Zeit- und Maßangaben im Akkusativ

alt	Der Säugling ist erst *einen Monat* alt.
breit	Das Regal ist *einen Meter* breit.
dick	Das Brett ist *20 mm* dick.
hoch	Der Mont Blanc ist fast *5000 m* hoch.
tief	Die Baugrube ist etwa *zehn Meter* tief.
lang	Moderne Betten sind *2,30 m* lang.
schwer	Das kaiserliche Silberbesteck war *einen Zentner* schwer.
weit	Vögel können über *10000 Kilometer* weit fliegen.
wert	Die Aktien sind nur noch *die Hälfte* wert.

ÜBUNG

Ergänzen Sie die Pronomen bzw. Artikel.

1. Ich habe sie offenbar verärgert; nun ist sie ... böse.
2. Der Arzt sagte zu mir: Möglichst keine Aufregung! Das ist ... Gesundheit abträglich.
3. Er hat sich nicht mal bedankt. Das sieht ... ähnlich!
4. Sie ist unglaublich gelenkig; das ist ... angeboren.
5. Ich verstehe mich nicht gut mit ihnen; sie sind ... fremd.
6. Du mußt ... Gesundheitszustand entsprechend leben!
7. Hab' ich dich gekränkt? Das tut ... leid!
8. Der ältere Herr mag die jungen Leute von nebenan. Sie sind ... sympathisch, und er ist ... sehr zugetan; umgekehrt sind sie ... beim Einkaufen und Tragen der Sachen gefällig.
9. Es ist ... Menschen (Pl.) nicht gleichgültig, ob ihr Lebensgefährte ... treu ist oder nicht.

10. Es ist ... nicht bewußt, wann ich die Leute verärgert habe; aber ich weiß, ich bin ... verhaßt.
11. Sie ist ... in Mathematik, aber ich bin ... dafür in Sprachen überlegen. ... Anforderungen in den anderen Fächern sind wir beide gewachsen.
12. Das kommt ... gerade gelegen, daß du vorbeikommst! Ich wollte dich schon fragen, ob du ... beim Umräumen mal behilflich sein kannst.

§ 44 Adverbien mit Präpositionen

Worauf seid ihr stolz?
Wir sind stolz **auf** sein ausgezeichnetes Examen.
Wir sind stolz **darauf,** daß er ein ausgezeichnetes Examen gemacht hat.

Auswahl der gebräuchlichsten Adverbien mit Präposition

arm an + D	Phantasie
angesehen bei + D	seinen Kollegen
ärgerlich über + A	die Verspätung
aufmerksam auf + A	die Verkehrsregeln
begeistert von + D	dem neuen Backrezept
bekannt mit + D	seinen Nachbarn
bei + D	seinem Vorgesetzten
für + A	seine Unpünktlichkeit
bekümmert über + A	seinen Mißerfolg
beleidigt über + A	die Zurückweisung
beliebt bei + D	seinen Kommilitonen
blaß vor + D	Ärger
böse auf + A	seinen Hund
betroffen von + D	der Gehaltskürzung
über + A	den plötzlichen Tod seines Vetters
besessen von + D	den neuen Ideen
beunruhigt über + A	die Wirtschaftslage
eifersüchtig auf + A	seine Schwester
entsetzt über + A	den Mord im Nachbarhaus
erfreut über + A	die rasche Genesung
erkrankt an + D	Kinderlähmung
fähig zu + D	dieser Tat
fertig mit + D	dem Kofferpacken
zu(r) + D	Abfahrt
frei von + D	Gewissensbissen
freundlich zu + D	allen Menschen
froh über + A	die neue Stellung
glücklich über + A	die billige Wohnung
interessiert an + D	den Forschungsergebnissen
nachlässig in + D	seiner Kleidung

neidisch auf + A	den Erfolg seines Kollegen
nützlich für + A	den Haushalt
rot vor + D	Wut
reich an + D	Talenten
stolz auf + A	sein gutes Ergebnis
schädlich für + A	die Bäume
überzeugt von + D	der Richtigkeit seiner Theorie
verbittert über + A	den langen Verwaltungsweg
verliebt in + A	die Frau seines Freundes
voll von + D	Begeisterung
verrückt nach + D	einem schnellen Sportwagen
verschieden von + D	seinen Geschwistern
verständnisvoll gegenüber + D	der Jugend
verwandt mit + D	der Frau des Ministers
verwundert über + A	seine Geschicklichkeit
voreingenommen gegenüber + D	berufstätigen Frauen
zufrieden mit + D	der guten Ernte
zurückhaltend gegenüber + D	seinen Mitmenschen

ÜBUNG

Ergänzen Sie die Präpositionen.

1. Der Bauer ist ... seiner Ernte sehr zufrieden; aber er ist verbittert dar__, daß durch die reiche Getreideernte die Preise fallen.
2. Der gute Junge ist ganz verrückt ... meiner Schwester, aber die ist ... ihm überhaupt nicht interessiert. Sie hat einen anderen Freund. Er ist nun ... ihre Gleichgültigkeit recht bekümmert und ... den Freund natürlich furchtbar eifersüchtig.
3. Der Stadtverordnete ist ... seinen Kollegen sehr angesehen, denn er ist bekannt ... seine gerade, mutige Haltung. Er ist freundlich ... jedermann und verständnisvoll ... den Anliegen der Bürger.
4. Viele Menschen sind beunruhigt ... die politische Entwicklung. Sie sind entsetzt ... die Furchtbarkeit der modernen Waffen und überzeugt ... der Notwendigkeit, den Frieden zu bewahren.
5. Schon lange war mein Bruder ... deine Schwester verliebt. Ich bin sehr froh und glücklich dar__, daß die beiden heiraten wollen und stolz ... eine so hübsche und kluge Schwägerin. Die Eltern sind ihr ... noch etwas voreingenommen; aber sie wird schon fertig ... ihnen, da__ bin ich überzeugt.
6. Mein Bruder ist ... Tuberkulose erkrankt. Als er es erfuhr, wurde er blaß ... Schreck. Nun ist er in einer Klinik, die bekannt ... ihre Heilerfolge ist. Er ist ganz begeistert ... der freundlichen Atmosphäre dort. Der Chefarzt ist beliebt ... Personal und Patienten.
7. Ständig hat der Junge den Kopf voll ... dummen Gedanken! Er ist besessen ... schweren Motorrädern, aber nachlässig ... seiner Arbeit, begeistert ... Motorradrennen und fähig ... den verrücktesten Wettfahrten!
8. Jetzt ist er beleidigt dar__, daß du ihm mal die Meinung gesagt hast. Er wurde ganz rot ... Zorn, und nun ist er böse ... dich. Aber es war notwendig, daß du es ihm mal gesagt hast, du kannst ganz frei ... Schuldgefühlen sein.

§ 45 Das Zustandspassiv

a) aktive Handlung	Kurz vor 8 Uhr **hat** der Kaufmann seinen Laden **geöffnet.**
b) passive Handlung	Kurz vor 8 Uhr **ist** der Laden **geöffnet worden.**
c) Zustandspassiv Präsens	Jetzt ist es 10 Uhr; seit zwei Stunden **ist** der Laden **geöffnet.**
d) Zustandspassiv Vergangenheit	Als ich kam, **war** der Laden schon **geöffnet.**

Regeln

1. Das Zustandspassiv wird mit *sein* und dem Partizip Perfekt gebildet.
   zu a + b): Die aktive und die passive Handlung drücken gleichermaßen aus, daß irgend jemand etwas tut. Auch wenn im Passiv der „Täter" nicht mehr genannt wird, weist die Partizipform *worden* auf eine mögliche handelnde Person hin.
   zu c + d): 1. Im Zustandspassiv hat das Partizip Perfekt eine adverbiale oder attributive Funktion. Es drückt einen Zustand aus nach einem vorangegangenen Vorgang. Eine handelnde Person gibt es nicht mehr. Man fragt: *Wie* ist der Zustand?

adverbial	attributiv
Der Teller *ist zerbrochen.*	der *zerbrochene* Teller
Das Tor *war verschlossen.*	das *verschlossene* Tor

2. Im Zustandspassiv sind nur zwei Zeiten gebräuchlich, Präsens und Imperfekt von *sein*:
   Heute *sind* die Kriegsschäden in Frankfurt fast völlig *beseitigt.*
   1945 *war* die Altstadt Frankfurts gänzlich *zerstört.*

ÜBUNGEN

1 Frau Luther kommt spät nach Hause; ihr Mann war schon früher da.

Wäsche waschen
Ich wollte die Wäsche waschen, aber *sie war schon gewaschen.*

1. Teller (Pl.) spülen 2. Geschirr (n) wegräumen 3. die Schuhe putzen 4. die Betten machen 5. die Hemden bügeln 6. die Kleider zur Reinigung bringen 7. den Teppich saugen 8. die Blumen gießen 9. die Treppe wischen 10. das Abendessen zubereiten

2 Vor der Reise

Fenster schließen	Vergiß nicht, die Fenster zu schließen!
	Sie *sind schon geschlossen.*

Sie wollen ausdrücken, daß diese Erinnerung ganz unnötig ist, es ist längst alles getan: *Die sind schon längst geschlossen!*

1. die Fahrkarten kaufen 2. die Zeitung abbestellen 3. die Turnschuhe einpacken 4. die Wasserleitung abstellen 5. die Sicherungen abschalten 6. den Nachbarn informieren 7. die Tür verschließen 8. die Schlüssel beim Hausverwalter abgeben 9. ein Taxi rufen

3 Beim Arzt

Frau Kapp den Verband anlegen Arzt: Haben Sie Frau Kapp schon den Verband angelegt? Sprechstundenhilfe: Ja, er *ist schon angelegt.*

Die Antwort klingt umgangssprachlich ein klein wenig beruhigend, wenn die Sprechstundenhilfe sagt: *Ja, ja, der ist schon angelegt.* (Bei Personen aber „er“ bzw. „sie“!)

1. Herrn Müller den Arm röntgen 2. dem Jungen einen Krankenschein schreiben 3. diesem Herrn den Blutdruck messen 4. Frau Neumann wiegen 5. Fräulein Kübler Blut abnehmen 6. dem Verletzten die Wunde reinigen 7. den Krankenwagen benachrichtigen 8. das Rezept für Frau Klein ausschreiben

§ 46 Die Partizipialkonstruktion

Vorbemerkungen

1. Die Partizipien Präsens (Partizip I) und Perfekt (Partizip II) können als Adjektivattribute gebraucht werden.
2. Man bildet das Partizip Präsens mit dem Infinitiv + *d*, z. B.: *liebend, reißend,* usw. Als Adjektivattribut ist die entsprechende Endung nötig, z. B.: die *liebende* Mutter, der *reißende* Strom.
3. Das Partizip Perfekt bildet man nach den bekannten Regeln (siehe § 6 I 5, § 7, 8). Als Adjektivattribut ist die entsprechende Endung nötig, z. B.: die *gekauften* Sachen, die *unterlassene* Hilfe.
4. Bei reflexiven Verben gebraucht man das attributive Partizip Präsens mit dem Reflexivpronomen (*sich nähern* – das sich *nähernde* Schiff) und das attributive Partizip Perfekt ohne Reflexivpronomen (*sich beschäftigen* – der *beschäftigte* Rentner).

I Allgemeine Regeln

a) Das **schreiende** Kind konnte rasch gerettet werden.
Erweiterung: Das **laut schreiende** Kind konnte rasch gerettet werden.
Erweiterung: Das **laut um Hilfe schreiende** Kind konnte rasch gerettet werden.

b) Die **zerstörte** Stadt war ein schrecklicher Anblick.
Erweiterung: Die **durch Bomben zerstörte** Stadt war ein schrecklicher Anblick.
Erweiterung: Die **im Krieg durch Bomben zerstörte** Stadt war ein schrecklicher Anblick.

Regeln

1. Das Partizip mit der entsprechenden Adjektivendung steht im allgemeinen direkt vor dem Substantiv, auf das es sich bezieht.

2. Auf das Partizip können sich weitere Angaben beziehen, die dann in der normalen Satzstellung vor dem Partizip stehen. Diese Erweiterung bezeichnet man als Partizipialkonstruktion.
3. Die Partizipialkonstruktion steht also meistens zwischen dem Artikel und dem Substantiv bzw. direkt vor dem Substantiv, wenn kein Artikel gebraucht wird:
Am Arbeitsplatz verletzte Personen sind voll versichert.
4. Vor oder nach der Partizipialkonstruktion kann ein weiteres Adjektivattribut stehen:
Unser *altes,* schon ein wenig *verfallenes* Fachwerkhaus muß renoviert werden.

II Die Partizipialkonstruktion mit transitiven Verben (= Verben, die ein Akkusativobjekt bei sich haben können)

a)

P. Präs. (Aktiv)	gl.*	Der meinen Antrag **bearbeitende** Beamte **nimmt** sich viel Zeit.
	gl.	**nahm** sich viel Zeit.
		hat sich viel Zeit **genommen.**
Rel.-S. (Aktiv)	gl.	Der Beamte, der meinen Antrag **bearbeitet, nimmt** sich viel Zeit.
	gl.	**bearbeitete, nahm** sich viel Zeit.
	gl.	**bearbeitet hat, hat** sich viel Zeit **genommen.**

* gl. = gleichzeitig v. = vorzeitig

b)

P. Perf. (Passiv)	gl.	**Nicht mehr beachtete** Vorschriften **müssen** geändert werden.
	gl.	Vorschriften, die nicht mehr **beachtet werden, müssen** geändert werden.
P. Perf. (Passiv)	v.*	Der **gut versteckte** Schatz **wird** gefunden.
	v.	**wurde** gefunden.
		ist gefunden **worden.**
Rel.-S. (Passiv)	v.	Der Schatz, der gut **versteckt worden ist, wird** gefunden.
	v.	**worden war, wurde** gefunden.
	v.	**worden war, ist** gefunden **worden.**

* gl. = gleichzeitig v. = vorzeitig

Regeln

zu a) Die Partizipialkonstruktion mit dem Partizip Präsens bezeichnet aktive Handlungen, Zustände oder Vorgänge, die gleichzeitig – aber meist untergeordnet – neben der Haupthandlung herlaufen. Dies erkennt man aus dem Relativsatz im Aktiv. Die für den Relativsatz notwendige Zeit ergibt sich aus dem übergeordneten Satz.

zu b) Die Partizipialkonstruktion mit dem Partizip Perfekt bezeichnet passive Handlungen, Zustände oder Vorgänge. Dies erkennt man aus dem Relativsatz im Passiv. Die für den Relativsatz notwendige Zeit ist gleichzeitig, wenn es sich um Regeln oder

Gesetze handelt. In den meisten Fällen ist aber das Geschehen in der Partizipialkonstruktion schon vergangen, so daß im Relativsatz der Zeitenwechsel (Perfekt oder Plusquamperfekt) stehen muß.

III Die Partizipialkonstruktion mit intransitiven Verben (= Verben, die kein Akkusativobjekt bei sich haben können), die das Perfekt mit „sein" bilden

Gegenwärtiger Vorgang	*Beendeter Vorgang*
a) Verben der Bewegung mit *sein*:	
der **ankommende** Zug = der Zug, der gerade **ankommt**	der **angekommene** Zug = der Zug, der gerade **angekommen ist**
die **an die Unfallstelle eilenden** Passanten = die Passanten, die gerade an die Unfallstelle **eilen**	die **an die Unfallstelle geeilten** Passanten = die Passanten, die schon an die Unfallstelle **geeilt sind**
b) Verben der Zustandsänderung mit *sein:*	
die rasch **vergehende** Zeit = die Zeit, die rasch **vergeht**	die **vergangene** Zeit die Zeit, die schon **vergangen ist**

Regeln

1. Die Partizipialkonstruktion mit dem Partizip Präsens bezeichnet einen gegenwärtigen Vorgang, der sich in einen Relativsatz im Aktiv auflösen läßt.
2. Die Partizipialkonstruktion mit dem Partizip Perfekt bezeichnet einen beendeten, schon abgeschlossenen Vorgang. Der entsprechende Relativsatz wird mit dem Partizip Perfekt + *sein* gebildet.

Anmerkung

Von den intransitiven Verben mit *haben* (siehe § 12 I 4, 13 I) kann man nur das Partizip Präsens bilden:
Ein *tief schlafendes* Kind sollte man nicht wecken.
Nach 30 Jahren fuhr der *in Paris lebende* Maler wieder nach Spanien.

IV Die Partizipialkonstruktion mit dem Zustandspassiv

Der **seit Jahren verschlossene** Schrank **wird (wurde)** endlich geöffnet.
= Der Schrank, der seit Jahren **verschlossen ist (war), wird (wurde)** endlich geöffnet.

Der **beim letzten Sturm abgebrochene** Ast **liegt (lag)** quer über der Straße.
= Der Ast, der beim letzten Sturm **abgebrochen ist (war), liegt, (lag)** quer über der Straße.

Regeln

1. Transitive Verben können das Zustandspassiv bilden. Man fragt: Wie ist der Zustand nach einer vorangegangenen Handlung (siehe § 45)?
2. Der Relativsatz, der dieser Partizipialkonstruktion entspricht, wird nur mit dem Partizip Perfekt und *sein* gebildet.

Anmerkung

Auch Adjektive können, entsprechend den Regeln der Partizipialkonstruktion, durch weitere Angaben ergänzt werden. Im Relativsatz werden dann die Zeitformen von *sein* gebraucht:
der beim Publikum *beliebte* Schauspieler
= der Schauspieler, der beim Publikum *beliebt ist*

die seit 40 Jahren *notwendige* Änderung des Gesetzes
= die Änderung des Gesetzes, die seit 40 Jahren *notwendig ist*

ÜBUNGEN

1 Bilden Sie aus dem Relativsatz eine Partizipialkonstruktion mit dem Partizip I.

die Banditen, die auf die Polizei schießen – die auf die Polizei *schießenden* Banditen

Was es in diesem Film alles zu sehen gibt! Da sind:

1. die Gangster, die eine Bank ausräumen
2. die Polizisten, die die Banditen jagen
3. die Häftlinge, die durch ein Kellerfenster aus der Haftanstalt ausbrechen
4. die Wächter, die überall nach den Entflohenen suchen
5. die Gefangenen, die über die Dächer der Häuser fliehen
6. die Hubschrauber, die das Gangsterauto verfolgen
7. die Verfolgten, die rücksichtslos über die Kreuzungen fahren
8. die Entflohenen, die unter einer Brücke übernachten
9. die Spürhunde, die die Spuren der Gangster verfolgen
10. die Gangster, die mit einem Flugzeug nach Südamerika entfliehen

2 Bilden Sie aus dem Relativsatz eine Partizipialkonstruktion mit dem Partizip II.

die □ alte Vase, die in einem Keller gefunden wurde – die in einem Keller *gefundene* alte Vase

Was da in einem Heimatmuseum alles zu finden ist:

1. eine □ drei Meter hohe Figur, die aus einem einzigen Stein herausgearbeitet worden ist
2. ein □ 5000 Jahre altes Skelett, das in einem Moor gefunden wurde
3. eine □ zehn Zentner schwere Glocke, die bei einem Brand aus dem Kirchturm der Stadt gestürzt ist

4. ein Bild der □ Stadt, die 1944 durch einen Bombenangriff zu 80% zerstört worden ist
5. eine □ Bibel, die von dem Begründer der Stadt vor 1200 Jahren mitgebracht wurde
6. eine □ wertvolle Porzellansammlung, die der Stadt von einem reichen Kunstfreund geschenkt wurde
7. □ Geräte und Maschinen, die im vorigen Jahrhundert zur Herstellung von Textilien verwendet wurden
8. ein □ Telegraphenapparat, der von einem Bürger der Stadt 1909 erfunden wurde
9. eine □ genaue Nachbildung des alten Rathauses, die aus 100000 Streichhölzern zusammengebastelt wurde
10. ein großes □ Mosaik, das von einem Künstler der Stadt aus farbigen Glasstückchen zusammengesetzt wurde

3 Bilden Sie aus den Relativsätzen Partizipialkonstruktionen.

1. Die Ergebnisse, die in langjährigen Wetterbeobachtungsreihen festgestellt worden sind, reichen nicht aus, sichere Prognosen zu stellen.
2. Im Gegensatz zu dem sonnigen und trockenen Klima, das südlich der Alpen vorherrscht, ist es bei uns relativ niederschlagsreich.
3. In den Vorhersagen, die vom Wetterdienst in Offenbach ausgegeben werden, hieß es in diesem Sommer meistens: unbeständig und für die Jahreszeit zu kühl.
4. Ein Tiefdruckgebiet, das von den Küsten Südenglands nach Südosten zieht, wird morgen Norddeutschland erreichen.
5. Die Niederschlagsmenge, die am 8. August in Berlin registriert wurde, betrug 51 Liter auf den Quadratmeter.
6. Das ist ein einsamer Rekord, der seit 100 Jahren nicht mehr erreicht wurde.
7. Dagegen gab es in Spanien eine Schönwetterperiode, die über fünf Wochen mit Höchsttemperaturen von 30 bis 40 Grad anhielt.
8. Die allgemeine Wetterlage dieses Sommers zeigte Temperaturen, die von Süden nach Norden um 25 Grad voneinander abwichen.

4 Bilden Sie aus den Partizipialkonstruktionen Relativsätze.

1. Über die Kosten eines durch die Beschädigung einer Gasleitung entstandenen Schadens können noch keine genaueren Angaben gemacht werden.
2. Der bei seiner Firma wegen seiner Sorgfalt und Vorsicht bekannte Baggerführer Anton F. streifte bei Ausgrabungsarbeiten eine in den offiziellen Plänen nicht eingezeichnete Gasleitung.
3. Das sofort ausströmende Gas entzündete sich an einem von einem Fußgänger weggeworfenen und noch brennenden Zigarettenstummel.
4. Bei der Explosion wurden drei in der Nähe spielende Kinder von herumfliegenden Steinen und Erdbrocken getroffen.
5. Der telefonisch herbeigerufene Krankenwagen mußte aber nicht die Kinder, sondern eine zufällig vorübergehende alte Dame ins Krankenhaus bringen, wo sie wegen eines Nervenschocks behandelt werden mußte.

5 Bilden Sie Partizipialkonstruktionen.

1. Im Zoo von San Francisco lebte ein Löwe, der mit beiden Augen in jeweils verschiedene Richtungen schielte.
2. Er bot einen Anblick, der derart zum Lachen reizte, daß es nicht lange dauerte, bis er entdeckt und zu einem Star gemacht wurde, der beim Fernsehpublikum von ganz Amerika beliebt war.
3. Der Löwe, der von Dompteuren und Tierpflegern für seine Auftritte vorbereitet wurde, stellte sich allerdings so dämlich an, daß man ihm nur leichtere Aufgaben, die sein Fassungsvermögen nicht überschritten, zumuten konnte,
4. was aber dem Publikum, das wie närrisch in den unmäßig blöden Ausdruck des Löwen verliebt war, nichts auszumachen schien.
5. Damit die Sendung nicht langweilig wurde, engagierte man kleinere Zirkusunternehmen, die um ihre Existenz kämpften.
6. Sie nahmen natürlich die Gelegenheit, die sich ihnen bot, mit Freuden an,
7. aber alle ihre Darbietungen, die sorgfältig eingeübt worden waren, wurden von dem Publikum, das allein auf den schielenden Löwen konzentriert war, glatt übersehen.
8. Auch die Kritiken, die regelmäßig am Morgen nach der Sendung erschienen, erwähnten nur beiläufig die Akrobaten und Clowns, die bis heute unbekannt geblieben sind.

§ 47 Partizipialsätze

	II	
a) **Sich auf seine Verantwortung besinnend,**	übernahm	**der Politiker** das schwere Amt.
Der Politiker	übernahm,	**sich auf seine Verantwortung besinnend,** das schwere Amt.
b) **Napoleon, auf die Insel St. Helena verbannt,**	schrieb	seine Memoiren.
c) **Den Verfolgern entkommen,**	versteckte	sich **der Einbrecher** in einer Scheune.
Der Einbrecher	versteckte	sich, **den Verfolgern entkommen,** in einer Scheune.

Regeln

1. Der Partizipialsatz ist fast immer eine Ergänzung zum Subjekt des Satzes.
2. Man bildet den Partizipialsatz mit einem endungslosen Partizip, bei dem Erweiterungen stehen, die sich auf das Partizip beziehen.
3. Im Hauptsatz steht der Partizipialsatz entweder in der Position I oder III (IV).

4. Im Nebensatz steht der Partizipialsatz hinter dem Subjekt:
   Der Kranke war tief beunruhigt, nachdem *die Ärzte, laut über seinen Fall diskutierend,* das Krankenzimmer verlassen hatten.
5. Das Partizip Präsens bezeichnet einen aktiven Vorgang, das Partizip Perfekt einen passiven Vorgang:
   zu a) Der Politiker, der sich auf seine Verantwortung *besann,* übernahm das schwere Amt. (Partizip Präsens = Aktiv)
   zu b) Napoleon, der auf die Insel St. Helena *verbannt worden war,* schrieb seine Memoiren. (Partizip Perfekt = Passiv)

Anmerkung

Das Partizip Präsens von *sein* und *haben (seiend, habend)* steht niemals in einem Partizipialsatz. Man verkürzt dann:
Der Besucher, *den Hut in der Hand,* plauderte noch eine Weile mit der Hausfrau.
Die Geschwister, *ein Herz und eine Seele,* besuchten dieselbe Universität.

ÜBUNGEN

1 Bilden Sie Partizipialsätze.

Der Sprecher forderte schärfere Kontrollen zum Schutz der Natur. (Er kam auf den Ausgangspunkt seines Vortrags zurück.) *Auf den Ausgangspunkt seines Vortrags zurückkommend,* forderte der Sprecher schärfere Kontrollen zum Schutz der Natur.

1. Der Politiker bahnte sich den Weg zum Rednerpult. (Er wurde von Fotografen umringt.) 2. Der Redner begann zu sprechen. (Er war von den Blitzlichtern der Kameraleute unbeeindruckt.) 3. Der Redner begründete die Notwendigkeit härterer Gesetze. (Er wies auf eine Statistik der zunehmenden Luftverschmutzung hin.) 4. Der Politiker sprach zwei Stunden lang. (Er wurde immer wieder von Beifall unterbrochen.) 5. Die Besucher verließen den Saal. (Sie diskutierten lebhaft.) 6. Der Redner gab noch weitere Auskünfte. (Er wurde von zahlreichen Zuhörern umlagert.)

2 Nehmen Sie die Sätze der Übung 1, und stellen Sie den Partizipialsatz jetzt auf Position III (IV).

Der Sprecher forderte, *auf den Ausgangspunkt seines Vortrags zurückkommend,* schärfere Kontrollen zum Schutz der Natur.

3 Bilden Sie Partizipialsätze nach den Mustern der Übungen 1 und 2.

1. Lawinen entstehen vorwiegend um die Mittagszeit. (Sie werden meist durch Erwärmung hervorgerufen.) 2. Lawinen begraben Jahr für Jahr zahlreiche Menschen unter dem Schnee. (Sie stürzen von den Bergen herunter.) 3. Suchhunde haben schon manchen unter dem Schnee Verschütteten gefunden. (Sie wurden für diese Aufgabe speziell ausgebildet.) 4. Die Bora fegt Dächer von den Häusern, Autos von den Straßen und bringt Schiffe in Seenot. (Sie weht eiskalt von den Bergen Jugoslawiens zur Adria herab.)

5. Der Föhn fällt als warmer, trockener Wind in die nördlichen Alpentäler. (Er kommt von Süden.) 6. Ärzte vermeiden bei Föhnwetter schwierigere Operationen. (Sie wurden durch negative Erfahrungen gewarnt.)

§ 48 „haben“ und „sein“ mit „zu“

a) eine Notwendigkeit, ein Zwang, ein Gesetz

Aktiv Die Reisenden müssen (sollen) an der Grenze ihre Pässe vorzeigen.
Die Reisenden **haben** an der Grenze ihre Pässe vor**zu**zeigen.
Passiv An der Grenze müssen die Pässe vorgezeigt werden.
An der Grenze **sind** die Pässe vor**zu**zeigen.

b) eine Möglichkeit oder Unmöglichkeit

Passiv Die alte Maschine kann nicht mehr repariert werden.
Die alte Maschine **ist** nicht mehr **zu** reparieren.

Regeln

zu a) Aktive Sätze, die einen Zwang oder eine Notwendigkeit ausdrücken (mit den Modalverben *müssen, sollen, nicht dürfen*), können mit *haben* + *zu* gebildet werden. Entsprechende Passivsätze können mit *sein* + *zu* gebildet werden, wobei – bei gleicher Aussage – die Bedeutung schärfer und nachdrücklicher wird. Bei trennbaren Verben steht *zu* zwischen dem Verbzusatz und dem Stammverb.

zu b) Sätze, die eine Möglichkeit oder Unmöglichkeit ausdrücken (mit den Modalverben *müssen* oder *können*), werden meist in der passiven Form mit *sein* + *zu* gebildet.

Anmerkung

Als Passiversatz (siehe § 19 III Anm.) werden gebraucht:

1. *sein* + *zu*: Das *ist* weder *zu* verstehen noch *zu* beweisen.
2. Adverbien auf *–bar, –lich*: Das ist weder verständ*lich* noch beweis*bar*.
3. *lassen* + Reflexivpronomen: Das *läßt sich* weder *verstehen* noch *beweisen*.

ÜBUNGEN

1 Bilden Sie Sätze mit „haben“ oder „sein“ + „zu“ + Infinitiv.

Der Autofahrer muß regelmäßig die Beleuchtung seines Wagens prüfen.
Der Autofahrer *hat* regelmäßig die Beleuchtung seines Wagens *zu prüfen*.

Die Bremsen müssen auf Verkehrssicherheit geprüft werden.
Die Bremsen *sind* auf Verkehrssicherheit *zu prüfen*.

Vorschriften:

1. Der Sportler muß auf sein Gewicht achten. Er muß viel trainieren. Er muß gesund leben und auf manchen Genuß verzichten.

2. Der Nachtwächter muß in der Nacht seinen Bezirk abgehen. Er muß die Türen kontrollieren. Unverschlossene Türen müssen zugeschlossen werden. Besondere Vorkommnisse müssen sofort gemeldet werden.

3. Der Zollbeamte muß unter bestimmten Umständen das Gepäck der Reisenden untersuchen. Das Gepäck verdächtiger Personen muß ggf. auf Rauschgift untersucht werden. Dabei können u. U. Spürhunde zu Hilfe genommen werden.

4. Der Autofahrer muß die Verkehrsregeln kennen und beachten. Er muß in den Ortschaften die vorgeschriebene Geschwindigkeit einhalten. Er muß Rücksicht auf die anderen Verkehrsteilnehmer nehmen. Der Polizei, der Feuerwehr und dem Krankenwagen muß auf jeden Fall Vorfahrt gewährt werden. Er muß seinen Führerschein immer mitführen. Der Wagen muß alle zwei Jahre einer technischen Prüfstelle vorgeführt werden. Das Motoröl muß nach einer bestimmten Anzahl von Kilometern erneuert werden.

2 Üben Sie nach folgendem Muster:

A: Ist dieser Schrank verschließbar? – B: Wie bitte?
A: Ich meine: Kann man diesen Schrank verschließen?
B: Ja (Nein), dieser Schrank *ist* (nicht) *zu verschließen.*

Statt *wie bitte* kann B auch sagen: *Was meinten Sie, bitte? Was sagten Sie, bitte?*

1. Ist die Helligkeit der Birnen verstellbar?
2. Ist diese Handtasche verschließbar?
3. Ist dieses Puppentheater zerlegbar?
4. Ist diese Uhr noch reparierbar? (nicht mehr)
5. Sind die Teile des Motors austauschbar?
6. Sind diese Batterien wiederaufladbar?
7. Ist dieser Videorecorder programmierbar?
8. Ist dieser Ball aufblasbar?

3 Üben Sie nach folgendem Muster:

A: Wußten Sie, daß man Altpapier leicht wiederverwerten kann?
B: Natürlich, Altpapier *ist* leicht *wiederzuverwerten.*
C: Ja, daß *sich* Altpapier leicht *wiederverwerten läßt*, ist mir bekannt.

Wußten Sie, ...

1. daß man eigentlich viel mehr Energie aus Wind erzeugen kann?
2. daß man Textilreste zu hochwertigem Papier verarbeiten kann?
3. daß es Motoren gibt, die man mit Pflanzenöl betreiben kann?

4. daß es bei uns Häuser gibt, die man im Winter fast ausschließlich mit Sonnenwärme beheizen kann?
5. daß man große Mengen von Kupfer (Cu) und Blei (Pb) aus Schrott gewinnt? (*der Schrott* = Metallabfall)
6. daß man Autoabgase durch einen Katalysator entgiften kann?
7. daß man aus Müll Heizgas gewinnen kann?
8. daß man nicht einmal in der Schweiz mit Hilfe des Wassers den Strombedarf decken kann?
9. daß man, wenn man ein Haus bauen will, in einigen Bundesländern Zuschüsse für eine Solaranlage bekommen kann?
10. daß man den Spritverbrauch der Autos durch langsameres Fahren stark herabsetzen kann? (*der Sprit* = Kraftstoff, z. B. Benzin)

4 Führen Sie kleine Streitgespräche nach folgendem Muster:

A: Man kann die Wahrheit seiner Aussage bestreiten.
B: Du irrst! Die Wahrheit seiner Aussage *kann* nicht *bestritten werden*.
C: So ist es! Die Wahrheit seiner Aussage *ist* nicht *zu bestreiten*.

Die Wörter in Klammern entfallen bei B und C.

1. Man kann Lebensmittel nach dem Ablauf des Verfallsdatums (noch) verkaufen.
2. Man kann dein altes Fahrrad (doch nicht mehr) verwenden. (mein / noch gut)
3. Man kann die genaue Zahl der Weltbevölkerung (leicht) feststellen.
4. Man konnte den Fehler in der Kühltechnik des Raumfahrzeugs finden.
5. Man kann Lebensmittel in Kühlhäusern nicht über längere Zeit frisch halten. (auch über längere Zeit)
6. Man kann Salz nicht in Wasser lösen. (problemlos)
7. (Auch) wenn wir unsere Einstellung ändern, können wir die finanziellen Probleme nicht lösen. (mit Sicherheit)
8. (Auch) besonders konstruierte Motoren, die mit dem Öl von Pflanzen betrieben werden, kann man nicht herstellen. (ohne weiteres)
9. Ob die Nachrichten im Fernsehen oder in den Zeitungen wirklich zutreffen, kann der einfache Bürger (ohne weiteres) nachprüfen. (von dem einfachen ... nicht)
10. Man kann die Anlage einer Mülldeponie in einem wasserreichen Gebiet (ohne weiteres) verantworten.

5 Zwei „Oberschlaue" müssen natürlich auch ihre Meinung abgeben. Beispiel:

D: Also das steht fest: Die Wahrheit seiner Aussage *läßt sich* nicht *bestreiten*!
E: Ja, ja, ganz recht! Die Wahrheit seiner Aussage *ist unbestreitbar*!

Hilfen für „E" zu den Sätzen: 1. nicht mehr verkäuflich 2. verwendbar 3. nicht feststellbar 4. nicht auffindbar 5. haltbar (ohne „frisch") 6. löslich 7. lösbar 8. herstellbar 9. nicht nachprüfbar 10. unverantwortlich

§ 49 Das Gerundivum

Aktiv		**eine Aufgabe, die man** nicht **lösen kann.**
Passiv	Die Quadratur	**eine Aufgabe, die** nicht **gelöst werden kann.**
sein + zu	des Kreises ist ...	**eine Aufgabe, die** nicht **zu lösen ist.**
Gerundivum		**eine** nicht **zu lösende Aufgabe.**

Regeln

1. Das Gerundivum ist eine Partizipialkonstruktion mit *zu*, die sich aus einem Relativsatz mit *sein + zu* herleitet (siehe § 48). Damit drückt das Gerundivum eine Möglichkeit oder Unmöglichkeit oder eine Notwendigkeit aus; ob zum Beispiel etwas so sein *kann* oder so sein *muß*.
2. Das Gerundivum hat eigentlich eine passivische Bedeutung: die *zu lösende* Aufgabe = die Aufgabe, die *gelöst werden kann* oder *muß*; trotzdem wird es immer mit dem Partizip Präsens (I) gebildet: die *zu lösende* Aufgabe = die Aufgabe, die *zu lösen* ist (= Infinitiv Aktiv).
3. *zu* steht vor dem Partizip Präsens oder wird bei trennbaren Verben eingeschoben (siehe § 16 I): die *einzusetzenden* Beträge.

ÜBUNGEN

1 Üben Sie das Gerundivum.

Ein Fehler in der Planung, den man nicht wiedergutmachen kann, ist ein nicht *wiedergutzumachender* Fehler in der Planung.

1. Ein Gerät, das man nicht mehr reparieren kann, ist ...
2. Eine Krankheit, die man nicht heilen kann, ist ...
3. Ein Auftrag, der sofort erledigt werden muß, ist ...
4. Seine Bemühungen, die man anerkennen muß, sind ...
5. Die negative politische Entwicklung, die man befürchten muß, ist ...
6. Die Besserung der wirtschaftlichen Lage, die man erwarten kann, ist ...
7. Die Invasion von Insekten, die man nicht aufhalten kann, ist ...
8. Der Gelenkschaden, den man nicht beseitigen kann, ist ...
9. Eine Entscheidung, die nicht verantwortet werden kann, ist ...
10. Das Komitee, das sofort gebildet werden muß, ist ...

2 Bilden Sie mit den Ausdrücken aus Übung 1 selbständig ganze Sätze.

Ein nicht *wiedergutzumachender* Fehler in der Planung führte zum Zusammenbruch der Firma.

3 Bilden Sie aus den Relativsätzen: a) einen Passivsatz, b) einen Satz mit „sein" + „zu", c) das Gerundivum = die Partizipialkonstruktion mit „zu".

Die Zahl Pi, die man nie vollständig berechnen kann, beweist die Unmöglichkeit der Quadratur des Kreises.
a) Die Zahl Pi, die nie vollständig *berechnet werden* kann, beweist die Unmöglichkeit der Quadratur des Kreises.
b) Die Zahl Pi, die nie vollständig *zu berechnen* ist, beweist die Unmöglichkeit der Quadratur des Kreises.
c) Die nie vollständig *zu berechnende* Zahl Pi beweist die Unmöglichkeit der Quadratur des Kreises.

1. Infolge der Erhöhung des Meeresspiegels, die man in den nächsten Jahrzehnten erwarten muß, werden viele Inseln im Meer versinken.
2. Immer wieder werden die gleichen ökologischen Fehler gemacht, die man nach den neuesten Erkenntnissen leicht vermeiden kann.
3. Die Mediziner müssen sich ständig mit neuen Grippeviren beschäftigen, die sie mit den vorhandenen Mitteln nicht identifizieren können.
4. Bei sogenannten Preisrätseln zu Werbezwecken werden oft Aufgaben gestellt, die man allzu schnell erraten kann,
5. denn meistens handelt es sich nur um den Firmennamen, den man an einer bestimmten Stelle ankreuzen muß.
6. Unkomplizierte Steuererklärungen, die man leicht bearbeiten kann, werden von den Finanzbeamten bevorzugt.
7. Die Verantwortlichen haben sich um die Akten, die man vernichten mußte, persönlich gekümmert.
8. Für die einzige vom Orkan in Honduras verschonte kleine Stadt M. war der Strom der Flüchtlinge aus anderen Landesteilen ein Problem, das sie beim besten Willen nicht bewältigen konnte.
9. Der wissenschaftliche Wert von Erkenntnissen, die man nur im Labor erreichen kann, ist gering.
10. Bei einem Überschuß von Agrarprodukten werden zum Beispiel viele Tonnen von Tomaten und Gurken, die man weder verkaufen noch exportieren kann, vernichtet.
11. Das Gemüse, das man in kürzester Zeit vernichten muß, wird auf eine Deponie gebracht und verbrannt.
12. Diese Verschwendung von Lebensmitteln, die man nicht leugnen kann, ist eine aus der Agrarpreispolitik der Europäischen Wirtschaftsgemeinschaft resultierende Tatsache.

4 Bilden Sie aus der Partizipialkonstruktion mit „zu" (Gerundivum) einen Relativsatz: a) im Passiv mit einem Modalverb, b) mit „sein" + „zu".

1. Wenn die Ölquellen in Brand geraten, können *kaum jemals wieder gutzumachende* ökologische Schäden entstehen.
2. Die meisten als „Krebs" angesehenen Tumore sind zum Glück nur *ohne Schwierigkeiten operativ zu entfernende* Verdickungen des Zellgewebes.
3. Nach der Explosion in dem Chemiewerk hat man an einigen *besonders zu kennzeichnenden* Stellen auf dem Fabrikgelände rote Warnlichter aufgestellt.

4. *Von unparteiischen Kollegen nicht zu wiederholende* chemische oder medizinische Experimente haben keinen wissenschaftlichen Wert.
5. Um einige Schäden am Dach des alten Rathauses zu beheben, schlug eine Firma vor, ein 25 Meter hohes, *an der Rückwand des Gebäudes aufzustellendes* Gerüst zu liefern.
6. Aber der *dafür von der Stadtkasse zu bezahlende* Preis war den städtischen Behörden zu hoch.
7. Deshalb lehnten sie das Angebot der Firma ab und ließen das *auch auf einfachere Weise wiederherzustellende* alte Gebäude verfallen.
8. Nachdem nach mehreren Jahren durch Regen und Frost so viele *nicht mehr zu reparierende* Schäden an dem schönen Bauwerk entstanden waren, wurde es abgerissen.

§ 50 Appositionen

Nominativ → Nominativ
Friedrich Ebert, **der erste Präsident der Weimarer Republik,** war ein überzeugter Sozialdemokrat.

Genitiv → Genitiv
Der erste Präsident der Weimarer Republik, **des ersten demokratisch regierten Staates in der deutschen Geschichte,** war Friedrich Ebert.

Dativ → Dativ
In der Bundesrepublik Deutschland, **dem zweiten demokratisch regierten Staat in der deutschen Geschichte,** gelten die im Grundgesetz festgelegten Rechte der Bürger.

Akkusativ → Akkusativ
Für den Bundestag, **die gesetzgebende Versammlung der Bundesrepublik,** sind die Artikel des Grundgesetzes bindend.

Regeln

1. Appositionen sind erklärende Informationen zu einem Substantiv. Sie stehen im allgemeinen hinter dem Substantiv und sind in Kommas eingeschlossen.
2. Appositionen sind Satzteile, die immer im gleichen Fall wie das Substantiv stehen, auf das sie sich beziehen. Auch mehrere Appositionen sind möglich:
   Karl V., *deutscher Kaiser, König von Spanien, Herrscher über die amerikanischen Kolonien,* teilte vor seiner Abdankung sein Weltreich.
3. Appositionen stehen mit *als* (zur Bezeichnung eines Berufs, eines Rangs, einer Religion oder einer Nationalität) oder *wie* (zur Erklärung durch ein Beispiel). Sie werden vor *als* nicht durch ein Komma abgetrennt, dagegen meistens vor *wie:*
   Der Papst *als Oberhaupt der katholischen Kirche* wandte sich mahnend an alle Regierenden.

In der Steuergesetzgebung werden Abhängige, *wie zum Beispiel Kinder, Alte und Behinderte,* besonders berücksichtigt.

4. Datumsangaben:
   Heute ist Freitag, *der* 13. Oktober.
   Wir haben heute Freitag, *den* 13. Oktober.
   Ich komme *am* Freitag, *dem* 13. Oktober.

ÜBUNG

Üben Sie die Apposition.

Das Geburtshaus Goethes □ steht in Frankfurt. (der größte deutsche Dichter) Das Geburtshaus Goethes, *des größten deutschen Dichters,* steht in Frankfurt.

1. Mit Eckermann □ führte der Dichter zahlreiche lange Gespräche. (Goethes bewährter Mitarbeiter)
2. Goethe schrieb ,,Die Leiden des jungen Werthers" □ nach einem bitter enttäuschenden Liebeserlebnis. (ein Roman in Briefen)
3. Die ersten Alphabete □ kamen vor ungefähr 3500 Jahren auf. (eine der größten Erfindungen der Menschheit)
4. Deutsch □ wird in der Welt von etwa 110 Millionen Menschen gesprochen. (eine der germanischen Sprachengruppe zugehörige Sprache)
5. Innerhalb der germanischen Sprachen □ finden sich große Ähnlichkeiten. (eine Sprachgruppe in der Familie der indogermanischen Sprachen)
6. ,,Alles Leben ist Leiden" ist ein Wort Arthur Schopenhauers □. (ein bekannter deutscher Philosoph des vorigen Jahrhunderts)
7. Von Ortega y Gasset □ stammt das Wort: Verliebtheit ist ein Zustand geistiger Verengung. (ein spanischer Philosoph)
8. Robert Koch □ wurde 1905 der Nobelpreis verliehen. (der Begründer der bakteriologischen Forschung)
9. Der Dieselmotor □ setzte sich erst nach dem Tod des Erfinders in aller Welt durch. (eine nach seinem Erfinder Rudolf Diesel benannte Verbrennungskraftmaschine)
10. Am 28. Februar 1925 begrub man den erst 54jährigen Friedrich Ebert □. (der erste Präsident der Weimarer Republik)
11. Die Tier- und Pflanzenbilder Albrecht Dürers □ zeichnen sich durch sehr genaue Detailarbeit aus. (der berühmte Nürnberger Maler und Graphiker)
12. Am Samstag □ jährte sich zum zehnten Mal der Tag, an dem Großbritannien, Dänemark und Irland der EG beigetreten sind. (der 1. Januar 1983)

§ 51 Rangattribute

„Ich muß deine Aussagen berichtigen: ... "

Nicht im November, sondern im Oktober ist das Haus nebenan abgebrannt.
Schon mein erster Anruf hat die Feuerwehr alarmiert.
Auch die anderen Bewohner unseres Hauses haben geholfen.
Selbst die alte Dame aus dem dritten Stock hat einige Sachen gerettet.
Gerade du solltest die Nachbarschaftshilfe anerkennen.
Nur die ausgebildeten Männer von der Feuerwehr konnten wirksam eingreifen.
Allein dem Mut der Feuerwehrleute ist es zu verdanken, daß niemand verletzt wurde.
Besonders der Arzt im Parterre hat Glück gehabt.
Sogar seine wertvollen Apparate konnten gerettet werden.
Erst spät in der Nacht wurden die letzten Brandwachen vom Unglücksort abgerufen.

Regeln

1. Rangattribute beziehen sich direkt auf ein Satzglied und bilden mit ihm zusammen eine Position im Satz. Sie werden beim Sprechen betont:
   Auch seinem eigenen Bruder hat er nicht mehr trauen können.
   Er hat *auch seinem eigenen Bruder* nicht mehr trauen können.
2. Rangattribute stehen im allgemeinen vor dem Satzglied, dem sie zugeordnet sind.

Anmerkung

Beachten Sie die Bedeutungsunterschiede:

1. Er kam *auch* zu spät, genauso wie ich.
   Auch er kam zu spät, obwohl er sonst immer pünktlich ist.
2. Er hat seinen Wagen *selbst* repariert, denn er ist sehr geschickt.
   Selbst er (= *Sogar er*) hat seinen Wagen repariert, obwohl er doch so ungeschickt ist.
   (Siehe § 36 III)
3. Ich saß eine halbe Stunde *allein* im Wartezimmer, später kamen noch andere Patienten.
   Bei dem Sturm in Norddeutschland stürzten *allein in Hamburg* (= *nur in Hamburg*) mehr als zwanzig Bäume um.

Teil IV

§ 52 Der Konjunktiv

Vorbemerkungen

1. Die Aussageweise (Der Modus) des Indikativs – z. B. *er geht, er lernte, er hat gesagt* – wurde in § 6 behandelt. Mit dem Indikativ wird die Aussage als etwas Wirkliches oder wirklich Geglaubtes hingestellt.

2. Eine andere Aussageweise (Ein anderer Modus) ist der Konjunktiv – z. B. *er gehe / ginge, er lerne, er habe / hätte gesagt.* Man unterscheidet
   a) den Konjunktiv I, auch „Konjunktiv der indirekten Rede" oder „Konjunktiv der fremden Meinung" genannt:

a) Indikativ	Der Richter sagte: „Ich glaube das nicht."
b) Konjunktiv I	Der Richter sagte, **er glaube das nicht.**

   In Beispiel a wird die Rede wörtlich, d. h. genau so, wie etwas gesagt wurde, wiedergegeben (oder zitiert). Die unveränderte Rede wird in Anführungszeichen („. . .") gesetzt. In b wird die Rede „indirekt" wiedergegeben, d. h. jemand erzählt, was der Richter gesagt hat. Es wird eine „fremde Meinung", die Rede eines anderen, wiedergegeben.

   b) den Konjunktiv II, auch „Konjunktiv irrealis" (kurz „Irrealis") oder „Konjunktiv der Nichtwirklichkeit" genannt:

a) Indikativ	Er ist krank, er kann dir nicht helfen.
b) Konjunktiv II	**Wenn er gesund wäre, könnte er dir helfen.**

   In Beispiel a handelt es sich um eine Tatsache, in b um einen Wunsch, eine Vorstellung, kurz um etwas Nichtwirkliches.

3. Weil man die Formen des Konjunktivs I zum Teil durch Formen des Konjunktivs II ersetzt, wird hier der Konjunktiv II zuerst behandelt.

§ 53 Der Konjunktiv II

Bildung der Formen

Indikativ	*Konjunktiv II*
a) er fährt	er **führe**
b) er fuhr er ist (war) gefahren	er **wäre gefahren**
er las er hat (hatte) gelesen	er **hätte gelesen**

Regeln

Der Konjunktiv II hat zwei Zeitformen: a) eine Gegenwartsform, b) eine Vergangenheitsform. Den drei Vergangenheitsformen des Indikativs steht nur eine Vergangenheitsform des Konjunktivs II gegenüber.

I Bildung der Gegenwartsformen

1. Starke Verben
   An die Stammform des Imperfekts werden folgende Endungen gehängt:

	Singular	*Plural*
1. Person	**–e**	**–en**
2. Person	**–est**	**–et**
3. Person	**–e**	**–en**

Bei den Stammvokalen *a, o, u* bildet man die Umlaute *ä, ö, ü*:

Infinitiv	*Indikativ* Imperfekt	*Konjunktiv II* Gegenwartsform
sein	war	ich wäre, du wär(e)st, er wäre ...
bleiben	blieb	ich bliebe, du bliebest, er bliebe ...
fahren	fuhr	ich führe, du führest, er führe ...
kommen	kam	ich käme, du kämest, er käme ...
ziehen	zog	ich zöge, du zögest, er zöge ...

2. Schwache Verben
   Die Gegenwartsformen des Konjunktivs II entsprechen den Formen des Imperfekts Indikativ. Es wird kein Umlaut gebildet:

Infinitiv	*Indikativ* Imperfekt	*Konjunktiv II* Gegenwartsform
fragen	fragte	ich fragte, du fragtest, er fragte ...
sagen	sagte	ich sagte, du sagtest, er sagte ...

3. Ausnahmen

a) Die Modalverben *dürfen, können, mögen, müssen,* die Mischverben *denken, bringen, wissen* und die Hilfsverben *haben* und *werden* haben im Konjunktiv II einen Umlaut:

Infinitiv	*Indikativ* Imperfekt	*Konjunktiv II* Gegenwartsform
bringen	brachte	ich brächte, du brächtest, er brächte ...
haben	hatte	ich hätte, du hättest, er hätte ...
können	konnte	ich könnte, du könntest, er könnte ...
werden	wurde	ich würde, du würdest, er würde ...

b) Bei einigen starken und gemischten Verben entspricht der Vokal im Konjunktiv II nicht dem Vokal des Imperfekts Indikativ. Diese Formen werden aber nur noch selten gebraucht. Man bevorzugt die Umschreibung mit *würde* + Infinitiv (siehe § 54 III):

Infinitiv	*Indikativ* Imperfekt	*Konjunktiv II*
helfen	half	hülfe
werfen	warf	würfe
verderben	verdarb	verdürbe
stehen	stand	stünde
sterben	starb	stürbe
nennen	nannte	nennte u. a.

Anmerkung

Bei den Mischverben *senden – sandte / sendete* und *wenden – wandte / wendete* gebraucht man im Konjunktiv II immer die schwache Form.

II Bildung der Vergangenheitsformen

1. Die Vergangenheitsform wird mit den Hilfsverben *haben* bzw. *sein* im Konjunktiv II *(wäre, hätte)* und dem Partizip Perfekt gebildet:

Infinitiv	*Vergangenheit im Konjunktiv II*
haben	ich hätte gehabt, du hättest gehabt ...
sein	ich wäre gewesen, du wär(e)st gewesen ...
arbeiten	ich hätte gearbeitet, du hättest gearbeitet ...
bleiben	ich wäre geblieben, du wär(e)st geblieben ...
kommen	ich wäre gekommen, du wär(e)st gekommen ...
ziehen	ich hätte gezogen, du hättest gezogen ...

2. Den drei Vergangenheitsformen des Indikativs steht nur eine Vergangenheitsform des Konjunktivs II gegenüber:

Indikativ	*Konjunktiv II*
Hans kam. Hans ist gekommen. Hans war gekommen.	Hans **wäre gekommen.**

III Das Passiv im Konjunktiv II

	Indikativ	*Konjunktiv II*
Gegenwart	ihm wird geholfen	ihm **würde geholfen**
Vergangenheit	ihm wurde geholfen ihm ist geholfen worden ihm war geholfen worden	ihm **wäre geholfen worden**

ÜBUNGEN

1 Konjugieren Sie die folgenden Verben in der Gegenwarts- und Vergangenheitsform des Konjunktivs II:

1. rechnen
2. arbeiten
3. abreisen
4. sollen
5. ausschalten
6. telefonieren
7. lernen
8. klettern

2 Ebenso:

1. nehmen
2. essen
3. schlagen
4. schließen
5. fliegen
6. abfahren
7. frieren
8. erfahren
9. rufen
10. weggehen

3 Ebenso:

1. dürfen
2. denken
3. wissen
4. umbringen
5. absenden

4 Setzen Sie die Verben in die entsprechende Form des Konjunktivs II.

1. du stehst
   du hast gestanden
2. es verdirbt
   es verdarb
3. sie widerstehen
   sie widerstanden
4. wir grüßten
   wir hatten gegrüßt
5. sie wird verhaftet
   sie wurde verhaftet
6. du erwiderst
   du hattest erwidert
7. sie redeten
   sie hatten geredet
8. er freute sich
   er hat sich gefreut
9. sie wollen reden
   sie wollten reden
10. ich will
    ich habe gewollt
11. er schneidet
    er hat geschnitten
12. sie klingeln
    sie klingelten

13. er handelt
er handelte
14. ihr wandert
ihr seid gewandert
15. ich fasse zusammen
ich faßte zusammen
16. du reist ab
du bist abgereist
17. ich mußte abreisen
ich habe abreisen müssen
18. sie wurden geschlagen
sie sind geschlagen worden

§ 54 Gebrauch des Konjunktivs II

I Irreale Wunschsätze

a) Er ist nicht gesund. Er wünscht sich:
Wenn ich doch gesund **wäre**!
Wäre ich doch gesund!

b) Die Freunde sind nicht mitgefahren. Wir wünschen:
Wenn sie nur (oder: doch nur) **mitgefahren wären**!
Wären sie nur (oder: doch nur) **mitgefahren**!

c) Hans belügt mich immer. Ich wünsche mir:
Wenn er mir doch die Wahrheit **sagte** (oder: **sagen würde**)!

d) Ich habe Evas Adresse vergessen und wünsche mir:
Wüßte ich doch (oder: bloß) ihre Adresse!

Regeln

1. Der irreale Wunschsatz kann mit *wenn* eingeleitet werden. Dann steht das Verb am Ende des Satzes. Wird er ohne *wenn* gebildet, steht das Verb am Anfang des Satzes.
2. Der irreale Wunschsatz muß mit *doch, bloß, nur* oder *doch nur* ergänzt werden.
3. Am Ende des Wunschsatzes steht ein Ausrufezeichen(!).

ÜBUNGEN

1 Bilden Sie Wunschsätze in der Gegenwartsform.

Sie kommt nicht zurück. – Wenn sie *doch zurückkäme*!
Es ist so heiß. – Wenn es *doch* nicht so heiß *wäre*!

1. Der Bus kommt nicht. 2. Es ist hier so dunkel. 3. Ich habe Angst. (nicht solche Angst) 4. Ich muß lange warten. (so lange) 5. Ich habe nicht viel Zeit. (etwas mehr) 6. Der Zug fährt noch nicht ab. (doch schon)

2 Bilden Sie Wunschsätze in der Vergangenheitsform.

Du hast mir nicht geschrieben, wann du kommst. Wenn du mir *doch nur geschrieben hättest,* wann du kommst!

1. Du hast mir nicht gesagt, daß du Urlaub bekommst. 2. Ich habe nicht gewußt, daß du nach Spanien fahren willst. 3. Ich habe keine Zeit gehabt, Spanisch zu lernen. 4. Du hast mir nicht geschrieben, was du vorhast. 5. Ich habe nicht genug Geld gespart, um mitzufahren.

3 Bilden Sie mit den Sätzen der Übungen 1 und 2 Wunschsätze ohne „wenn".

4 Bilden Sie Wunschätze mit oder ohne „wenn". Achten Sie auf die Zeit!

1. Ich kann nicht zu der Ausstellung fahren. 2. Du hast mich nicht besucht, als du hier warst. 3. Er ist bei diesem schlechten Wetter auf eine Bergtour gegangen. 4. Er ist nicht hier geblieben. 5. Ich bin nicht informiert worden. 6. Ich darf nicht schneller fahren. 7. Ich werde von der Polizei angehalten. 8. Wir müssen noch weit fahren. (nicht mehr so weit) 9. Wir sind noch lange nicht da. (bald da) 10. Er schenkte der Stadt sein ganzes Vermögen. 11. Mein Bruder war nicht auf der Party. 12. Er hatte keine Zeit zu kommen.

5 Bilden Sie Wunschsätze.

Er arbeitet langsam. (schneller) a) Wenn er *doch* schneller *arbeitete*! b) Wenn er *doch* nicht so langsam *arbeitete*!

1. Sie spricht undeutlich. (deutlicher) 2. Die Fernsehsendung kommt spät. (früher) 3. Der Busfahrer fährt schnell. (langsamer) 4. Ich verdiene wenig Geld. (mehr) 5. Er stellt das Radio laut. (leiser) 6. Das Zimmer ist teuer. (billiger)

II Irreale Bedingungssätze (Irreale Konditionalsätze)

a) **Wenn ich Zeit hätte, käme** ich zu dir.
b) Ich **käme** zu dir, **wenn ich Zeit hätte.**
c) **Hätte** ich Zeit, (so) **käme** ich zu dir.
d) **Wenn ich gestern Zeit gehabt hätte, wäre** ich zu dir **gekommen.**
e) Was **machtet** ihr, **wenn jetzt ein Feuer ausbräche**?
f) **Hättest** du mich gestern **besucht,** wenn du Zeit **gehabt hättest**?
g) Er mußte ein Taxi nehmen, sonst **wäre** er zu spät **gekommen.**
Man mußte ihn ins Krankenhaus bringen, andernfalls **wäre** er **verblutet.**
h) Es **wäre** mir angenehmer, er **käme** schon am Freitag.
Es **wäre** besser gewesen, wir **hätten** vorher mit ihm gesprochen.

Regeln

1. *Wenn ich genug Geld habe, baue ich mir ein Haus* ist ein realer Bedingungssatz, d. h.: Ich spare, und eines Tages werde ich bauen. Es handelt sich um einen realen Plan.

Wenn ich genug Geld hätte, baute ich mir ein Haus (oder: *würde ... bauen*) ist ein irrealer Bedingungssatz, d.h.: Ich habe nicht genug Geld, ich kann nicht bauen; aber wenn ... – ein irrealer Plan, ein Wunschtraum. Hier steht der Konjunktiv II im Haupt- und Nebensatz.

2. zu a + b + d) Der Nebensatz mit *wenn* kann vor oder hinter dem Hauptsatz stehen.
   zu c) Der Bedingungssatz kann auch ohne *wenn* gebildet werden. Dann rückt das Verb an die erste Stelle. Der Hauptsatz kann mit *so* oder *dann* eingeleitet werden; er steht dann immer hinter dem Bedingungssatz.
   zu e + f) Wenn der Bedingungssatz eine Frage enthält, steht der *wenn*-Satz hinten.
   zu g) Nach *sonst* oder *andernfalls* steht häufig der Konjunktiv II, und zwar in einem Hauptsatz, in dem auch die Umstellung möglich ist:
   Er mußte ein Taxi nehmen, **er** wäre **sonst** zu spät gekommen.
   zu h) Nach unpersönlichen, subjektiven Aussagen im Konjunktiv II, die meist mit einem Komparativ gebraucht werden, kann auch ein Hauptsatz stehen.

III Die Umschreibung des Konjunktivs II mit „würde“ + Infinitiv

a) (Wenn ich Karin **fragte, berichtete** sie mir von ihrer Tätigkeit.)
b) Wenn ich Karin **fragen würde, berichtete** sie mir von ihrer Tätigkeit.
   Wenn ich Karin **fragte, würde** sie mir von ihrer Tätigkeit **berichten.**
c) (Wenn sie mich zur Teilnahme **zwängen, träte** ich aus dem Verein **aus.**)
d) Wenn sie mich zur Teilnahme zu zwingen **versuchten, würde** ich aus dem Verein **austreten.**

Regeln

zu a) Ein solcher Satz mit zwei schwachen Verben ist doppeldeutig. Er kann bedeuten: 1. Jedesmal, wenn ich sie fragte ... (= Imperfekt Indikativ) oder 2. Im Fall, daß ich sie fragen sollte ... (= Gegenwartsform Konjunktiv II).
zu b) In diesen Fällen wählt man die Umschreibung mit *würde + Infinitiv*. Die doppelte Verwendung in Haupt- und Nebensatz sollte man aber vermeiden.
zu c + d) Viele Formen der starken Verben im Konjunktiv II gelten als veraltet (z.B. *träte, böte, grübe*); sie werden durch *würde + Infinitiv* ersetzt.

ÜBUNGEN

1 Sagen Sie, was besser wäre.

Er kümmert sich nicht um sein Examen.
Es *wäre* besser, wenn er sich um sein Examen *kümmerte*.
Oder: ..., wenn er sich um sein Examen *kümmern würde*.

1. Der Angestellte kommt nicht pünktlich zum Dienst. 2. Der Angeklagte sagt nicht die volle Wahrheit. 3. Die Stadt baut keine Radfahrwege. 4. Der Hausbesitzer läßt das Dach nicht reparieren. 5. Du kaufst keine neuen Reifen für dein Auto. 6. Sie geht nicht zum Arzt und läßt sich nicht untersuchen. 7. Er kauft sich keine neue Brille. 8. Der Motorradfahrer trägt keinen Schutzhelm.

2 Verwenden Sie die Sätze der Übung 1, und bilden Sie die Vergangenheitsform.

Er kümmerte sich nicht um sein Examen.
Es *wäre* besser *gewesen,* wenn er sich um sein Examen *gekümmert hätte.*

3 Verwenden Sie die Sätze der Übungen 1 und 2 folgendermaßen:

Es *wäre* besser, er *kümmerte* sich um sein Examen.
Oder: . . . , er *würde* sich um sein Examen *kümmern.*
Es *wäre* besser *gewesen,* er *hätte* sich um sein Examen *gekümmert.*

4 Verbinden Sie die Sätze zu einem irrealen Bedingungssatz mit oder ohne „wenn". Achten Sie auf die Zeit!

Er findet meine Brille nicht. Er schickt sie mir nicht.
Wenn er meine Brille *fände, schickte* er sie mir.
Oder: . . . , *würde* er sie mir *schicken.*

Ich habe von seinem Plan nichts gewußt. Ich habe ihn nicht gewarnt.
Hätte ich von seinem Plan *gewußt, hätte* ich ihn *gewarnt.*

1. Der Fahrgast hat keinen Fahrschein gehabt. Er hat vierzig Mark Strafe zahlen müssen. 2. Der Ausländer hat den Beamten falsch verstanden. Er ist in den falschen Zug gestiegen. 3. Die beiden Drähte berühren sich nicht. Es gibt keinen Kurzschluß. 4. Es gibt nicht genügend Laborplätze. Nicht alle Bewerber können Chemie studieren. 5. Ich bin nicht für die Ziele der Demonstranten. Ich gehe nicht zu der Demonstration. 6. Du hast das verdorbene Fleisch gegessen. Dir ist schlecht geworden. 7. Der Apotheker hatte keine Alarmanlage installiert. Die Diebe konnten unbemerkt eindringen und bestimmte Medikamente mitnehmen. 8. Die Feuerwehr hat den Brand nicht sofort gelöscht. Viele Häuser sind von den Flammen zerstört worden. (nicht so viele)

5 Vervollständigen Sie selbständig die Bedingungssätze, und verwenden Sie dabei den Konjunktiv II.

1. Wäre sie nicht so schnell gefahren, so ... 2. Hätte er nicht so viel durcheinander getrunken, so ... 3. Hätte er dem Finanzamt nicht einen Teil seines Einkommens verschwiegen, ... 4. Hätten wir nicht im Lotto gespielt, ... 5. Wäre er nicht auf die Party seines Freundes gegangen, ... 6. Hätten die Politiker rechtzeitig verhandelt, ... 7. Wäre der Bus pünktlich gekommen, so ... 8. Gäbe es keine Schreibmaschine, dann ... 9. Würde er aus dem Gefängnis fliehen, ... 10. Ginge ich in der Nacht durch den Stadtpark, ...

6 Beantworten Sie selbständig die Fragen mit einem irrealen Bedingungssatz.

Was würden (vgl. § 54 III) Sie machen, wenn ...

1. Sie ihre Tasche (Brieftasche) mit allen Papieren verloren hätten? 2. Ihr Zimmer (Ihre Wohnung) plötzlich gekündigt würde? 3. Sie eine Million Mark im Toto gewonnen

hätten? 4. in Ihrer Nähe plötzlich jemand um Hilfe schriee? 5. Sie von einer giftigen Schlange gebissen worden wären? 6. Sie im Kaufhaus ein kleines Kind nach seiner Mutter schreien hörten? 7. Sie bei einem Versandhaus einen Anzug bestellt und ein Fahrrad erhalten hätten? 8. Sie zufällig auf der Straße ein Flugticket nach New York und zurück fänden?

7 Bilden Sie Sätze mit „sonst" oder „andernfalls". Der Nachsatz steht bei dieser Übung immer in der Vergangenheitsform des Konjunktivs II.

Er mußte ein Taxi nehmen. (er / zu spät zum Bahnhof / kommen)
Er mußte ein Taxi nehmen, *sonst* wäre er zu spät zum Bahnhof gekommen.

1. Er mußte das Dach neu decken lassen. (ihm / das Regenwasser / in die Wohnung / laufen) 2. Gut, daß du endlich zurückkommst! (ich / dich / durch die Polizei / suchen lassen) 3. Die Forscher mußten den Versuch abbrechen. (es / eine Explosion / geben / und / die teure Apparatur / zerstört werden) 4. Sie nahm ihren Studentenausweis mit. (sie / den doppelten Fahrpreis / bezahlen müssen) 5. Mein Nachbar hat mich in ein langes Gespräch verwickelt. (ich / nicht so spät / zu dir kommen) 6. In diesem Winter mußte man die Tiere des Waldes füttern. (sie / alle / verhungern) 7. Es war schon spät. (wir / bei dir / vorbeikommen) 8. Er mußte aufhören zu rauchen. (ihn / der Arzt / nicht mehr behandeln) 9. Man mußte den Patienten an eine Herz-Lungen-Maschine anschließen. (er / nicht mehr / zu retten sein) 10. Der Arzt entschloß sich zu einem Luftröhrenschnitt. (das Kind / ersticken)

8 Bilden Sie irreale Bedingungssätze. Verwenden Sie für den eingeklammerten Satz die Umschreibung mit „würde".

(Du erreichst einen günstigeren Preis.) Du handelst mit ihm.
Du *würdest* einen günstigeren Preis *erreichen,* wenn du mit ihm *handeltest.*

(Die alte Regelung gilt noch.) Dann ist alles viel leichter.
Wenn die alte Regelung noch *gelten würde, wäre* alles viel leichter.

1. (Du fragst mir die Vokabeln ab.) Du tust mir einen großen Gefallen.
2. (Du holst mich von der Bahn ab.) Ich brauche kein Taxi zu nehmen.
3. (Er spart viel Geld.) Er heizt etwas sparsamer.
4. Wir besuchen ihn. (Wir kennen seine Adresse.)
5. (Sie richten ihn hin.) Das Volk empört sich gegen die Regierung.
6. (Du liest das Buch.) Du weißt Bescheid.
7. Man pflanzt in der Stadt Bäume. (Man verbessert die Luft und verschönert die Stadt.)
8. (Ich kenne sein Geburtstagsdatum.) Ich gratuliere ihm jedes Jahr.

IV Irreale Vergleichssätze (Irreale Komparationssätze)

a) Sie schaut mich an, **als ob** sie mich nicht **verstünde.**
b) Sie schaut mich an, **als ob** sie mich nicht **verstanden hätte.**
c) Er hat solchen Hunger, **als hätte** er seit Tagen nichts **gegessen.**

Regeln

1. zu a + b) Der Nebensatz mit *als ob* oder *als* (seltener *als wenn* oder *wie wenn*) zeigt einen irrealen Vergleich: Sie schaut mich so an, aber in Wirklichkeit versteht sie mich oder hat mich wahrscheinlich verstanden.
   Wird der Nebensatz mit *als ob (als wenn, wie wenn)* eingeleitet, dann steht das konjugierte Verb am Ende des Satzes.
   zu c) Wird der Nebensatz mit *als* eingeleitet, steht das Verb direkt dahinter.
2. Im Hauptsatz wird eine reale Feststellung geäußert; das Verb steht daher im Indikativ.

ÜBUNGEN

1 Bilden Sie irreale Vergleichssätze mit „als ob" oder „als wenn".

Der Junge tat so, (er / nicht laufen können) Der Junge tat so, *als ob (als wenn)* er nicht laufen *könnte.*

1. Der Angler tat so, (er / einen großen Fisch an der Leine haben)
2. Der Lehrer sprach so laut, (seine Schüler / alle schwerhörig sein)
3. Unser Nachbar tut so, (Haus und Garten / ihm gehören)
4. Der Junge hat die Fensterscheibe eingeschlagen, aber er tut so, (er / ganz unschuldig sein)
5. Gisela sprang von ihrem Stuhl auf, (sie / von einer Tarantel gestochen worden sein) (die Tarantel = giftige Spinne)
6. Der Rennfahrer saß so ruhig hinter dem Steuer seines Rennwagens, (er / eine Spazierfahrt machen)
7. Der Hund kam auf mich zugerannt, (er / mich in Stücke reißen wollen)
8. Das Mädchen fuhr auf ihren Skiern so geschickt den Berg hinunter, (sie / das schon tausendmal geübt haben)

2 Bilden Sie mit der Übung 1 irreale Vergleichssätze mit „als".

Der Junge tat so, *als könnte* er nicht laufen.

3 Ergänzen Sie die Vergleichssätze selbständig. Verwenden Sie dabei den Konjunktiv II.

1. Der Politiker sprach so laut, als ob ... 2. Der Busfahrer fuhr so schnell, als ... 3. Der Hotelgast gab so hohe Trinkgelder, als wenn ... 4. Der Arzt machte ein Gesicht, als ... 5. Der Schriftsteller wurde gefeiert, als wenn ... 6. Die Musik kam so laut und klar im Radio, als ... 7. Der Koch briet so viel Fleisch, als wenn ... 8. Der Zug fuhr so langsam, als ob ... 9. Das Kind schrie so entsetzlich, als ob ... 10. Die Kiste war so schwer, als ...

4 Bilden Sie irreale Vergleichssätze.

Ich fühle mich bei meinen Wirtsleuten so wohl wie zu Hause. Ich fühle mich bei meinen Wirtsleuten so wohl, *als ob* ich zu Hause *wäre.*

1. Er hatte sich in den Finger gestochen und schrie wie ein kleines Kind. 2. Die Wirtin behandelte ihren Untermieter wie einen nahen Verwandten. 3. Er sieht aus wie ein Bettler. 4. Er gibt das Geld aus wie ein Millionär 5. Er bestaunte das Auto wie einer, der noch nie ein Automobil gesehen hat. (... Auto, als ob er ...) 6. Er schaute mich verständnislos an. (nicht verstanden haben) 7. Der Automechaniker stellte sich an wie einer, der noch nie einen Motor auseinandergenommen hat. (... sich an, als ob er ...) 8. Der Chef sprach mit dem Angestellten wie mit einem dummen Jungen.

V Irreale Folgesätze (Irreale Konsekutivsätze)

a) Es ist **zu spät, als daß** wir noch bei ihm **anrufen könnten.**
b) Ich hab' das Tier **allzu gern, als daß** ich es **weggeben könnte.**
c) Er hat **soviel Zeit, daß** er das ganze Jahr **verreisen könnte.**
d) Er ging weg, **ohne daß** er sich **verabschiedet hätte.**

Regeln

zu a + b) Der Folgesatz bezieht sich meist auf ein Adverb mit *zu* oder *allzu* (= Verstärkung). *zu* zeigt an, daß etwas über die Grenze des Möglichen oder Erträglichen hinausgeht, so daß die im *als*-Satz genannte Folge nicht eintreten kann. Daher steht dieser Teilsatz mit *als daß* im Konjunktiv II.

zu c) Die im Nebensatz mit *so ..., daß* genannten Folgen werden nicht eintreten; sie sind irreal. Der Nebensatz steht daher im Konjunktiv II.

zu d) Im *ohne daß*-Satz ist die erwartete Folge nicht eingetreten. Der Nebensatz steht daher meist im Konjunktiv II.

ÜBUNGEN

1 Bilden Sie irreale Folgesätze mit „zu ..., als daß".

Die Versuche sind zu teuer. Man kann sie nicht unbegrenzt fortsetzen.
Die Versuche sind *zu* teuer, *als daß* man sie unbegrenzt *fortsetzen könnte.*

1. Der Schwimmer ist mit 32 Jahren schon zu alt. Er kann keine Spitzenleistungen mehr erbringen. (noch) 2. Diese Bergwanderung ist zu gefährlich. Ihr könnt sie nur mit einem Seil machen. (ohne Seil) 3. Die Tour ist zu weit. Sie können die Strecke nicht an einem Tag schaffen. 4. Die Wanderer sind viel zu müde. Sie wollen nicht mehr tanzen. (noch) 5. Das Hotel ist zu teuer. Wir können dort nicht wohnen bleiben. 6. Der Wind ist zu kalt. Das Laufen macht keinen Spaß mehr. (noch ... würde) 7. Die Mathematikaufgabe ist zu schwierig. Die Schüler können sie nicht lösen. 8. Das Bild ist zu groß. Ich will es mir nicht ins Zimmer hängen. 9. Die Reise ist zu anstrengend. Ich werde sie nicht mehr machen. (noch einmal) 10. Das Fernsehprogramm ist viel zu langweilig. Ich sehe es mir nicht an.

2 Setzen Sie die Sätze 1–5 der Übung 1 ins Imperfekt bzw. Perfekt, und bilden Sie Folgesätze.

> Die Versuche waren zu teuer. Man konnte sie nicht unbegrenzt fortsetzen.
> Die Versuche waren *zu* teuer, *als daß* man sie unbegrenzt *hätte fortsetzen können.*

3 Bilden Sie irreale Folgesätze mit „so . . . , daß". Achten Sie auf die Zeit!

> Die Straßenbahn fuhr (fährt) so langsam, (man / ebensogut laufen können)
> Die Straßenbahn fuhr (fährt) *so* langsam, daß man ebensogut *hätte laufen können (laufen könnte).*

1. Die Sonne schien so warm, (man / im Badeanzug auf der Terrasse liegen können)
2. Sein Geschäft geht so gut, (er / es ganz groß ausbauen können)
3. Die Terroristen hatten so viele Waffen, (man / eine ganze Kompagnie Soldaten damit ausrüsten können)
4. Der Sportwagen ist so teuer, (man / zwei Mittelklassewagen / sich dafür kaufen können)
5. Die Höhle hat so viele Gänge, (man / sich darin verlaufen können)
6. Das Haus, in dem er wohnt, ist so groß, (drei Familien / darin Platz finden)
7. Das Gift wirkt so stark, (man / mit einem Fläschchen / eine ganze Stadt vergiften können)
8. Der Mond schien so hell, (man / Zeitung lesen können)

4 Bilden Sie Sätze mit „ohne daß". Achten Sie auf die Zeit!

> Sie waren oft hier in Wien. Sie haben uns nicht ein einziges Mal besucht.
> Sie waren oft hier in Wien, *ohne daß* sie uns ein einziges Mal *besucht hätten.*

1. Der Arzt überwies den Patienten ins Krankenhaus. Er hat ihn nicht untersucht. 2. Ein Onkel sorgte für die verwaisten Kinder. Er hat kein Wort darüber verloren,. 3. Eine ausländische Kommission kaufte die Fabrik. Es wurde nicht lange über den Preis verhandelt. (*es* fällt weg!) 4. Die Tochter verließ das Elternhaus. Sie schaute nicht noch einmal zurück. 5. Er wanderte nach Amerika aus. Er hat nie wieder ein Lebenszeichen von sich gegeben. (ohne daß er jemals wieder) 6. Luft und Wasser werden von gewissen Industriebetrieben verschmutzt. Diese kümmern sich nicht um die Umweltverschmutzung. 7. Sie hat uns geholfen. Wir haben sie nicht darum gebeten. 8. Er verschenkte seine wertvolle Münzsammlung. Es hat ihm keinen Augenblick leid getan.

VI Weitere Anwendungsbereiche des Konjunktivs II

a) Beinah(e) wäre das ganze Haus abgebrannt!
b) Fast hätte ich den Bus nicht mehr erreicht.
c) Ich hätte dich besucht, aber ich hatte deine Adresse nicht.
d) Der Bus ist noch nicht da; dabei hätte er schon vor zehn Minuten kommen müssen.
e) Sollte es wirklich schon so spät sein?
f) Würdest du mir tatsächlich Geld leihen?
g) Wären Sie so freundlich, mir zu helfen?
h) Könnten Sie mir vielleicht sagen, wie ich zum Bahnhof komme?
i) Würden Sie mir bitte einen Gefallen tun?
j) Würden Sie vielleicht gegen zehn Uhr noch mal anrufen?
k) Zum Einkaufen dürfte es jetzt zu spät sein.
l) (Wie alt schätzt du Gisela?) Sie dürfte etwa zwanzig sein.
m) So, das wär's für heute! (Morgen geht's weiter.)
n) Das hätten wir geschafft!
o) Ich glaube, daß ich ihm in dieser Lage auch nicht helfen könnte.
p) Ich meine, daß er sich endlich ändern müßte.
q) Ich kenne keinen anderen Arzt, der dir besser helfen könnte.
r) Ich wüßte kein Material, das härter wäre als ein Diamant.

Regeln

zu a + b) Sätze mit *beinah(e)* oder *fast* drücken aus, daß etwas schon Erwartetes doch nicht eingetreten ist. Man gebraucht die Vergangenheitsform des Konjunktivs II.

zu c + d) Zur Unterscheidung von Realität und Irrealität.

zu e + f) In Fragen, die man stellt, wenn man etwas nicht recht glauben will.

zu g + h) Eine höfliche Bitte oder Aufforderung, die man in Form einer Frage äußert.

zu i + j) Oft gebraucht man bei der höflichen Bitte die Umschreibung mit *würde* + Infinitiv.

zu k + l) Wenn man seine Vermutung sehr vorsichtig äußern will, verwendet man *dürfen* im Konjunktiv II.

zu m + n) Zum Ausdruck, daß ein Teil eines Sachverhalts (hier einer Arbeit) beendet ist.

zu o + p) Eine Unsicherheit über einen Sachverhalt kann man auch im Konjunktiv II ausdrücken. Im Hauptsatz stehen Verben wie *annehmen, glauben, denken, meinen.*

zu q + r) Der Konjuntiv II steht gelegentlich in Relativsätzen mit einem Komparativ, die von einem negativen Beziehungssatz abhängen.

ÜBUNGEN

1 Üben Sie den Konjunktiv II der Vergangenheit nach „beinah(e)" oder „fast".

Hast du das Haus gekauft? – Nein, aber *beinah (fast) hätte* ich es *gekauft.*
Oder: Nein, aber ich *hätte* es *beinah (fast) gekauft.*

1. Hast du dein Geld verloren? 2. Bist du betrogen worden? 3. Bist du verhaftet worden? 4. Ist das Flugzeug abgestürzt? 5. Hast du dein Geschäft verkaufen müssen? 6. Ist das Schiff untergegangen? 7. Seid ihr zu spät gekommen?

2 Äußern Sie Zweifel in Ihrer Frage.

> Ist sie wirklich erst 17? – Ja, das stimmt.
> Sollte sie wirklich erst 17 sein? – Ja, das *dürfte* stimmen.

1. Ist dieses Haus wirklich für 100000 Mark zu haben? – Ja, das stimmt. 2. Hat er wirklich die Wahrheit gesagt? – Nein, das war nicht die Wahrheit. 3. Ist er wirklich in schlechten finanziellen Verhältnissen? – Ja, das trifft leider zu. 4. Habe ich für diesen Pelzmantel wirklich 100 Mark zuviel bezahlt? – Ja, das stimmt annähernd. 5. Hatte der Sultan wirklich 90 Kinder? – Nein, es waren nur etwa 50. 6. Hat er mich mit Absicht falsch informiert? – Nein, er hat nur wieder mal nicht aufgepaßt. 7. Ist der Zug wirklich schon abgefahren? – Ja, der ist schon weg. 8. Hat der Zeuge sich wirklich nicht geirrt? – Nein, seine Aussage entspricht so ziemlich den Tatsachen. 9. Hat er seine Steuererklärung wirklich ungenau ausgefüllt? – Ja, die Angaben waren unzutreffend.

3 Bilden Sie höfliche Fragen.

> Nehmen Sie das Paket mit?
> Würden Sie bitte das Paket mitnehmen?
> Könnten Sie bitte das Paket mitnehmen?
> Würden Sie so freundlich sein und das Paket mitnehmen? (, das Paket mitzunehmen?)
> Dürfte ich Sie bitten, das Paket mitzunehmen?
> Würden Sie mir den Gefallen tun und das Paket mitnehmen? (, das Paket mitzunehmen?)

1. Schicken Sie mir die Waren ins Haus? 2. Wo ist die Stadtverwaltung? 3. Wie komme ich zum Krankenhaus? 4. Reichen Sie mir das Salz? 5. Geben Sie mir noch eine Scheibe Brot? 6. Bringen Sie mir noch ein Glas Bier? 7. Helfen Sie mir, den Wagen anzuschieben? 8. Wird der Eilbrief heute noch zugestellt? (. . . , mir zu sagen, ob . . .) 9. Kommen Sie gegen 5 Uhr noch mal vorbei? 10. Nimmst du dieses Päckchen mit zur Post?

4 Sagen Sie, was unter anderen Umständen möglich wäre.

> Zu Fuß kannst du den Zug nicht mehr erreichen; (mit dem Taxi / noch rechtzeitig zur Bahn kommen)
>
> Zu Fuß kannst du den Zug nicht mehr erreichen; mit dem Taxi *könntest* du noch rechtzeitig zur Bahn *kommen.*

1. Ohne Antenne kannst du das Programm von Bayern III nicht empfangen; (mit Antenne / du / es gut hereinbekommen) 2. Hier müssen alle Kraftfahrzeuge langsam fahren; (ohne diese Vorschrift / es / viele Unfälle geben) 3. Leider ist unser Auto kaputt; (sonst / wir / heute ins Grüne fahren) 4. Ohne Licht darfst du abends nicht radfahren; (sonst / dir / ein Unglück passieren) 5. Du brauchst unbedingt eine Waschmaschine; (damit / du / viel Zeit sparen) 6. Du machst dir keine genaue Zeiteinteilung; (sonst / du / viel mehr schaffen) 7. Diesen Ofen benutzen wir nur in der Übergangszeit; (im Winter / wir / das Haus damit nicht warm bekommen) 8. Die Arbeiter müssen zur Zeit Überstunden machen; (die Firma / andernfalls / die Liefertermine nicht einhalten) 9. Hier darfst du nicht fotografieren; (du / wegen Spionage verhaftet werden)

§ 55 Der Konjunktiv I

Bildung der Formen

	Indikativ	*Konjunktiv I*
a)	er fährt	er **fahre**
b)	er wird fahren	er **werde fahren**
c)	er fuhr er ist / war gefahren	er **sei gefahren**
	er sah er hat / hatte gesehen	er **habe gesehen**

Regeln

Der Konjunktiv I hat drei Zeitformen: a) eine Gegenwartsform, b) eine Zukunftsform (auch Vermutung) und c) *eine* Vergangenheitsform.

I Bildung der Gegenwartsformen

1. An den Infinitivstamm werden die gleichen Endungen gehängt wie beim Konjunktiv II (siehe § 53 I).
2. Es entstehen folgende Formen:

Starkes Verb	Schwaches Verb	Verb mit Hilfs-e	Modalverb	Hilfsverb	
kommen	*planen*	*schneiden*	*dürfen*	*haben*	*werden*
(ich komme)	(ich plane)	(ich schneide)	ich dürfe	(ich habe)	(ich werde)
du kommest	du planest	(du schneidest)	du dürfest	du habest	du werdest
er komme	er plane	er schneide	er dürfe	er habe	er werde
(wir kommen)	(wir planen)	(wir schneiden)	(wir dürfen)	(wir haben)	(wir werden)
ihr kommet	ihr planet	(ihr schneidet)	ihr dürfet	ihr habet	(ihr werdet)
(sie kommen)	(sie planen)	(sie schneiden)	(sie dürfen)	(sie haben)	(sie werden)

Die Formen in Klammern entsprechen dem Indikativ. Sie werden durch die entsprechenden Gegenwartsformen des Konjunktivs II ersetzt, damit man sie vom Indikativ unterscheiden kann. Es entstehen folgende Reihen:

Starkes Verb	Schwaches Verb	Verb mit Hilfs-e	Modalverb	Hilfsverb	
ich käme	ich plante	ich schnitte	ich dürfe	ich hätte	ich würde
du kommest	du planest	du schnittest	du dürfest	du habest	du werdest
er komme	er plane	er schneide	er dürfe	er habe	er werde
wir kämen	wir planten	wir schnitten	wir dürften	wir hätten	wir würden
ihr kommet	ihr planet	ihr schnittet	ihr dürfet	ihr habet	ihr würdet
sie kämen	sie planten	sie schnitten	sie dürften	sie hätten	sie würden

Im Sprachgebrauch hält man sich nicht streng an diese Regel. So wird zum Beispiel auch in der zweiten Person Singular und Plural oft der Konjunktiv II gebraucht: *du kämest, ihr kämet.*

Anmerkung: Die Sonderformen in der 2. und 3. Person Singular Präsens der starken Verben werden bei der Bildung des Konjunktivs I nicht berücksichtigt: Indikativ *du gibst, er gibt* – Konjunktiv I: *du gebest, er gebe.*

3. Eine Ausnahme bilden die Formen von *sein*:

ich **sei**	wir **seien**
du **sei(e)st**	ihr **seiet**
er **sei**	sie **seien**

II Bildung der Zukunftsformen (auch Vermutung)

1. Das Futur I wird mit den obigen Formen von *werden* und dem Infinitiv gebildet:

ich würde kommen	wir würden kommen
du werdest kommen	ihr würdet kommen
er werde kommen	sie würden kommen

2. Das Futur II wird dementsprechend mit dem Infinitiv Perfekt gebildet:

ich würde gekommen sein	ich würde geplant haben
du werdest gekommen sein	du werdest geplant haben

III Bildung der Vergangenheitsformen

Die Vergangenheitsform wird mit den obigen Formen von *haben* bzw. *sein* und dem Partizip Perfekt gebildet:

ich sei gekommen	ich hätte geplant
du sei(e)st gekommen	du habest geplant

IV Das Passiv im Konjunktiv I

Zur Bildung des Passivs werden die obigen Formen von *werden* verwendet:

Gegenwart	ich würde informiert, du werdest informiert ...
Zukunft	ich würde informiert werden, du werdest informiert werden ...
Vergangenheit	ich sei informiert worden, du sei(e)st informiert worden ...

ÜBUNGEN

1 Konjugieren Sie in der Gegenwarts- und Vergangenheitsform des Konjunktivs I.

1. reisen	4. fliegen	7. abschneiden	10. fahren
2. ordnen	5. fallen	8. sich ärgern	11. frieren
3. schicken	6. geben	9. beabsichtigen	12. benachrichtigt werden

2 Setzen Sie die Verben in die entsprechenden Formen des Konjunktivs I.

1. ich stelle
   er stellt
   er stellte
2. du bittest
   er bittet
   wir baten
3. wir telefonieren
   ihr telefoniert
   sie telefonierten
4. sie grüßt
   sie grüßen
   sie grüßten
5. ich werde eingeladen
   du wirst eingeladen
   du wurdest eingeladen
6. du wirst dich erkälten
   sie wird sich erkälten
   sie werden sich erkälten
7. ich gehe
   du gehst
   er ist gegangen
8. sie betet
   sie beten
   er betete
9. sie schneidet
   wir schneiden
   wir haben geschnitten
10. ich antworte
    er antwortet
    ihr antwortet
11. er wird gewogen
    wir werden gewogen
    ihr wart gewogen worden
12. sie wird sich erholt haben
    ihr werdet euch erholt haben
    sie werden sich erholt haben
13. du fährst
    ihr fahrt
    sie fuhren
14. ich rufe an
    du rufst an
    sie riefen an
15. du streitest
    sie streitet
    ihr habt gestritten
16. er stirbt
    sie sterben
    sie starben
17. du wirst bestraft
    er wird bestraft
    sie wurde bestraft

§ 56 Gebrauch des Konjunktivs I

I Die indirekte Rede

Direkte Rede	*Indirekte Rede*
In der Wahlnacht spricht der Parteivorsitzende. Er sagt unter anderem:	Ein Journalist berichtet. Der Parteivorsitzende sagte,
a) „Wir können stolz sein auf unseren Erfolg."	**daß sie** stolz auf **ihren** Erfolg sein könnten. **sie** könnten stolz sein auf **ihren** Erfolg.
b) „**Ihnen, liebe Parteifreunde,** danke ich herzlich."	er danke **seinen Parteifreunden** herzlich.
„Jetzt heißt es für uns alle: **Vorwärts, an die Arbeit!**"	jetzt heiße es für sie, **sofort mit der Arbeit zu beginnen.**
c) „**Für morgen** ist ein Gespräch mit dem Bundespräsidenten geplant."	**für heute, Montag,** sei ein Gespräch mit dem Bundespräsidenten geplant.
„**Hier** wird es einige Veränderungen geben."	**dort, im Bundestag,** werde es einige Veränderungen geben.
d) „Ich, als Demokrat, akzeptiere das Wahlergebnis, **auch wenn es anders ausgefallen wäre.**"	er, als Demokrat, akzeptiere das Wahlergebnis, **auch wenn es anders ausgefallen wäre.**

Regeln

In der indirekten Rede werden die Aussagen einer anderen Person objektiviert und oft verkürzt wiedergegeben. Von Reden, Schriften, öffentlichen Bekanntmachungen usw. wird meistens nur das sachlich Wichtige berichtet. Durch den Gebrauch des Konjunktivs I wird der Abstand zur wörtlichen Rede kenntlich gemacht.

zu a) 1. Die indirekte Rede kann mit einem *daß*-Satz eingeleitet werden.
Bei einer längeren Mitteilung steht der *daß*-Satz in der Regel nur am Anfang.
2. In der indirekten Rede ändern sich die Pronomen sinngemäß. Dabei ist besonders zu beachten: a) wer spricht, b) zu wem oder von wem gesprochen wird, c) gegebenenfalls wer die Rede wiedergibt.

zu b) 1. Anreden, Ausrufe, spontane Redewendungen usw. fallen in der indirekten Rede meistens weg.
2. Man kann – damit der Zusammenhang besser verständlich wird – Namen wiederholen, Adverbien einfügen oder sinngemäße Sätze oder Verben verwenden wie *bejahen, verneinen, ablehnen.*

zu c) Adverbiale Angaben des Ortes oder der Zeit müssen sinngemäß geändert werden.

zu d) Der Konjunktiv II bleibt in der indirekten Rede erhalten.

II Die indirekte Frage

Direkte Frage	*Indirekte Frage*
Er fragt:	Er fragt,
a) ,,**Gehst** du morgen zur Wahl?"	**ob** ich morgen zur Wahl ginge.
b) ,,**Wann** gehst du zum Wahllokal?"	**wann** ich zum Wahllokal ginge.
,,**Welche Partei** willst du wählen?"	**welche Partei** ich wählen wolle.

Regeln

Die Frage wird in der indirekten Rede als Nebensatz wiedergegeben.
zu a) Bei Fragen ohne Fragewort wird die Konjunktion *ob* verwendet.
zu b) Bei Fragen mit Fragewort wird dasselbe Fragewort oder das erweiterte Fragewort als Konjunktion verwendet.

III Der Imperativ in der indirekten Rede

Direkter Imperativ	*Indirekter Imperativ*
a) ,,Reg dich doch bitte nicht so auf!"	Er bat mich (freundlich), ich **möge** mich nicht so aufregen.
b) ,,Hört jetzt endlich auf, über das Wahlergebnis zu diskutieren!"	Er befahl uns (scharf), wir **sollten** aufhören, über das Wahlergebnis zu diskutieren.

Regeln

Der Imperativ in der indirekten Rede wird durch Modalverben wiedergegeben.
zu a) Bei einer höflichen Bitte gebraucht man *mögen*.
zu b) Bei einer Aufforderung oder einem Befehl gebraucht man *sollen*.

Anmerkung

Der Imperativ in der 3. Person Singular oder in der 1. Person Plural kann mit den Formen des Konjunktivs I ausgedrückt werden:
Es *lebe* die Freiheit!
Damit *sei* die Sache vergessen!
Seien wir froh, daß alles vorbei ist!
Man *nehme* 15–20 Tropfen bei Bedarf und *behalte* die Flüssigkeit einige Zeit im Mund.
Man *nehme* ein Pfund Mehl, drei Eier und etwas Milch und *verrühre* das Ganze zu einem Teig.
Die Strecke b *sei* 7 cm. Man *schlage* von D aus einen Halbkreis über b.

Anmerkungen zur Zeichensetzung in der indirekten Rede

1. Der Doppelpunkt (:) und die Anführungszeichen (,,. . .") der direkten Rede fallen weg. Vor der indirekten Rede steht nur ein Komma (,).
2. Da von einer Aufforderung, Bitte, einem Befehl oder von einer Frage nur berichtet wird, entfallen auch Ausrufezeichen (!) und Fragezeichen (?).

ÜBUNGEN

1 Setzen Sie den folgenden Text in die indirekte Rede. Beginnen Sie so: Fachleute weisen darauf hin, daß ...

1 „Große Teile der Wälder in der Bundesrepublik sind durch schwefelsäurehaltigen Regen von einem allmählichen Absterben bedroht. Nicht nur die Nadelhölzer, sondern auch die
3 Laubbäume werden geschädigt. Sie reagieren zum Teil sogar noch empfindlicher als Nadelbäume. Als gefährlichste Verursacher des Waldsterbens sieht man die großen Koh-
5 lekraftwerke an, die die Schadstoffe durch hohe Schornsteine ableiten. Das entlastet zwar die nächste Umgebung, doch wird die Schädigung weiträumig in Gebiete getragen,
7 die bisher noch ökologisch gesund waren; denn hohe Schornsteine bringen die Schadstoffe in höhere Schichten der Atmosphäre, und so können sie vom Wind ziemlich weit
9 getragen werden.
Gefordert werden neue Gesetze, die das Übel an der Wurzel packen. Es müssen Anlagen
11 vorgeschrieben werden, die die Schadstoffe herausfiltern, so daß sie nicht mehr in die Luft gelangen können."

2 Setzen Sie den folgenden Zeitungsbericht in die indirekte Rede. Beginnen Sie so: Die Zeitung berichtet, daß Teile Australiens ...

1 Teile Australiens erleben eine katastrophale Trockenheit. Infolge des Regenmangels droht in fünf von sechs australischen Bundesländern eine Dürrekatastrophe. Neben den
3 Farmern, die bereits ihre Ernten und Tierherden verloren haben, spüren jetzt auch die Bewohner der Städte den Wassermangel besonders stark. Für sie gilt eine strenge Be-
5 schränkung des Wasserverbrauchs. Nicht länger dürfen sie ihre Gärten bewässern. Das Gießen ist ihnen tagsüber nur noch mit Kannen und Eimern erlaubt. Schläuche dürfen
7 nur zwischen 19 und 21 Uhr benutzt werden. Die Geldstrafe, die auf Nichteinhaltung der Beschränkungen steht, ist von 100 auf 1000 Dollar erhöht worden. Zwanzig Funkwagen
9 machen Jagd auf Wasserverschwender.
In einigen Gemeinden des Staates Victoria ist die Not schon so groß, daß das Wasser auf
11 60 Liter pro Kopf und Tag rationiert wurde.
Perioden großer Trockenheit hat es in Australien schon oft gegeben. Eine solche Kata-
13 strophe ist aber in der Geschichte des weißen Mannes noch nie dagewesen.

3 Ebenso. Beginnen Sie so: Der Verteidiger sagte, man ...

1 Der Verteidiger sagte: „Man muß, wenn man ein gerechtes Urteil fällen will, die Kindheit und Jugendzeit des Angeklagten kennen. Als dieser drei Jahre alt war, starb seine
3 Mutter. Sein Vater war ein stadtbekannter Trinker. Der Angeklagte hat noch drei Jahre mit seinem Vater zusammengelebt. Eine Tante, die den Haushalt führte, mochte ihn
5 nicht und hat ihn oft geschlagen. Als der Angeklagte sechs Jahre alt war, nahm man den ganz verwahrlosten Jungen aus dem Haushalt seines Vaters und steckte ihn in ein Wai-
7 senhaus, wo er bis zu seinem 14. Lebensjahr blieb. Nach seiner Entlassung kehrte der Junge zu seinem Vater zurück. Dieser veranlaßte den Jungen immer wieder zu Diebstäh-
9 len in Warenhäusern und Lebensmittelgeschäften. Mit sechzehn Jahren wurde der Jugendliche zum ersten Mal wegen Diebstahls vor Gericht gestellt und von diesem in eine
11 Jugendstrafanstalt eingewiesen. So hat der Angeklagte nie ein normales, geregeltes Leben kennengelernt; er hat nie den Schutz und die Nestwärme erfahren, die eine Familie

13 einem Heranwachsenden im allgemeinen bietet. Das muß bei einer Verurteilung des Angeklagten berücksichtigt werden."

4 Verwandeln Sie die direkte in die indirekte Rede und umgekehrt.

1 Der Arzt fragte den Patienten: ,,Wie lange haben Sie die Kopfschmerzen schon? Sind die Schmerzen ständig da, oder treten sie nur manchmal auf? Liegen die Schmerzen hinter
3 den Augen? Haben Sie auch nachts Kopfschmerzen? Nehmen Sie Tabletten? Was für Tabletten haben Sie bis jetzt genommen? Ist der Schmerz so stark, daß Sie es ohne
5 Tabletten nicht aushalten? Was für eine Arbeit verrichten Sie im Büro? Wie lange müssen Sie täglich vor dem Bildschirm sitzen? Haben Sie die Möglichkeit, Ihre Tätigkeit
7 zu wechseln?"
Der Patient fragte den Arzt, wie oft er die Tabletten nehmen solle, ob er im Bett liegen
9 bleiben müsse, oder ob er wenigstens zeitweise aufstehen dürfe, wie lange die Krankheit denn wohl dauere und ob er überhaupt wieder ganz gesund werde.

5 Verwandeln Sie die direkte Rede in die indirekte und umgekehrt.

1 Der Turnlehrer sagte zu den Schülern: ,,Stellt euch gerade hin und streckt die Arme nach vorn! Bringt jetzt die Arme in weitem Bogen nach hinten, laßt den Kopf zurückfallen
3 und biegt den ganzen Körper nach hinten durch! Jetzt kommt langsam zurück, bis ihr wieder gerade steht! Laßt nun den Oberkörper nach vorn herunterfallen, bis der Kopf
5 die Knie berührt.
Der Lehrer sagt zu der Schülerin, daß sie den Mund schließen und durch die Nase atmen
7 solle. Sie solle die Übungen ruhig mitmachen, aber darauf achten, daß nichts weh tue. Wenn es ihr zu anstrengend werde, solle sie aufhören.
9 Uta sagte zum Lehrer, er möge sie entschuldigen, sie fühle sich nicht wohl und wolle nach Hause gehen.

6 Setzen Sie die indirekte Rede in dieser Anekdote in die direkte Rede. Welche Form erscheint Ihnen lebendiger?

1 Der berühmte Pianist Anton Rubinstein unterhielt sich auf einer Konzerttour in England mit einem Briten über seine Auslandserfahrungen. Dabei sprachen sie auch über die
3 Konzertreise des Künstlers in Spanien. Ob er denn Spanisch könne, fragte der Engländer. Rubinstein verneinte. Ob er dann wohl Französisch gesprochen habe. Das habe er
5 auch nicht, entgegnete der Künstler schon etwas verärgert. Womit er sich denn in Spanien durchgeholfen habe, wollte der neugierige Herr wissen. ,,Mit Klavier!" erwiderte
7 Rubinstein und ließ den lästigen Frager stehen.

7 Verwandeln Sie die direkte in die indirekte Rede.

Der Hahn und der Fuchs

1 Auf einem Baum saß ein alter Hahn. Ein Fuchs, der gerade vorbeikam, sah den Hahn, und da er gerade Hunger hatte, sagte er: ,,Komm doch herunter! Allgemeiner Friede ist
3 unter den Tieren geschlossen worden. Komm herab und küsse mich, denn von heute ab sind wir Brüder!" ,,Lieber Freund", entgegnete der Hahn, ,,das ist eine wunderbare
5 Nachricht! Dort sehe ich auch zwei Hunde herbeieilen. Sie wollen uns sicher auch die Friedensnachricht bringen. Dann können wir uns alle vier küssen." ,,Entschuldige!" rief

7 der Fuchs eilig, „ich habe noch einen weiten Weg. Das Friedensfest werden wir später feiern!“ Traurig, daß er seinen Hunger nicht stillen konnte, lief er davon.
9 Der Hahn aber saß auf seinem Ast und lachte: „Es macht doch Spaß, einen Betrüger zu betrügen!“ (Nach: La Fontaine)

8 Verwandeln Sie die direkte in die indirekte Rede und umgekehrt.

Totgefragt

1 Auf einem Dampfer, der von Hamburg nach Helgoland fuhr, wendete sich eine Dame an den Kapitän und fragte: „Sind Sie der Kapitän?“ Der Kapitän bejahte.
3 „Ist es eigentlich gefährlich auf See?“
Der Kapitän verneinte, zur Zeit nicht, es sei ja beinah windstill. Da werde wohl keiner
5 seekrank.
„Ach, das meine ich auch nicht“, entgegnete die Dame, „ich meine nur wegen der
7 Seeminen.“ (= Explosivkörper zur Vernichtung von Schiffen im Krieg)
Da sei nichts zu befürchten, die seien alle längst weggeräumt.
9 „Aber wenn sich nun mal eine versteckt hat?“
Das könne sie nicht. Die Minen blieben immer an der Wasseroberfläche, und auch die
11 allerletzten seien längst entdeckt und vernichtet worden. Da könne sie ganz beruhigt sein.
13 „Sie sind ja ein Fachmann. Sicher fahren Sie schon lange auf dieser Strecke?“
Er fahre schon vier Jahre.
15 „So lange fahren Sie schon? Wie hieß doch der Kapitän, der früher auf diesem Schiff fuhr? Es war so ein Großer, Blonder.“
17 „Sein Name war Albers.“
„Ja, an den kann ich mich noch gut erinnern. Lebt er noch?“
19 „Nein“, bedauerte der Kapitän, Albers sei schon lange tot.
„Ach, das ist schade! Woran ist er denn gestorben?“
21 Die Reisenden hätten ihn totgefragt, entgegnete der Kapitän und ließ die erstaunte Dame stehen.

9 Setzen Sie die Berichte in die indirekte Rede.

Eine junge Ärztin erzählt ein Erlebnis von einer Expedition. Ihr Bericht wird in einer Zeitung wiedergegeben.

1 „Vor einiger Zeit kam eine Mutter mit einem schwerkranken Säugling zu mir. Das Kind war schon blau im Gesicht und atmete schwer. Nach einer kurzen Untersuchung konnte
3 ich feststellen, daß eine leichte Form von Diphterie vorlag. Nachdem ich, weil mir andere Instrumente fehlten, das altmodische, aber scharfe Rasiermesser unseres Kochs desinfi-
5 ziert hatte, wagte ich einen Schnitt in den Kehlkopf des Kindes. Das herausspritzende Blut versetzte die Mutter in helle Aufregung. Sie schrie verzweifelt: ‚Sie tötet mein Kind!
7 Sie schlachtet es wie ein Schaf!‘ Viele Einwohner des Dorfes liefen mit drohenden Gebärden herbei, so daß ich das Schlimmste für mein Leben und das des Kindes fürchten
9 mußte. Zum Glück war der Weg vom Dorf bis zu unserer Station steil und steinig, und als die erregten Leute an meinem Zelt ankamen, atmete das Kind schon wieder ruhig und
11 hatte seine natürliche Gesichtsfarbe zurückgewonnen. Seitdem behandeln die Dorfbewohner mich wie eine Heilige, und es ist schwierig, sie davon zu überzeugen, daß ich
13 keine Toten erwecken kann.“

10 Ebenso:

Ein Pilot berichtet über seine Erlebnisse bei einer versuchten Flugzeugentführung.

1 „Genau um 23.37 Uhr, als sich unsere Maschine in etwa 500 Meter Höhe über den letzten Ausläufern des Taunus befand, teilte mir unsere Stewardess, Frau Schröder,
3 aufgeregt mit: ‚Einem Passagier ist schlecht geworden; er ist ganz bleich, und sein Kopf liegt auf der Seitenlehne seines Sessels.‘ Ich schickte meinen Kollegen, Flugkapitän
5 Berger, in den Passagierraum. Nach kurzer Zeit kam Berger zurück und berichtete: ‚Der Mann ist erschossen worden. Wahrscheinlich ist eine Pistole mit Schalldämpfer benutzt
7 worden, denn niemand hat etwas gehört.‘
Diese Nachricht habe ich sofort an die Bodenstationen in München, Wien und Mailand
9 weitergegeben. Die Antworten lauteten allerdings nur etwa so: ‚Fliegen Sie ruhig weiter und lassen Sie alles genau beobachten. Im Augenblick können wir Ihnen nichts Genaues
11 sagen. Die Polizei ist informiert worden.‘
In den nächsten eineinhalb Stunden ereignete sich nichts, aber kurz vor der Landung in
13 Wien erschienen zwei maskierte Männer in der Tür zur Pilotenkapsel, richteten ihre Pistolen auf mich und Kapitän Berger und befahlen: ‚Bewegen Sie sich nicht! Sie können
15 wählen: Entweder halten Sie sich an unsere Befehle, oder Sie werden erschossen! Das Ziel der Reise ist Tripolis. Die Maschine wird augenblicklich gesprengt, wenn Sie nicht
17 alle unsere Befehle befolgen!‘
Ich war ganz ruhig, weil ich mir vorher schon alles überlegt hatte. Ironisch fragte ich:
19 ‚Was machen Sie denn mit der Leiche, wenn wir landen?‘ Diese Frage machte die Leute stutzig. Der eine befahl dem anderen, in den Passagierraum zu gehen und nachzusehen.
21 Es gelang mir, den hinter mir stehenden Luftpiraten zu Fall zu bringen, indem ich die Maschine auf die Seite legte. Kapitän Berger konnte den Augenblick nützen, den Mann
23 zu entwaffnen. Der zweite leistete keinen Widerstand mehr, nachdem er gesehen hatte, daß sein Komplize bereits gefesselt war.“

* 11 Ebenso:

Ein ärztliches Gutachten

1 Professor B. über den Angeklagten F.: „Es handelt sich bei dem Angeklagten um einen überaus einfältigen Menschen. Seine Antworten auf Fragen nach seiner Kindheit lassen
3 auf schwere Störungen im häuslichen Bereich schließen. So antwortete er auf die Frage: ‚Haben Ihre Eltern Sie oft geschlagen?‘ mit der Gegenfrage: ‚Welche Eltern meinen Sie?
5 Den mit den grauen Haaren hasse ich, aber die beiden Frauen mit den Ohrringen besuchen mich manchmal im Gefängnis und bringen mir Kaugummi mit.‘ Offensichtlich
7 wuchs der Angeklagte in derart ungeordneten Familienverhältnissen auf, daß nur äußere Anhaltspunkte wie graues Haar oder Ohrringe in ihm einige Erinnerungen wachrufen. In
9 einem so gestörten Hirn wie dem des Angeklagten gleiten Erinnerungen und Vorstellungen ineinander, Fakten verlieren an Realität und unwichtige Eindrücke nehmen plötzlich
11 einen bedeutenden Platz ein.“
An die Geschworenen gewandt, erklärte Professor B.: „Beachten Sie, daß ein Mensch,
13 der nicht angeben kann, wer seine Eltern sind, für ein Verbrechen, das er unter Alkoholeinfluß begangen hat, nach dem Grundsatz ‚im Zweifel für den Angeklagten‘ nicht oder
15 nur unter der Bedingung strafmildernder Umstände verantwortlich gemacht werden darf.“

Teil V

§ 57 Präpositionen

Vorbemerkungen

Es gibt

1. Präpositionen mit festem Kasus:
   a) mit Akkusativ: bis, durch, entlang, für, gegen, ohne, um, wider
   b) mit Dativ: ab, aus, außer, bei, dank, entgegen, entsprechend, gegenüber, gemäß, mit, nach, nebst, samt, seit, von, zu, zufolge.
2. Präpositionen, die mit Akkusativ oder Dativ gebraucht werden: an, auf, hinter, in, neben, über, unter, vor, zwischen.
   Diese Präpositionen unterscheiden sich vor allem bei der Ortsangabe:
   a) Wenn eine Bewegung mit Richtung auf ein Ziel angegeben wird, steht die Präposition mit dem Akkusativ. Die Frage lautet *wohin?*
   b) Wenn ein fester Punkt, ein Ort, eine Fläche oder ein Raum angegeben wird, steht die Präposition mit dem Dativ. Die Frage lautet *wo?*
   (Auf die Frage *woher?* steht immer der Dativ.)
3. Präpositionen mit Genitiv, siehe § 61.
4. Trennbare Verben verlieren oft ihre Vorsilbe, wenn eine entsprechende präpositionale Angabe gebraucht wird:
   Jetzt müssen wir *aussteigen.* – Jetzt müssen wir *aus dem Zug steigen.*
   Als der Redner *vortrat,* lächelte er. – Als der Redner *vor das Publikum trat,* lächelte er.

Anmerkungen

Nicht berücksichtigt werden im folgenden

1. Präpositionen, die von Verben abhängen (siehe § 15 III) und die entsprechenden nominalen Wendungen, z. B.:

sich fürchten vor	Furcht vor
kämpfen für / gegen / um	Kampf für / gegen / um

2. Präpositionen, die von Adverbien (siehe § 44) abhängen und die entsprechenden nominalen Wendungen, z. B.:

neidisch sein auf	Neid auf
reich sein an	Reichtum an

3. Präpositionen sind im Deutschen vielseitig verwendbar. Hier werden nur die gebräuchlichsten Verwendungsweisen dargestellt.

§ 58 Präpositionen mit dem Akkusativ

I bis

1. ohne Artikel

   a) zur Orts- oder Zeitangabe:
   Bis Hamburg sind es noch etwa 250 Kilometer.
   Bis nächsten Montag muß die Arbeit fertig sein.
   Er will noch *bis September* warten.

   b) vor Zahlenangaben (oft mit *zu*):
   Von 13 *bis 15 Uhr* geschlossen!
   Ich zahle *bis zu 100 Mark,* nicht mehr.

   c) vor Adverbien:
   Bis dahin ist noch ein weiter Weg.
   Auf Wiedersehen, *bis bald (bis nachher, bis später).*

2. zusammen mit einer anderen Präposition. Die zweite Präposition bestimmt den Kasus der folgenden Angabe.

   a) bis + Präposition mit Akkusativ:
   Wir gingen *bis an den Rand* des Abgrunds.
   Der Zirkus war *bis auf den letzten Platz* ausverkauft.
   Er schlief *bis in den Tag* hinein.
   Bis auf den Kapitän wurden alle gerettet (= alle außer dem Kapitän).

   b) bis + Präposition mit Dativ:
   Kannst du nicht *bis nach dem Essen* warten?
   Bis vor einem Jahr war noch alles in Ordnung.
   Bis zum Bahnhof will ich dich gern begleiten.

II durch

1. zur Ortsangabe:
   Wir gingen *durch den Wald.*
   Er schaute *durchs Fenster.*

2. zur Bezeichnung einer Ursache, eines Mittels oder eines Vermittlers (oft in Passivsätzen):
   Er hatte *durch einen Unfall* seinen rechten Arm verloren.
   Der kranke Hund wurde *durch eine Spritze* eingeschläfert.
   Diese Nachricht habe ich *durch den Rundfunk* erfahren.

3. zur Angabe, wie eine Handlung durchgeführt wird (Nebensatz mit *indem,* siehe § 31 IV):
   Durch die Benutzung eines Notausgangs konnten sich die Bewohner retten.
   Durch jahrelanges Training stärkte der Behinderte seine Beinmuskeln.

4. zur Zeitangabe (meist *hindurch* nachgestellt):
   Den September hindurch hat es nur geregnet.
   Das ganze Jahr hindurch hat sie nichts von sich hören lassen.

III entlang

1. zur Angabe einer Längsrichtung auf einem bestimmten Weg (nachgestellt):
   Er fuhr *die Straße entlang.*
   Das Schiff fuhr *den Fluß entlang.*
   Sie gingen *den Bahnsteig entlang.*
2. zur Angabe einer Längsrichtung neben einer Begrenzung (*an* + Dativ ... *entlang*):
   Am Zaun entlang wachsen Kletterpflanzen.
   An der Mauer entlang werden Leitungen gelegt.
3. *entlang* wird gelegentlich mit dem Genitiv gebraucht und vorangestellt (siehe auch *längs* § 61):
   Entlang des Weges standen Tausende von Menschen.

Anmerkung

Verben der Bewegung mit *entlang* werden als trennbare Verben gebraucht:
Sie sind den Bahnsteig *entlanggegangen.*
Er ist an der Mauer *entlanggerannt.*

IV für

1. im Interesse, zur Hilfe oder an die Adresse eines anderen:
   Ich tue alles *für dich.*
   Der Blumenstrauß ist *für die Gastgeberin.*
   Er gab eine Spende *für das Rote Kreuz.*
2. anstelle einer anderen Person:
   Bitte geh *für mich* aufs Finanzamt.
   Er hat schon *für alle* bezahlt.
3. zur Angabe eines bestimmten Zeitraums:
   Ich komme nur *für zwei Tage.*
   Hier bleiben wir *für immer.*
4. zum Vergleich:
   Für sein Alter ist er noch sehr rüstig.
   Für einen Architekten ist das eine leichte Aufgabe.
   Für seine schwere Arbeit erhielt er zuwenig Geld.
5. zur Preis- und Wertangabe:
   Wieviel hast du *für das Haus* bezahlt?
   Ich habe es *für 200000 Mark* bekommen.
6. zur Reihung gleicher Substantive ohne Artikel zur Verstärkung:
   Dasselbe geschieht *Tag für Tag, Jahr für Jahr.*
   Er schrieb das Protokoll *Wort für Wort, Satz für Satz* ab.

V gegen

1. zur Angabe einer Bewegung in eine Richtung bis zur Berührung:
   Er schlug mit der Faust *gegen die Tür.*
   Sie fuhr mit hoher Geschwindigkeit *gegen einen Baum.*

2. zur ungefähren Zeit- oder Zahlenangabe (etwas weniger als angenommen):
   Wir kommen *gegen 23 Uhr* oder erst *gegen Mitternacht.*
   Man erwartet *gegen 400 Besucher.*
3. zur Bezeichnung einer Ablehnung oder eines feindlichen Verhaltens:
   Ärzte sind *gegen das Rauchen.*
   Wir müssen etwas *gegen die Fliegen* tun.
4. zum Vergleich oder Tausch:
   Gegen ihn bin ich ein Anfänger.
   Ich habe die zehn Mark *gegen zwei Fünfmarkstücke* eingetauscht.

VI ohne

meist ohne Artikel, wenn keine genauere Bestimmung nötig ist:
Ohne Auto können Sie diesen Ort nicht erreichen.
Ohne Sprachkenntnisse wirst du niemals Chefsekretärin.
Ohne ihren Mann war sie völlig hilflos.
Ohne die Hilfe meiner Schwester hätte ich den Umzug nicht geschafft.

VII um

1. zur Ortsangabe (= *um . . . herum*)
   a) ohne Bewegung, rund um einen Mittelpunkt:
      Um den Turm (herum) standen viele alte Bäume.
      Wir saßen *um den alten Tisch (herum)* und diskutierten.
   b) mit Bewegung, auf einer Kreislinie:
      Gehen Sie dort *um die Ecke,* da ist der Briefkasten.
      Die Insekten fliegen dauernd *um die Lampe herum.*
2. zur Zeit- oder Zahlenangabe
   a) Uhrzeit: *Um 20 Uhr* beginnt die Tagesschau.
   b) zur ungefähren Zeit- oder Zahlenangabe (etwas weniger oder mehr):
      Die Cheopspyramide wurde *um 3000 v. Chr.* erbaut.
      Um Weihnachen sind die Schaufenster hübsch dekoriert.
      Die Uhr hat *um die 300 Mark* gekostet.
   c) zur Angabe einer Veränderung von Zahlenangaben:
      Die Temperatur ist *um 5 Grad* gestiegen.
      Die Preise wurden *um 10%* reduziert.
      Wir müssen die Abfahrt *um einen Tag* verschieben.
3. zur Angabe eines Verlustes:
   Er hat ihn *um seinen Erfolg* betrogen.
   Vier Menschen sind bei dem Unfall *ums Leben* gekommen.
   Er hat ihn *um sein ganzes Vermögen* gebracht.

VIII wider

(= *gegen,* siehe unter V) Einige feste Wendungen:
Er hat *wider Willen* zugestimmt.

Wider Erwarten hat er die Stellung bekommen.
Wider besseres Wissen verurteilte er den Angeklagten.

ÜBUNG

Setzen Sie die folgenden Präpositionen sinngemäß sein:
a) bis b) durch c) entlang d) für e) gegen f) ohne g) um h) wider.

1 ... Vermittlung eines Freundes konnte ich meinen alten Wagen ... 2000 Mark verkaufen. ... das neue Auto brauche ich einen Bankkredit. ... Erwarten besorgte mir mein
3 Onkel einen Kredit von einem Geldinstitut. ... zur völligen Zurückzahlung bleibt der Wagen natürlich Eigentum der Bank.
5 Tag ... Tag erfinden die Kinder neue Spiele. Sie rennen ... die Wette ... den Sandkasten herum. Sie hüpfen auf einem Bein ... zum Zaun und wieder zurück. Dann rennen sie in
7 entgegengesetzten Richtungen am Zaun ... . Wer zuerst wieder zurück ist, hat gewonnen.
9 Wenn wir Karten spielen, spielen wir ... Zehntelpfennige. ... hundert verlorene Punkte zahlt man also zehn Pfennige. Ganz ... Geld macht uns das Kartenspielen keinen Spaß.
11 In die Karten des anderen zu schauen, ist ... die Spielregel. Wir spielen meist ...... Mitternacht. Spätestens ... ein Uhr ist Schluß.

§ 59 Präpositionen mit dem Dativ

I ab

1. zur Orts- oder Zeitangabe, ausgehend von einem bestimmten Punkt (oft ohne Artikel; auch: *von ... ab*):
   Ich habe die Reise *ab Frankfurt* gebucht.
   Ab kommender Woche gilt der neue Stundenplan.
   Jugendlichen *ab 16 Jahren* ist der Zutritt gestattet.
   Ab morgen werde ich ein neues Leben beginnen.
2. mit dem Akkusativ zur Angabe des Datums:
   Ab ersten Januar werden die Renten erhöht.
   Ab fünfzehnten gehe ich in Urlaub.
   Aber auch: *ab dem ersten Januar; ab dem fünfzehnten*

II aus

1. zur Angabe einer Bewegung (= *aus ... heraus*):
   Er trat *aus dem Haus.*
   Er nahm den Brief *aus der Schublade.*
   Sie kommen um 12 *aus der Schule.*

2. zur Bezeichnung der örtlichen oder zeitlichen Herkunft:
   Die Familie stammt *aus Dänemark.*
   Diese Kakaotassen sind *aus dem 18. Jahrhundert.*
   Er übersetzt den Roman *aus dem Spanischen* ins Deutsche.
3. zur Materialangabe (ohne Artikel);
   Die Eheringe sind meistens *aus Gold.*
4. zur Angabe von Verhaltensweisen, die eine Handlung begründen (ohne Artikel):
   Er hat seinen Bruder *aus Eifersucht* erschlagen.
   Aus Furcht, verhaftet zu werden, verließ er die Stadt.
   Aus Erfahrung mied der Bergführer den gefährlichen Abstieg.

III außer

1. zur Einschränkung auf eine bestimmte Ausnahme:
   Außer einem Hund war nichts Lebendiges zu sehen.
   Außer Milch und Honig nahm der Kranke nichts zu sich.
2. feste Wendungen (ohne Artikel):
   mit „sein“: *außer Atem, außer Betrieb, außer Dienst, außer Gefahr, außer Kurs* usw.
   etwas steht *außer Frage, außer Zweifel*
   etwas *außer acht* lassen; etwas *außer Betracht* lassen
   jemand ist *außer sich* (= sehr aufgeregt sein), *außer Haus*
   Mit Genitiv: jemanden *außer Landes* verweisen

IV bei

1. zur Ortsangabe (= *in der Nähe von*):
   Hanau liegt *bei Frankfurt.* – Sie müssen *beim Schwimmbad* rechts abbiegen.
2. zur Angabe eines Aufenthalts:
   Ich war *beim Arzt.*
   Jetzt arbeitet er *bei einer Baufirma,* vorher war er *beim Militär.*
   Sie wohnt jetzt *bei ihrer Tante,* nicht mehr *bei mir.*
3. zur Angabe von gleichzeitigen Handlungen und Vorgängen, die meistens mit einem substantivierten Verb gebraucht werden (Nebensatz mit *wenn, als,* siehe § 26 I):
   Er hatte sich *beim Rasieren* geschnitten.
   Beim Kochen hat sie sich verbrannt.
   Bei der Arbeit solltest du keine Musik hören.
4. zur Angabe eines Verhaltens:
   Bei deiner Gewissenhaftigkeit und Sorgfalt ist der Fehler kaum erklärlich.
   Bei aller Vorsicht gerieten sie doch in eine Falle.
   Bei seinem Temperament ist das sehr verständlich.
5. feste Wendungen (meist ohne Artikel):
   bei Nacht und Nebel, bei schönstem Wetter, bei Tagesanbruch usw.
   jemanden *beim Wort* nehmen
   bei offenem Fenster schlafen
   jemanden *bei guter Laune* halten
   etwas *bei Strafe* verbieten u. a.

V dank

zur Angabe einer positiven Leistung:
Dank dem Zureden seiner Mutter schaffte er doch noch das Abitur.
Dank seinem Lebenswillen überlebte der Gefangene.

VI entgegen

zum Ausdruck von etwas Gegensätzlichem, das oft unerwartet eintritt (vor- oder nachgestellt):
Entgegen den allgemeinen Erwartungen siegte die Oppositionspartei.
Den Vorstellungen seiner Eltern entgegen hat er nicht studiert.

Anmerkung

Verben der Bewegung mit *entgegen* werden als trennbare Verben gebraucht:
Das Kind *lief* seinem Vater *entgegen.*
Er ist meinen Wünschen *entgegengekommen.*

VII entsprechend

zum Ausdruck einer Übereinstimmung (vor- oder nachgestellt):
Er hat *seiner Ansicht entsprechend* gehandelt.
Entsprechend ihrer Vorstellung von südlichen Ländern haben die Reisenden nur leichte Kleidung mitgenommen.

VIII gegenüber

1. zur Ortsangabe (vor- oder nachgestellt):
   Gegenüber der Post finden Sie verschiedene Reisebüros.
   Der Bushaltestelle gegenüber wird ein Hochhaus gebaut.
2. bei Personen – Äußerungen von Personen –, auch Sachen (nachgestellt):
   Dir gegenüber habe ich immer die Wahrheit gesagt.
   Den Bitten seines Sohnes gegenüber blieb er hart.
   Kranken gegenüber fühlen sich viele Menschen unsicher.
   Den indischen Tempeln gegenüber verhielt er sich gleichgültig.
3. Transitive Verben wie *stehen, sitzen, liegen* u. a. mit *gegenüber* werden als trennbare Verben gebraucht:
   Sie *saß* mir den ganzen Abend *gegenüber.*

IX gemäß

meist juristisch gebraucht (= *entsprechend;* vor- oder nachgestellt):
Gemäß der Straßenverkehrsordnung ist der Angeklagte schuldig.
Das Gesetz wurde *den Vorschlägen der Kommission gemäß* geändert.

X mit

1. zur Angabe einer Verbindung, eines Zusammenhangs:
   Jeden Sonntag bin ich *mit meinen Eltern* in die Kirche gegangen.

Mit ihr habe ich mich immer gut verstanden.
Wir möchten ein Zimmer *mit Bad.*

2. zur Angabe eines Mittels oder Instruments:
   Wir heizen *mit Gas.*
   Ich fahre immer *mit der Bahn.*
   Er öffnete die Tür *mit einem Nachschlüsssel.*

3. a) zur Angabe eines Gefühls, eines Verhaltens (oft ohne Artikel):
      Ich habe *mit Freude* festgestellt, daß ...
      Er hat das sicher nicht *mit Absicht* getan.
      Mit Arbeit, Mühe und Sachkenntnis hat er seine Firma aufgebaut.
   b) zur Angabe der Art und Weise, wie etwas ist oder geschieht (oft ohne Artikel):
      Er hat das Examen *mit Erfolg* abgeschlossen.
      Die Maschinen laufen *mit hoher Geschwindigkeit.*
      Sie schrieb ihre Briefe immer *mit der Hand.*

4. zur Bezeichnung des Zeitablaufs:
   Mit 40 (Jahren) beendete er seine sportliche Laufbahn.
   Mit der Zeit wurde sie ungeduldig.

XI nach

1. zur Ortsangabe ohne Artikel
   a) bei Städten, Ländern, Kontinenten und Himmelsrichtungen ... (Ausnahmen bei Ländern, siehe § 3 III, und Himmelsrichtungen):
      Unsere Überfahrt *nach England* war sehr stürmisch.
      aber: Wir fahren in die Türkei.
      Die Kompaßnadel zeigt immer *nach Norden.*
      aber: Im Sommer reisen viele Deutsche in den Süden.
   b) bei Adverbien
      Bitte kommen Sie *nach vorne.*
      Fahren Sie *nach links* und dann geradeaus.

2. zur Zeitangabe
   a) ohne Artikel bei kirchlichen Feiertagen, Wochentagen, Monaten (auch *Anfang, Ende ...):*
      Nach Ostern will er uns besuchen.
      Ich bin erst *nach Anfang (Ende) September* wieder in Frankfurt.
      Nach Dienstag nächster Woche sind alle Termine besetzt.
      Es ist 5 Minuten *nach 12.*
   b) mit Artikel:
      Nach dem 1. April wird nicht mehr geheizt.
      Nach der Feier wurde ein Imbiß gereicht.
      Der Dichter wurde erst *nach seinem Tode* anerkannt.

3. entsprechend einer Vorlage oder Vorstellung (vor- oder nachgestellt) (Nebensatz mit *so ... wie,* siehe § 31 I):
   Dem Protokoll nach hat er folgendes gesagt ...
   Nach dem Gesetz darf uns der Hauswirt nicht kündigen.
   Meiner Meinung nach ist der Satz richtig.
   Er spielt *nach Noten;* er zeichnet *nach der Natur.*

4. zur Angabe einer Reihenfolge:
   Nach dir komme ich dran.
   Nach Medizin ist Jura das beliebteste Studienfach.

XII nebst

(= *samt, zusammen mit;* meist ohne Artikel):
Er verkaufte ihm das Haus *nebst Garage.*

XIII samt

(= *zusammen mit, auch noch zusätzlich*):
Er kam überraschend – *samt seinen acht Kindern.*
Feste Wendung: Sein Besitz wurde *samt und sonders* versteigert.

XIV seit

1. zur Zeitangabe
   a) ohne Artikel bei kirchlichen Feiertagen, Wochentagen, Monaten (auch *Anfang, Mitte, Ende* ...):
      Seit Pfingsten habe ich euch nicht mehr gesehen.
      Er ist *seit Dienstag* krankgeschrieben.
      Seit Anfang August hat er wieder eine Stellung.
   b) mit Artikel:
      Seit der Geburt seiner Tochter interessiert er sich für Kinder.
      Seit einem Monat warte ich auf Nachricht von euch.
      Seit dem 28. Mai gilt der Sommerfahrplan.

XV von

1. zur Ortsangabe:
   Ich bin gerade *von Schottland* zurückgekommen.
   Der Wind weht *von Südwesten.*
   Vom Bahnhof geht er immer zu Fuß nach Hause.
   Das Regenwasser tropft *vom Dach.*
2. zur Datumsangabe:
   Vom 14. 7. bis 2. 8. haben wir Betriebsferien.
   Ich danke Ihnen für Ihren Brief *vom 20. 3.*
3. a) *von ... ab* zur Ortsangabe, eine Richtung angebend:
      Von der Brücke ab sind es noch zwei Kilometer bis zum nächsten Dorf; *von dort ab* können Sie den Weg zur Stadt selbst finden.
   b) *von ... aus* zur Ortsangabe, ausgehend von einem bestimmten Punkt:
      Vom Fernsehturm aus kann man die Berge sehen.
      Von Amerika aus sieht man das ganz anders.
   c) *von ... an* zur Zeitangabe, ausgehend von einem Zeitpunkt (auch: *von ... ab*):
      Von 15 Uhr an ist das Büro geschlossen.
      Er wußte *von Anfang an* Bescheid.

4. zur Angabe des Urhebers in Passivsätzen:
   Er ist *von Unbekannten* überfallen worden.
   Der Schaden wird *von der Versicherung* bezahlt.
   Der Polizist wurde *von einer Kugel* getroffen.
5. a) anstelle eines Genitivattributs, wenn kein Artikel gebraucht wird:
      Viele Briefe *von Kafka* sind noch nicht veröffentlicht.
      Man hört den Lärm *von Motoren.*
      Zur Herstellung *von Papier* braucht man viel Wasser.
   b) anstelle eines Adjektivattributs:
      eine wichtige Frage – eine Frage *von Wichtigkeit*
      ein zehnjähriges Kind – ein Kind *von zehn Jahren*
      eine stählerne Tür – eine Tür *von Stahl*
      der Hamburger Senat – der Senat *von Hamburg*
6. mit anderen präpositionalen Angaben zusammen (= feste Wendungen):
   von heute auf morgen; in der Nacht von Dienstag auf Mittwoch (oder: *vom Dienstag zum Mittwoch*); *von Tag zu Tag; von Ort zu Ort*

XVI zu

1. zur Ortsangabe in Richtung auf ein Ziel, bei Ortsangaben mit Artikel und bei Personen:
   Er schwimmt *zu der Insel* hinüber.
   Gehen Sie doch endlich *zu einem Arzt.*
   Er bringt seine Steuererklärung *zum Finanzamt.*
   Am Freitag komme ich *zu dir.*
2. zur Zeitangabe
   a) ohne Artikel bei kirchlichen Feiertagen:
      Zu Weihnachten bleiben wir zu Hause.
   b) mit Artikel zur Angabe eines bestimmten Zeitpunkts:
      Zu dieser Zeit, d.h. im 18. Jahrhundert, reiste man mit Kutschen.
      Zu deinem Geburtstag kann ich leider nicht kommen.
3. zur Angabe einer Absicht (Nebensatz: *damit . . . ; um . . . zu,* siehe § 32, 33):
   Zum Beweis möchte ich folgende Zahlen bekanntgeben . . .
   Man brachte ihn *zur Feststellung seiner Personalien* ins Polizeipräsidium.
   Zum besseren Verständnis muß man folgendes wissen . . .
4. zum Ausdruck eines Gefühls:
   Zu meinem Bedauern muß ich Ihnen mitteilen . . .
   Ich tue das nicht *zu meinem Vergnügen.*
5. zur Angabe einer Veränderung:
   Unter Druck wurden die organischen Stoffe *zu Kohle.*
   Endlich kommen wir *zu einer Einigung.*
6. zur Angabe von Zahlenverhältnissen:
   Umfragen ergaben ein Verhältnis von *1 : 3 (eins zu drei)* gegen das geplante neue Rathaus.
   Wir haben jetzt schon *zum vierten Mal* mit ihm gesprochen.
   Liefern Sie mir 100 Kugelschreiber *zu je 2 Mark.*

7. Feste Wendungen
   a) ohne Artikel:

zu Hause sein	*zu Boden* fallen
zu Besuch kommen	*zu Hilfe* kommen
zu Gast sein	*zu Gott* beten
zu Fuß gehen	*zu Ansehen* / *zu Ruhm* / *zu Ehre* kommen
zu Mittag / *zu Abend* essen	*zu Ende* sein / kommen
zu Bett gehen / liegen	*zu Tisch* kommen / sitzen

   b) mit Artikel:
   zur Rechten / *zur Linken* eines anderen stehen / sitzen
   die Nacht *zum Tag* machen
   etwas *zum Frühstück* essen
   Zucker *zum Tee* nehmen

XVII zufolge

1. entsprechend einer Aussage (nachgestellt):
   Der Diagnose des Arztes zufolge kann der Beinbruch in zwei Monaten geheilt werden.
2. Vorangestellt wird *zufolge* mit dem Genitiv gebraucht:
   Zufolge des Polizeiberichts wurden einige Keller überflutet.

ÜBUNGEN

1 Setzen Sie die folgenden Präpositionen sinngemäß ein: a) ab b) aus c) außer d) bei e) mit f) nach g) seit.

1 ... zwei Wochen ist die Gewerkschaft schon in Verhandlungen ... der Betriebsleitung.
... den Angaben einiger Gewerkschaftsführer hat man sich bis jetzt nicht geeinigt. ...
3 Donnerstag wird deshalb gestreikt. ... den Büroangestellten machen alle Betriebsange-
hörigen mit. Die Büroangestellten streiken ... dem Grunde nicht, weil sie in einer ande-
5 ren Gewerkschaft sind. Die Forderung ... Lohnerhöhung liegt ... 8 Prozent.

2 Ebenso: a) dank b) entgegen c) gegenüber d) samt.

1 Ein Feuer vernichtete den Hof des Bauern Obermüller ... Stall und Scheune. ... der
Hilfe der Nachbarn konnte der Bauer wenigstens seine Möbel und die Haustiere retten.
3 Einem Nachbarn ... äußerte der Bauer den Verdacht der Brandstiftung. Aber ... diesem
Verdacht stellte man später fest, daß ein Kurzschluß die Ursache des Brandes war.

3 Ebenso: a) ab b) außer c) dank d) gemäß e) entgegen.

1 ... den Satzungen des Vereins gehört der Tierschutz und die Tierpflege zu den wichtigsten Aufgaben der Mitglieder. ... zahlreicher Spenden konnte der Verein ein neues
3 Tierheim erbauen. ... Katzen und Hunden werden auch alle anderen Haustiere aufgenommen. ... anderslautender Mitteilung in der Zeitung ist das Tierheim täglich ...
5 sonntags ... 9 Uhr geöffnet.

§ 60 Präpositionen mit Akkusativ oder Dativ

I an

1. zur Ortsangabe
   a) mit Akkusativ auf die Frage *wohin?*:
      Er stellt die Leiter *an den Apfelbaum.*
      Sie schreibt das Wort *an die Tafel.*
      Wir gehen jetzt *an den See.*
   b) mit Dativ auf die Frage *wo?*:
      Frankfurt liegt *am Main.*
      Die Sonne steht schon hoch *am Himmel.*
      An dieser Stelle wuchsen früher seltene Kräuter.
2. mit Dativ zur Zeitangabe bei Tageszeiten, Datumsangaben, Wochentagen:
   Am Abend kannst du mich immer zu Hause erreichen.
   Sie ist *am 7. Juli 1981* geboren.
   Am Freitagnachmittag ist um 4 Uhr Dienstschluß.
   Am Anfang schuf Gott Himmel und Erde.
   Am Monatsende werden Gehälter gezahlt.
3. mit Akkusativ zur Zahlenangabe (= *ungefähr,* weniger als angegeben):
   Es waren *an (die) fünfzig Gäste* anwesend.
   Die Villa hat *an (die) 20 Zimmer.*
4. *an . . . vorbei* mit Dativ (oft als trennbares Verb gebraucht):
   Er *ging an mir vorbei,* ohne mich zu erkennen.
   Perfekt: Er *ist an mir vorbeigegangen,* ohne mich zu erkennen.
5. Feste Wendung (irreal):
   Ich *an deiner Stelle* hätte anders gehandelt.
   An meiner Stelle hättest du genauso gehandelt.

II auf

1. zur Ortsangabe
   a) mit Akkusativ auf die Frage *wohin?*:
      Er stellte die Kiste *auf den Gepäckwagen.*
      Plötzlich lief das Kind *auf die Straße.*
      Er legte seine Hand *auf meine.*
   b) mit Dativ auf die Frage *wo?*:
      Dort *auf dem Hügel* steht ein alter Bauernhof.
      Auf der Erde leben etwa 4 Milliarden Menschen.
      Auf der Autobahn dürfen nur Kraftfahrzeuge fahren.
2. zur Zeitangabe:
   Von Freitag *auf Sonnabend* haben wir Gäste.
   Dieses Gesetz gilt *auf Zeit,* nicht *auf Dauer.*
   Der erste Weihnachtstag fällt *auf einen Dienstag.*
   Kommen Sie doch *auf ein paar Minuten* herein.

3. a) *auf ... zu* mit Akkusativ zur Angabe einer Bewegung in eine Richtung:
   Der Enkel *lief auf die Großmutter zu.*
   Perfekt: Der Enkel *ist auf die Großmutter zugelaufen.*
   b) *auf ... hin* mit Akkusativ zur Angabe einer vorausgegangenen Aussage:
   Auf diesen Bericht hin müssen wir unsere Meinung korrigieren.
   c) *auf ... hinaus* mit Akkusativ zur Angabe eines künftigen Zeitraums:
   Er hatte sich *auf Jahre hinaus* verschuldet.

4. Feste Wendungen
   a) mit Akkusativ:
   Er *warf einen Blick auf den Zeugen* und erkannte ihn sofort.
   Das Schiff *nimmt Kurs auf Neuseeland.*
   Auf die Dauer kann das nicht gutgehen.
   Wir müssen *uns* endlich *auf den Weg machen.*
   Das Haus muß *auf jeden Fall* verkauft werden.
   Auf einen Facharbeiter kommen zehn Hilfsarbeiter.
   Sie *fahren* nur für zwei Wochen *auf Urlaub.*
   b) mit Dativ:
   Ich habe ihn *auf der Reise / auf der Fahrt / auf dem Weg* hierher kennengelernt.
   Auf der einen Seite (einerseits) habe ich viel Geld dabei verloren, *auf der anderen Seite* (andererseits) habe ich eine wichtige Erfahrung gemacht.
   Wie sagt man das *auf deutsch?* (oder: *in* der deutschen Sprache)

III hinter

1. zur Ortsangabe
   a) mit Akkusativ auf die Frage *wohin?*:
   Stell das Fahrrad *hinter das Haus!*
   Das Buch ist *hinter das Bücherregal* gefallen.
   b) mit Dativ auf die Frage *wo?*:
   Das Motorrad steht *hinter der Garage.*
   Er versteckte den Brief *hinter seinem Rücken.*

2. zur Angabe einer Unterstützung:
   mit Akkusativ: Die Gewerkschaft stellt sich *hinter ihre Mitglieder.*
   mit Dativ: Die Angestellten stehen *hinter ihrem entlassenen Kollegen.*

3. *hinter ... zurück* mit Dativ:
   Sie *blieb hinter der Gruppe der Wanderer zurück.*
   Sie ist *hinter der Gruppe der Wanderer zurückgeblieben.* (Perfekt)

4. Feste Wendungen
   jemanden *hinters Licht führen* (= jemanden betrügen)
   hinterm Mond sein (= uninformiert sein)

IV in

1. zur Ortsangabe
   a) mit Akkusativ auf die Frage *wohin?*:
   Ich habe die Papiere *in die Schreibtischschublade* gelegt.

Am Sonnabendvormittag fahren wir immer *in die Stadt.*
Er hat sich *in den Finger* geschnitten.

b) mit Dativ auf die Frage *wo?*:
Die Villa steht *in einem alten Park.*
Der Schlüssel steckt immer noch *im Schloß.*
Bei diesem Spiel bilden wir einen Kreis, und einer steht *in der Mitte.*

2. mit Dativ zur Zeitangabe

a) zur Angabe eines fest begrenzten Zeitraums:
bei Sekunden, Minuten, Stunden; bei Wochen, Monaten, Jahreszeiten; bei Jahren, Jahrhunderten, usw. Beachten Sie: *am* Tag, *am* Abend, aber: *in der Nacht.*
In fünf Minuten (= innerhalb von) läuft er einen halben Kilometer.
Im April beginnen die Vögel zu brüten.
Im Jahr 1914 brach der Erste Weltkrieg aus.
Im 18. Jahrhundert wurden die schönsten Schlösser gebaut.
Anmerkung: Jahreszahlen stehen entweder allein *(1914, 1914–1918)* oder mit dem Zusatz *im Jahr (im Jahr 1914, in den Jahren 1914 bis 1918)*; „in" allein vor der Jahreszahl ist im Deutschen falsch.

b) zur Angabe eines späteren Zeitpunkts, von jetzt ab gerechnet:
In fünf Minuten ist Pause.
In zwei Tagen komme ich zurück.
In einem halben Jahr sehen wir uns wieder.

3. mit Dativ zum Hinweis auf eine schriftliche Vorlage oder eine mündliche Aussage:
In dem Drama „Hamlet" von Shakespeare steht folgendes Zitat: ...
Im Grundgesetz ist festgelegt, daß ...
In seiner Rede sagte der Kanzler: „..."
In dieser Hinsicht hat er recht, aber ...

4. mit Dativ zur Angabe von inneren oder äußeren Zuständen (oft mit Possessivpronomen):
In seiner Verzweiflung machte er eine Dummheit.
In ihrer Angst sprangen einige Seeleute ins Wasser.
In seinen Familienverhältnissen ist nichts geregelt.
In diesem Zustand kann man den Kranken nicht transportieren.

5. Feste Wendungen:
etwas ist *in Ordnung*
jemand fällt *in Ohnmacht*
etwas geschieht *im Geheimen / im Verborgenen*
jemand ist *in Gefahr*
ein Gesetz tritt *in Kraft*

V neben

1. zur Ortsangabe

a) mit Akkusativ auf die Frage *wohin?*:
Der Kellner legt das Besteck *neben den Teller.*
Er setzte sich *neben mich.*

b) mit Dativ auf die Frage *wo?*:
Der Stall liegt rechts *neben dem Bauernhaus.*

2. mit Dativ (= zusätzlich, zu etwas anderem):
   Neben seinen physikalischen Forschungen schrieb er Gedichte.
   Sie betreut *neben ihrem Haushalt* auch noch eine Kindergruppe.

VI über

1. zur Ortsangabe
   a) mit Akkusativ auf die Frage *wohin?*:
      Der Entenschwarm fliegt *über den Fluß*.
      Der Sportler sprang *über die 2-Meter-Latte*.
      Er zog die Mütze *über die Ohren*.
   b) mit Dativ auf die Frage *wo?*:
      Der Wasserkessel hing *über dem Feuer*.
      Das Kleid hing unordentlich *über dem Stuhl*.
2. mit Akkusativ (= überqueren):
   Die Kinder liefen *über die Straße* und dann *über die Brücke*.
   Der Sportler schwamm *über den Kanal* nach England.
3. ohne Artikel, Zwischenstationen auf einer Fahrt:
   Wir fahren von Frankfurt *über München* nach Wien, dann *über Budapest* nach Rumänien.
4. mit Akkusativ und Zeitangabe
   während eines Zeitraums (meist nachgestellt):
   Den ganzen Tag über hat er wenig geschafft.
   Den Winter über verreisen wir nicht. (aber: *übers Wochenende*)
5. mit Akkusativ zur Bezeichnung einer Steigerung (= *länger als, mehr als*):
   Die Bauarbeiten haben *über einen Monat* gedauert.
   Sie ist *über 90 Jahre* alt.
   Das geht *über meine Kräfte*.
   Sein Referat war *über alle Erwartungen* gut.
6. mit Akkusativ zur Angabe eines Themas:
   Sein Vortrag *über die Eiszeiten* war hochinteressant.
   Über die Französische Revolution gibt es verschiedene Meinungen.
7. Feste Wendungen:
   Plötzlich, gleichsam *über Nacht,* hat sie sich völlig verändert.
   Er sitzt *über seinen Büchern*.
   Er ist *über seiner Lektüre* eingeschlafen.
   Der Geldfälscher ist längst *über alle Berge*.

VII unter

1. zur Ortsangabe
   a) mit Akkusativ auf die Frage *wohin?*:
      Die Schlange kroch *unter den Busch*.
      Sie legte ihm ein Kissen *unter den Kopf*.

b) mit Dativ auf die Frage *wo?*:
Die Katze sitzt *unter dem Schrank.*
Die Gasleitungen liegen einen halben Meter *unter dem Straßenpflaster.*

2. mit Dativ zur Zeit- oder Zahlenangabe:
Kinter *unter zehn Jahren* sollten täglich nicht mehr als eine Stunde fernsehen.
Sein Lohn liegt *unter dem Mindestsatz* von 700 Mark.

3. mit Dativ zur Bezeichnung bestimmter Personen oder Sachen, die sich zwischen anderen befinden:
Zum Glück war *unter den Reisenden* ein Arzt.
Unter den Goldstücken waren zwei aus dem 3. Jahrhundert.
Unter anderem sagte der Redner folgendes: „. . ."

4. mit Dativ zur Angabe einer Bedingung, wie etwas ist oder geschieht:
Natürlich konntet ihr *unter diesen Umständen* nicht bremsen.
Die Bergwanderer konnten nur *unter großen Schwierigkeiten* vorankommen.
Der Angeklagte stand während der Tat *unter Alkoholeinfluß.*
Es ist unmöglich, *unter solchen Verhältnissen* zu arbeiten.

5. Feste Wendungen:
ein Vergehen / ein Verbrechen fällt *unter den Paragraphen ...*
etwas *unter den Teppich* kehren (= nicht weiter verfolgen)
etwas *unter Kontrolle* bringen / halten
unter Wasser schwimmen / sinken
etwas *unter der Hand* (= heimlich) kaufen / verkaufen

VIII vor

1. zur Ortsangabe
a) mit Akkusativ auf die Frage *wohin?*:
Stell den Mülleimer *vor das Gartentor*!
Beim Gähnen soll man die Hand *vor den Mund* halten.
b) mit Dativ auf die Frage *wo?*:
Das Taxi hält *vor unserem Haus.*
Auf der Autobahn *vor Nürnberg* war eine Baustelle.
In der Schlange standen noch viele Leute *vor mir.*

2. mit Dativ zur Zeitangabe:
Vor drei Minuten hat er angerufen.
Der Zug ist 10 Minuten *vor 8* abgefahren.
Leider hat er kurz *vor der Prüfung* sein Studium abgebrochen.

3. mit Dativ zur Angabe der Ursache eines Verhaltens:
Vor Angst und Schrecken fiel er in Ohnmacht.
Er konnte sich *vor Freude* kaum fassen.

4. Feste Wendungen:
Gnade vor Recht ergehen lassen
ein Schiff liegt im Hafen *vor Anker*
vor Gericht stehen
vor Zeugen aussagen
vor allen Dingen

IX zwischen

1. zur Ortsangabe
   a) mit Akkusativ auf die Frage *wohin?*:
      Er hängte die Hängematte *zwischen zwei Bäume.*
      Sie nahm das Vögelchen *zwischen ihre Hände.*
   b) mit Dativ auf die Frage *wo?*:
      Er öffnete die Tür *zwischen den beiden Zimmern.*
      Der Zug verkehrt stündlich *zwischen München und Augsburg.*
2. mit Dativ zur Zeit- oder Zahlenangabe:
   Zwischen dem 2. und 4. Mai will ich die Fahrprüfung machen.
   Zwischen Weihnachten und Neujahr wird in vielen Betrieben nicht gearbeitet.
   Auf der Insel gibt es *zwischen 60 und 80 Vogelarten.*
3. mit Dativ zur Angabe einer Beziehung:
   Der Botschafter vermittelt *zwischen den Regierungen.*
   Das Kind stand hilflos *zwischen den streitenden Eltern.*
4. Feste Wendungen:
   zwischen Tür und Angel stehen
   sich *zwischen zwei Stühle* setzen
   zwischen den Zeilen lesen

ÜBUNGEN

1 an (am) oder in (im)? Ergänzen Sie, aber nur, wo es notwendig ist.

1 Meine Eltern sind ... 1980 nach Berlin gezogen. ... Frühjahr 1983 habe ich hier mein Studium begonnen. ... 1988 bin ich hoffentlich fertig. ... 20. Mai beginnen die Seme-
3 sterferien. ... Juni fahre ich nach Frankreich. Meine Freunde in Paris erwarten mich ... 2. Juni. – ... kommenden Wochenende besuchen wir unsere Verwandten in Kassel. Mit
5 dem Auto sind wir ... fünf Stunden dort. ... Sonntag machen wir mit ihnen einen Ausflug in die Umgebung. ... der Nacht zum Montag kommen wir zurück. ... Montag
7 braucht mein Vater nicht zu arbeiten.

2 Ebenso:

1 Noch nie hat sich die Welt so schnell verändert wie ... den letzten zweihundert Jahren. ... Jahr 1784 entwickelte James Watt die erste brauchbare Dampfmaschine. ... Juli 1793
3 ließen die Brüder Montgolfier den ersten Warmluftballon in die Luft steigen. Keine zweihundert Jahre später, ... 21. 7. 1969, landeten die ersten Menschen auf dem Mond.
5 ... 1807 fuhr zum ersten Mal ein Dampfschiff 240 Kilometer den Hudson-Fluß (USA) hinauf. ... unserem Jahrzehnt sind Dampfschiffe längst unmodern geworden. ... glei-
7 chen Jahr 1807 erstrahlten die ersten Straßen in London im Licht der Gaslaternen. ... 20. Jahrhundert hat jedes Dorf seine elektrische Straßenbeleuchtung.
9 Die erste deutsche Dampfeisenbahn fuhr ... 7. 12. 1835 von Nürnberg nach Fürth. Hundert Jahre später gab es in Deutschland über 43000 Kilometer Eisenbahnlinien.
11 (Fortsetzung Übung § 61 Nr. 17)

3 an (am) oder in (im)? Jetzt bitte ganz schnell!

1 ... einem Monat, ... drei Tagen, ... meinem Geburtstag, ... Morgen, ... 20 Sekunden, ... der Nacht, ... letzten Tag des Monats, ... Jahresanfang, ... der Neuzeit, ... Jahr
3 1945, ... Herbst, ... Samstag, ... Juli, ... zwei Jahren, ... Nachmittag, ... dritten Tag, ... wenigen Jahrzehnten, ... der Zeit vom 1. bis 10., ... der Mittagszeit. ... diesem Augen-
5 blick, ... Moment

4 Üben Sie nach folgendem Beispiel das Präsens der Verben „stehen – stellen / sitzen – setzen / liegen – legen / hängen (stark) – hängen (schwach)".

Zeitung / auf / Tisch / liegen
Wo *liegt* denn die Zeitung?
Auf dem Tisch! Du weißt doch, ich *lege* die Zeitung immer *auf den Tisch.*

1. Fotos (Pl.) / in / Schublade (f) / liegen 2. Jacke (f) / an / Garderobe (f) / hängen 3. Besen (m) / in / Ecke (f) / stehen 4. Puppe (f) / auf / Stuhl (m) / sitzen 5. Schlüssel (Pl.) / neben / Tür (f) / hängen 6. Wecker (m) / auf / Nachttisch (m) / stehen 7. Handtuch (n) / neben / Waschbecken (n) / hängen 8. Schallplatten (Pl.) / in / Schrank (m) / liegen 9. Brieftasche (f) / in / Mantel (m) / stecken 10. Vogel (m) / in / Käfig (m) / sitzen

5 Üben Sie mit den Wörtern der Übung 4 jetzt das Perfekt.

Ich *habe* die Zeitung doch *auf den Tisch gelegt*!
Ja, sie *hat* vorhin noch *auf dem Tisch gelegen*!

6 Üben Sie nach folgendem Beispiel:

auf / Küchentisch / legen
Wo hast du den Hundertmarkschein gelassen? Hast du ihn vielleicht *auf den Küchentisch gelegt*?
Nein, *auf dem Küchentisch liegt* er nicht.

1. in / Hosentasche (f) / stecken 2. in / Küchenschrank (m) / legen 3. in / Portemonnaie (n) / stecken 4. auf / Schreibtisch (m) / legen 5. in / Schreibtischschublade (f) / legen 6. hinter / Bücher (Pl.) / legen 7. zwischen / Seiten (Pl.) eines Buches / legen 8. unter / Radio (n) / legen 9. unter / Handtücher (Pl.) / im Wäscheschrank / legen 10. in / Aktentasche (f) / stecken

7 Familie Günzler zieht um, und die Leute von der Spedition helfen. – „Wohin?" Ergänzen Sie die Artikel.

1 Zuerst hängen sie die Lampen in den Zimmern an ... Decken (Pl.). Dann legen sie den großen Teppich in ... Wohnzimmer, den runden Teppich in ... Eßzimmer und den
3 Läufer (= langer, schmaler Teppich) in ... Flur (m). Dann kommen die Schränke: Sie stellen den Bücherschrank in ... Wohnzimmer an ... Wand (f) neben ... Fenster (n); den
5 Kleider- und den Wäscheschrank stellen sie in ... Schlafzimmer zwischen ... Fenster und

den Geschirrschrank in ... Eßzimmer neben ... Tür (f). Die Garderobe stellen sie in ...
7 Flur. Sie tragen den Tisch in ... Eßzimmer und stellen die Stühle um ... Tisch. Die Betten kommen natürlich in ... Schlafzimmer und die Nachttischchen neben ... Betten.
9 Auf ... Nachttischchen (Pl.) stellen sie die Nachttischlampen. Dann packen sie die Bücher aus und stellen sie in ... Bücherschrank. Tassen, Teller und Gläser kommen in ...
11 Geschirrschrank, und die Kleider hängen sie in ... Kleiderschrank. Die Spüle stellen sie in ... Küche (f) zwischen ... Herd (m) und ... Küchenschrank. Nun hängen die Günzlers
13 noch die Vorhänge an ... Fenster (Pl.). In der Zwischenzeit tragen die Leute von der Spedition noch die Sitzmöbel in ... Wohnzimmer. Dann setzen sich alle erst mal in ...
15 Sessel und auf ... Couch (f) und ruhen sich aus. Gott sei Dank! Das meiste ist geschafft!

8 „Wo?“ Alles hängt, steht oder liegt an seinem Platz:

Die Lampen *hängen* an *den* Decken. Der große Teppich *liegt* im Wohnzimmer, der runde Teppich ... **Machen Sie selbständig weiter!**

9 „Wo?“ oder „Wohin?“ Ergänzen sie Präposition und Artikel.

1 Für Familie Günzler bleibt noch viel zu tun: Herr G. hängt z. B. die Blumenkästen ...... Balkongitter (n), dann kauft er Blumen und setzt sie ... ... Kästen (Pl.). In der Küche
3 dauert es lange, bis die drei Hängeschränke ... ... Wand hängen, und Frau G. braucht einen halben Tag, bis die Töpfe ... ... Schränken stehen und die vielen Küchensachen
5 alle ...... richtigen Platz liegen. ...... Arbeitszimmer stehen zwei Bücherregale ...... Wand, ein Schreibtisch steht ... ... Fenster, ein Schreibmaschinentisch steht ......
7 Fenster und ... Tür. Frau G. nimmt die Aktenordner aus den Kartons und stellt sie ... ... Regale. Die Schreibmaschine stellt sie ... ... Schreibmaschinentisch, und das
9 Schreibpapier legt sie ...... Schubladen (Pl.). „Wo sind denn die Schreibsachen?“ fragt sie ihren Mann. „Die liegen schon ... ... Schreibtisch“, sagt Herr G., „ich habe sie ...
11 ... mittlere Schublade gelegt.“

§ 61 Präpositionen mit dem Genitiv

1. temporal (Nebensätze mit *wenn, als, solange, während,* siehe § 26 I, II):

anläßlich	*Anläßlich des 100. Todestages des Dichters* wurden seine Werke neu herausgegeben.
außerhalb	Kommen Sie bitte *außerhalb der Sprechstunde.*
binnen (auch: innerhalb)	Wir erwarten Ihre Antwort *binnen einer Woche.*
während	*Während des Konzerts* waren die Fenster zum Park weit geöffnet.
zeit	Er hat *zeit seines Lebens* hart gearbeitet.

2. lokal:

abseits	*Abseits der großen Eisenbahnstrecke* liegt das Dorf M.
außerhalb (auch temporal)	Spaziergänge *außerhalb der Anstaltsgärten* sind nicht gestattet.
beiderseits	*Beiderseits der Grenze* stauten sich die Autos.
diesseits	*Diesseits der Landesgrenzen* gelten noch die alten Ausweise.

inmitten	*Inmitten dieser Unordnung* kann man es nicht aushalten.
innerhalb (auch temporal)	*Innerhalb seiner vier Wände* kann man sich am besten erholen.
jenseits	*Jenseits der Alpen* ist das Klima viel milder.
längs, längsseits	*Längs der Autobahn* wurde ein Lärmschutzwall gebaut.
oberhalb	Die alte Burg liegt *oberhalb der Stadt.*
seitens, von seiten	*Seitens seiner Familie* bekommt er keine finanzielle Unterstützung.
unterhalb	*Unterhalb des Bergdorfs* soll eine Straße gebaut werden.
unweit	*Unweit der Autobahnausfahrt* finden Sie ein Gasthaus.

3. kausal (Nebensatz mit *weil,* siehe § 27):

angesichts	*Angesichts des Elends der Obdachlosen* wurden größere Summen gespendet.
aufgrund	*Aufgrund der Zeugenaussagen* wurde er freigesprochen.
halber (nachgestellt)	*Der Bequemlichkeit halber* fuhren wir mit dem Taxi.
infolge	*Infolge eines Rechenfehlers* wurden ihm 300 Mark mehr ausgezahlt.
kraft	Er handelte *kraft seines Amtes.*
laut (ohne Artikel und Genitiv-Endung)	*Laut Paragraph I der Straßenverkehrsordnung* war er an dem Unfall mitschuldig.
mangels	Er wurde *mangels ausreichender Beweise* freigesprochen.
zufolge	(siehe § 59 XVII)
zugunsten	Er zog sich *zugunsten seines Schwiegersohnes* aus dem Geschäft zurück.
wegen (auch nachgestellt)	*Wegen eines Herzfehlers* durfte er nicht Tennis spielen. (*wegen* mit Dativ ist nur umgangssprachlich möglich; schriftlich wird der Genitiv gebraucht. Nur bei Personalpronomen ist *wegen* mit dem Dativ allgemein üblich: Machen Sie sich *wegen mir* keine Sorgen. Besser: *meinetwegen, deinetwegen, Ihretwegen ...)*

4. konzessiv (Nebensatz mit *obwohl,* siehe § 30 I):

trotz	*Trotz seines hohen Alters* kam der Abgeordnete zu jeder Sitzung. Aber mit Personalpronomen: *mir zum Trotz, dir zum Trotz* usw.
ungeachtet	*Ungeachtet der Zwischenrufe* sprach der Redner weiter.

5. alternativ (Nebensatz mit *anstatt daß* oder Infinitivkonstruktion, siehe § 33)

statt (oder: anstatt)	*Statt eines Vermögens* hinterließ er seiner Familie nur Schulden.
anstelle	*Anstelle des wahren Täters* wurde ein Mann gleichen Namens verurteilt.

6. instrumental (Nebensatz mit *indem,* siehe § 31 IV)

anhand	*Anhand eines Wörterbuchs* wies ich ihm seinen Fehler nach.
mit Hilfe (auch: von + Dativ)	So ein altes Bauernhaus kann nur *mit Hilfe eines Fachmanns* umgebaut werden.

mittels, vermittels — *Mittels eines gefälschten Dokuments* verschaffte er sich Zugang zu den Akten.
vermöge — *Vermöge seines ausgezeichneten Gedächtnisses* konnte er alle Fragen beantworten.

7. final (Nebensatz mit *damit* oder Infinitivkonstruktion mit *um ... zu,* siehe § 32)
um ... willen — *Um des lieben Friedens willen* gab er schließlich nach.
zwecks (meist ohne Artikel) — *Zwecks besserer Koordination* wurden die Ministerien zusammengelegt.

ÜBUNGEN

1 Setzen Sie die folgenden Präpositionen sinngemäß ein:
a) abseits b) anläßlich c) außerhalb d) beiderseits e) binnen f) inmitten g) unweit (2×) h) zeit.

1 ... seines Lebens hatte Herr Sauer von einem eigenen Haus geträumt. Es sollte ruhig und
... der großen Verkehrslinien liegen, also irgendwo draußen, ... der Großstadt. Ande-
3 rerseits sollte es natürlich ... einer Bus- oder Bahnlinie liegen, damit die Stadt leichter
erreichbar ist.
5 ... der Festwoche einer Hilfsorganisation wurden Lose verkauft. Erster Preis: ein Einfa-
milienhaus. – Herr Sauer gewann es! Aber da es ... eines Industriegebiets lag, war es
7 sehr laut dort. ... des Grundstücks (auf beiden Seiten) führten Straßen mit viel Verkehr
entlang, und ... des Industriegebiets, nur 2,5 km entfernt, lag auch noch der Flugplatz.
9 ... eines Monats hatte Herr Sauer es verkauft.

2 Setzen Sie die folgenden Präpositionen sinnvoll in die Sätze ein, und ergänzen Sie die Endungen: a) wegen b) dank c) unweit d) halber e) binnen f) ungeachtet.

1. Ich muß leider ... ein_ Monats ausziehen. 2. Geben Sie mir d_ Ordnung ... Ihre Kündigung bitte schriftlich. 3. ... d_ Hilfe meines Freundes habe ich ein möbliertes Zimmer gefunden. 4. Es liegt ... d_ Universität. 5. ... d_ Nähe der Universität habe ich keine Ausgaben für Verkehrsmittel. 6. Deshalb nehme ich das Zimmer ... d_ hoh_ Miete.

3 Ergänzen Sie die Endungen, und vervollständigen Sie die angefangenen Sätze sinnvoll.

1. Der Sportler konnte ein_ schwer_ Verletzung *wegen* ...
2. In den Alpen gibt es *oberhalb* ein_ gewiss_ Höhe ...
3. *Ungeachtet* d_ groß_ Gefahr ...
4. *Aufgrund* sein_ schwer_ Erkrankung ...
5. *Anstelle* mein_ alt_ Freundes ...
6. *Um* d_ lieb_ Friedens *willen* ...
7. *Unweit* mein_ alt_ Wohnung ...

8. *Abseits* d__ groß__ Städte ...
9. Wenn die Arbeitgeber bei der Lohnerhöhung *unterhalb* d__ 4 Prozentgrenze bleiben, ...
10. Wenn ich nicht *innerhalb* d__ nächst__ vier Wochen eine Stelle finde, ...

4 Bilden Sie a) den Nominativ, b) den Genitiv mit der angegebenen Präposition. c) Ergänzen Sie selbständig zu einem vollständigen Satz.

sei__ intensiv__ Bemühungen / dank seine intensiven Bemühungen – dank seiner intensiven Bemühungen Dank seiner intensiven Bemühungen fand er endlich eine Anstellung.

1. sein__ technisch__ Kenntnisse / dank 2. unser__ schnell__ Hilfe / infolge 3. mein__ jüngst__ Schwester / anstelle 4. ihr__ jetzig__ Wohnung / unterhalb 5. ihr__ gut__ Fachkenntnisse / trotz 6. sein__ langweilig__ Vortrag__ / während 7. d__ erwartet__ gut__ Note / anstatt 8. d__ laut__ Bundesstraße / abseits 9. ihr__ siebzigst__ Geburtstag__ / anläßlich 10. sein__ wiederholt__ Wutanfälle / aufgrund 11. d__ umzäunt__ Gebiet__ / außerhalb 12. ein__ Meute bellend__ Hunde / inmitten 13. dies__ hoh__ Gebirgskette / jenseits 14. ein__ selbstgebastelt__ Radiosender__ / mittels 15. d__ zuständig__ Behörde / seitens 16. d__ geplant__ Reise / statt 17. d__ holländ__ Grenze / unweit 18. sein__ schwerwiegend__ Bedenken (Pl.) / ungeachtet 19. vorsätzlich__ Mord__ / wegen 20. ein__ schwer__ Unfall__ / infolge

5 Hier sind die Präpositionen durcheinander geraten. Vertauschen Sie sie so, daß die Sätze einen Sinn ergeben, und ergänzen Sie die Endungen.

1. *Abseits* sein__ hundertjährig__ Bestehens veranstaltete der Wanderverein einen Volkslauf.
2. Die Wanderstrecke verlief *anläßlich* d__ groß__ Straßen.
3. *Wegen* d__ groß__ Kälte beteiligten sich viele Menschen an dem 35 Kilometer langen Lauf.
4. *Ungeachtet* d__ stark__ Regens suchten die Wanderer Schutz in einer Waldhütte.
5. *Dank* d__ ungeheur__ Anstrengung gab niemand vorzeitig auf.
6. *Trotz* d__ vorzüglich__ Organisation gab es keinerlei Beschwerden.

6 Ebenso:

1. *Mittels* ein__ grob__ Konstruktionsfehlers brach die fast neue Brücke plötzlich zusammen.
2. *Infolge* ein__ fröhlich__ Tanzparty brach plötzlich Feuer in der Wohnung aus.
3. *Während* ein__ raffiniert__ Tricks verschaffte der Spion sich Geheiminformationen aus dem Computer.
4. *Anstelle* sein__ siebzigsten Geburtstags erhielt der ehemalige Bürgermeister zahlreiche Gratulationsbriefe.
5. *Trotz* d__ erkrankt__ Bundespräsidenten wurde der ausländische Staatsmann vom Bundestagspräsidenten begrüßt.
6. *Anläßlich* d__ Bemühungen aller Beteiligten konnte keine Kompromißlösung gefunden werden.

7 Tageslauf eines Junggesellen – Ergänzen Sie den Artikel oder auch die Endung, z. B. am, ins, einem.

1 Herr Müller steigt morgens um sieben Uhr aus ... Bett. Als erstes stellt er sich unter ...
Dusche (f); dann stellt er sich vor ... Spiegel (m) und rasiert sich. Er geht zurück in_
3 Schlafzimmer, nimmt sich Unterwäsche aus ... Wäscheschrank, nimmt seinen Anzug von
... Kleiderständer (m) und zieht sich an. Er geht in ... Küche, schüttet Wasser in ...
5 Kaffeemaschine, füllt drei Löffel Kaffee in ... Filter (m) und stellt die Maschine an.
Dann geht er an ... Haustür und nimmt die Zeitung aus ... Briefkasten (m). Nun stellt er
7 das Geschirr auf ... Tisch in ... Wohnküche, setzt sich auf ein_ Stuhl, trinkt Kaffee und
liest in ... Zeitung zuerst den lokalen Teil. Dann steckt er die Zeitung in ... Aktentasche,
9 nimmt die Tasche unter ... Arm und geht zu sein_ Bank. Dort steht er den ganzen
Vormittag hinter ... Schalter (m) und bedient die Kundschaft. Zu Mittag ißt er in ...
11 Kantine (f) der Bank. Am Nachmittag arbeitet er in ... Kreditabteilung (f) seiner Bank.
Meist geht er dann durch ... Park (m) nach Hause. Bei schönem Wetter geht er gern
13 noch etwas i_ Park spazieren, und wenn es warm ist, setzt er sich auf ein_ Bank, zieht
seine Zeitung aus ... Tasche und liest. Am Abend trifft er sich oft mit sein_ Freunden in
15 ein_ Restaurant (n) Manchmal geht er auch in_ Theater (n), in... Oper (f) oder zu
ein_ anderen Veranstaltung (f). Wenn es einen Krimi i_ Fernsehen (n) gibt, setzt er
17 sich auch mal vor ... Fernseher. Manchmal schläft er vor ... Apparat ein. Gegen 12 Uhr
spätestens geht er in_ Bett.

8 Ergänzen Sie die Präpositionen und Artikel, auch: ins, zum usw.

1 Gestern abend fuhr ein Betrunkener ... ... alten Volkswagen ... ... Main (m). Das
Auto stürzte ... ... Kaimauer (f) ... Wasser und ging sofort unter. Einige Leute, die ...
3 ... Brücke (f) standen, liefen sofort ... nächsten Telefon, und ... fünf Minuten war die
Feuerwehr schon da. Zwei Feuerwehrmänner ... Taucheranzügen und ... Schutzbrillen
5 ... ... Gesicht (n) tauchten ... kalte Wasser. Sie befestigten ... Wasser Stricke ... ...
beiden Stoßstangen des Wagens. Ein Kran zog das Auto soweit ... ... Wasser, daß man
7 die Türen öffnen konnte. Der Fahrer saß ganz still ... ... Platz ... Steuer; sein Kopf lag
... ... Lenkrad. Er schien tot zu sein. Vorsichtig wurde das Auto ... ... trockene Land
9 gehoben, dann holte man den Verunglückten ... ... Wagen. Als man ihn ... ... Boden
(m) legte, ...

Führen Sie die Geschichte selbständig zu Ende.

9 Wohin sind Sie gereist? – Ich bin ... gereist.

I	*in*	die Türkei, die Schweiz, der Sudan, die Vereinigten Staaten, die Niederlande, der Bayerische Wald, das Hessenland, die Antarktis, die GUS, die Hauptstadt der Schweiz, der Nordteil von Kanada, die Alpen, das Engadin, das Burgenland, meine Heimatstadt
II	*nach*	Kanada, Australien, Österreich, Ägypten, Israel, Kroatien, Rußland, Bolivien, Nigeria, Hessen, Bayern, Bern, Klagenfurt, Sylt, Helgoland, Ceylon

III	*auf*	die Insel Sylt, die Seychellen und die Malediven (Pl.) (= Inselgruppen im Indischen Ozean), die Insel Helgoland, der Feldberg, die Zugspitze, das Matterhorn, der Mont Blanc
IV	*an*	der Rhein, die Elbe, die Ostseeküste, der Bodensee, die Donau, der Mississippi, der Amazonas, die Landesgrenze

Wie lange sind Sie dort geblieben?

I *In* dem / der / den ... bin ich ... Tage / Wochen geblieben.
II *In* Kanada / ... bin ich ... geblieben.
III *Auf* dem / der / den ... bin ich ... geblieben.
IV *Am* Rhein / *An* der ... bin ich ... geblieben.

10 Üben Sie – wenn möglich in der Gruppe.

Sprecher:	*Wohin sind Sie gereist?*	*Wie lange sind Sie dort geblieben?*
die Buchmesse	A: *Zur* Buchmesse.	*Auf* der Buchmesse bin ich einen Tag geblieben.
der Feldberg	B: *Auf* den Feldberg.	*Auf* dem Feldberg bin ich einen Vormittag geblieben.
Kanada	C: *Nach* Kanada.	*In* Kanada bin ich ...
mein Onkel	D: *Zu* meinem Onkel.	*Bei* meinem Onkel ...
der Neusiedler See	E: *An* den Neusiedler See.	*Am* Neusiedler See ...

1. Spanien 2. die Schweiz 3. die Vereinigten Staaten 4. Polen 5. der Bodensee 6. die Insel Helgoland 7. Australien 8. Hamburg 9. meine Heimatstadt 10. New York 11. die Zugspitze (= Deutschlands höchster Berg) 12. der Vierwaldstätter See 13. die Atlantikküste 14. Großbritannien 15. der Urwald 16. der Äquator 17. mein Schulfreund 18. die Chirurgen-Tagung 19. Wien 20. die Automobilausstellung

11 Ebenso:

Sprecher:	*Wohin gehst du?*	*Was machst du da?*
das Postamt	A: *Zum* Postamt.	*Auf* dem Postamt hole ich Briefmarken.
mein Freund	B: *Zu* meinem Freund.	*Bei* meinem Freund spielen wir Karten. Oder: *Mit* meinem Freund arbeite ich.
die Gastwirtschaft	C: *Zur* Gastwirtschaft.	*In* der Gastwirtschaft esse ich zu Mittag.
die Donau	D: *Zur* Donau. Oder: *An* die Donau.	*An* der Donau beobachte ich die Wasservögel.

1. der Bahnhof 2. der Zug 3. der Fahrkartenschalter 4. der Keller 5. der Dachboden 6. der Balkon 7. der Goetheplatz 8. die Straße 9. das Restaurant 10. das Reisebüro

11. meine Schwester 12. der Aussichtsturm 13. der Friedhof 14. die Kirche 15. der Supermarkt 16. der Zeitungskiosk 17. Tante Emma 18. das Theater 19. Hamburg 20. das Ausland 21. das Land (auf; d.h.: in eine ländliche Umgebung) 22. der Wald 23. die Wiese 24. die Quelle 25. der See 26. das Feld 27. der Rhein 28. das Fenster

12 Wohin gehst (fährst / steigst / fliegst) du? (Manchmal gibt es mehrere Möglichkeiten.)

<table>
<tr><td>I
Ich gehe</td><td rowspan="4">an
(ans)
auf
(aufs)
in
(ins)
nach
zu
(zum/
zur)</td><td>1. mein Zimmer 2. meine Freundin 3. die Straße 4. der Balkon 5. das Kino 6. die Garage 7. der Keller 8. die Schlucht 9. der Arzt 10. Herr Doktor Kramer 11. Fräulein Atzert 12. Angelika 13. das Reisebüro 14. die Schule 15. der Unterricht 16. das Klassenzimmer 17. der Metzger 18. die Bäckerei 19. das Café 20. die Fabrik 21. die Polizei 22. das Finanzamt 23. das Militär 24. die Kirche 25. der Friedhof 26. die Post 27. die Haltestelle 28. der Briefkasten</td></tr>
<tr><td>II
Ich steige</td><td>1. die Zugspitze (Berg) 2. der Zug 3. die U-Bahn 4. das Dach 5. der Aussichtsturm 6. die Straßenbahn</td></tr>
<tr><td>III
Ich fahre</td><td>1. meine Heimatstadt 2. der Schwarzwald 3. das Gebirge 4. Dänemark 5. die Slowakei 6. die Wüste. 7. der Urwald 8. der Tunnel 9. die Oper 10. das Land (d. h. in ein Dorf) 11. meine Freunde... Berlin</td></tr>
<tr><td>IV
Ich fliege</td><td>1. Brasilien 2. die Mongolei 3. Los Angeles 4. ein fernes Land 5. die Schwarzmeerküste 6. der Nordpol 7. die Türkei 8. Südamerika 9. Spanien</td></tr>
</table>

13 Wo bist du? Nehmen Sie die Ortsangaben der Übung 12.

Ich bin in meinem Zimmer. – bei meiner Freundin, usw.

14 Jeder hat im Urlaub etwas anderes vor. – Ergänzen Sie die Endungen und Präpositionen (auch: ins, zur, zum, usw.).

A. fährt ... München. B. fliegt ... d__ Insel Helgoland. C. fliegt ... Kanada. D. geht ... Land (z.B. ... ein Dorf). E. fährt ... Finnland. F. fährt ... d__ Schweiz. H. fährt ... ihr__ Onkel ... Wien. I. reist ... ein__ Freundin ... Österreich. J. bleibt (!) ... d__ Bundesrepublik und zwar ... ihr__ Eltern. K. lernt Französisch ... Nancy. L. geht angeln ... Irland. M. fliegt ... Brasilien und geht ... d__ Urwald. N. fliegt ... Ostasien. O. fährt jeden Tag ... Schwimmbad. P. spielt täglich zwei Stunden Fußball ... Stadion (n) oder ... d__ Fußballplatz. Q. fährt ... Wandern ... d__ Berge. R. macht eine Klettertour ... d__ Alpen. S. geht ... Krankenhaus und läßt sich operieren. T. geht ... ein Hotel ... d__ Feldberg ... Schwarzwald. U. verbringt den Urlaub ... ein__ Bauernhof ... Odenwald. V. geht ... ein__ Pension ... Interlaken ... d__ Schweiz.

15 Setzen Sie die folgenden Präpositionen sinngemäß ein, aber nur, wo es notwendig ist: bei, gegen, nach, um, zu (zur / zum), vor, seit.

1 Er ist ... wenigen Minuten aus dem Haus gegangen, aber er ist ... Punkt 12 Uhr wieder da. Gewöhnlich verläßt er das Büro ... 17 Uhr.
3 ... Anfang der Schiffsreise war ich dauernd seekrank, ... Schluß hat mir sogar ein Sturm nichts mehr ausgemacht.
5 Wir sind heute ... Hochzeit eingeladen. ... dieser Gelegenheit treffen wir einige alte Freunde. Wir sollen ... neun Uhr zum Standesamt kommen. ... 13 Uhr (ungefähr) gibt
7 es ein Festessen im Hotel Krone. Am Abend ... der Hochzeit haben wir viel getanzt. Wir sind erst ... drei Uhr in der Nacht (später als 3) nach Hause gekommen.
9 ... zwei Tagen ist Markttag. ... Zeit sind die Erdbeeren preiswert. Wenn man ... die Mittagszeit (ungefähr), also ... Schluß der Verkaufszeit auf den Markt kommt, kann man
11 oft am günstigsten einkaufen.
... Ostern fahren wir meist zum Skifahren in die Alpen. ... Weihnachten bleiben wir zu
13 Hause, aber ... Silvester sind wir gern bei Freunden und feiern.
Drei Wochen ... seinem Tod hatte er sein Testament geschrieben. ... seiner Beerdigung
15 waren viele Freunde und Verwandte gekommen. ... seinem Tod erbte sein Sohn ein großes Vermögen, aber ... wenigen Jahren war davon nichts mehr übrig.

16 Ergänzen Sie: an (am), bei, gegen, in (im), nach, um, von, zu (zum).

1 Morgens stehe ich ... halb sieben Uhr auf. ... sieben Uhr (ungefähr) trinke ich Kaffee. ... 7.35 Uhr geht mein Bus. Kurz ... acht bin ich im Büro. Ich arbeite ... acht bis zwölf
3 und ... halb eins bis halb fünf. Dann gehe ich zum Bus; er fährt ... 16.45 Uhr. ... 25 Minuten bin ich zu Hause.
5 ... Samstag, dem 3. März, abends ... acht Uhr findet in der Stadthalle ein Konzert statt. ... Beginn spielt das Orchester die dritte Symphonie von Beethoven, dann folgt ...
7 150. Geburtstag des Komponisten die C-moll Symphonie von Brahms. Das Konzert endet ... 22.30 Uhr (ungefähr).
9 ... jedem ersten Sonntag ... Monat unternimmt der Wanderverein „Schwalbe“ ... gutem Wetter eine Wanderung. Die nächste Fußtour ist ... Sonntag, dem 6. Juni. Die
11 Mitglieder treffen sich ... 8.10 Uhr am Bahnhof. ... halb neun geht der Zug. ... etwa einer Stunde ist man in Laxdorf, dem Ausgangspunkt der Wanderung. ... 13 Uhr (unge-
13 fähr) werden die Wanderer den Berggasthof „Lindenhof“ erreichen. ... dem Essen wird die Wanderung fortgesetzt. ... 17.26 Uhr geht der Zug von Laxdorf zurück. Die Mitglie-
15 der können also ... 19 Uhr (ungefähr) wieder zu Hause sein.

17 Fortsetzung der Übung § 60 Nr. 2. Aufgabe wie oben.

1 ... etwa 150 Jahren erfand Samuel Morse den Schreibtelegraphen. ... 1876 entwickelte N. Otto einen Benzinmotor, und ... Jahr 1879 baute Werner von Siemens seine erste
3 elektrische Lokomotive. ... einem Herbsttag des Jahres 1886 fuhr ... ersten Mal ein Automobil durch Stuttgarts Straßen. Gottlieb Daimler, geboren ... 17. 3. 1834, hatte es
5 gebaut. ... seiner ersten Fahrt in dem neuen Auto schrien die Leute: „Der Teufel kommt!“ G. Daimler ist ... 6. 3. 1900, also heute ...... Jahren, gestorben. Aus den
7 Werkstätten von Daimler und C. F. Benz entstand ... 1926 die Daimler-Benz-Aktiengesellschaft. ... 1893 bis 97, also nur 17 Jahre ... Ottos Benzinmotor, entwickelte Diesel

9 einen neuen Motor; er wurde ... späteren Jahren nach seinem Erfinder Dieselmotor genannt.

11 ... Jahr 1982, also 82 Jahre ... Daimlers Tod, gab es allein in der Bundesrepublik Deutschland mehr als 27 Millionen Automobile.

18 Jetzt bitte ganz schnell! Verwenden Sie: am, bei, gegen, in (im), um, zu (zur).

... wenigen Sekunden, ... Mittwoch, ... acht Tagen, ... der Nacht, ... Nachmittag, ... 12 Uhr (ungefähr), ... Mitternacht, ... diesem Moment, ... Weihnachten, ... meinem Geburtstag, ... Hochzeit meiner Schwester, ... Morgen (ungefähr), heute ... 14 Tagen, ... Frühjahr, ... Anfang der Ferien, ... Sonnenaufgang, ... nächster Gelegenheit, ... wenigen Augenblicken, ... August, ... zwei Jahren, ... 17 Uhr

19 Redensarten und ihre Bedeutung – Ergänzen Sie den Artikel.

1. kein Blatt vor ... (m) Mund nehmen: seine Meinung offen sagen
2. aus ... (f) Haut fahren: ungeduldig, wütend werden
3. jemandem auf ... (Pl.) Finger sehen: jemanden genau kontrollieren
4. etwas aus ... (f) Luft greifen: etwas frei erfinden
5. ein Haar in ... (f) Suppe finden: einen Nachteil in einer Sache finden
6. jemandem um ... (m) Hals fallen: jemanden umarmen
7. etwas in ... (f) Hand nehmen: eine Sache anfangen und durchführen
8. von ... (f) Hand in ... (m) Mund leben: sehr arm leben
9. sich etwas aus ... (m) Kopf schlagen: einen Plan aufgeben
10. Er ist seinem Vater wie aus ... (n) Gesicht geschnitten: Er sieht seinem Vater sehr ähnlich.
11. etwas auf ... (f) Seite legen: etwas sparen, zurücklegen
12. ein Spiel mit ... (n) Feuer: eine gefährliche Sache
13. das springt in ... (Pl.) Augen: das fällt stark auf
14. sich aus ... (m) Staub machen: heimlich weggehen, fliehen
15. sich jemandem in ... (m) Weg stellen: jemandem Schwierigkeiten machen
16. sein Geld aus ... (n) Fenster werfen: sein Geld nutzlos ausgeben
17. jemandem den Stuhl vor ... (f) Tür setzen: jemanden aus dem Haus schicken, „hinauswerfen"
18. in ... (m) Tag hinein leben: planlos leben
19. jemandem auf ... (f) Tasche liegen: vom Geld eines anderen leben
20. in ... (f) Tinte sitzen: in einer unangenehmen Lage sein
21. unter ... (m) Tisch fallen: unbeachtet bleiben, unberücksichtigt bleiben
22. Die Ferien stehen vor ... Tür: Es ist kurz vor den Ferien.
23. jemanden an ... (f) Wand stellen: jemanden erschießen
24. einer Sache aus ... (m) Weg gehen: eine Sache nicht tun, vermeiden
25. einen Rat in ... (m) Wind schlagen: einen Rat nicht beachten
26. den Mantel nach ... (m) Wind hängen: seine Meinung so ändern, wie es nützlich ist
27. jemandem auf ... (m) Zahn fühlen: jemanden gründlich prüfen
28. mir liegt das Wort auf ... (f) Zunge: ich weiß das Wort, aber ich kann mich im Augenblick nicht daran erinnern
29. auf ... (f) Nase liegen: krank sein

30. jemandem in ... (Pl.) Ohren liegen: jemanden mit Bitten quälen
31. jemanden auf ... (f) Palme bringen: jemanden in Wut bringen
32. wie aus ... (f) Pistole geschossen: ganz schnell
33. unter ... (Pl.) Räuber fallen: in schlechte Gesellschaft geraten
34. die Rechnung ohne ... (m) Wirt machen: sich irren
35. aus ... (f) Reihe tanzen: etwas anderes tun als all die anderen
36. bei ... (f) Sache sein: sich auf etwas konzentrieren
37. etwas auf ... (f) Seite schaffen: etwas stehlen

20 Ergänzen Sie Artikel und Präposition. (Wenn Sie die Präposition nicht mehr wissen, finden Sie sie in Übung 19.)

1 Er hat kein festes Einkommen und lebt ... ... Hand ... ... Mund. Daher hat er auch keine Möglichkeit, jeden Monat etwas ...... Seite zu legen. Seit zehn Jahren liegt er nun
3 seinem Vater ... ... Tasche! Sie hat ihm jetzt klar ihre Meinung gesagt und hat kein Blatt ... ... Mund genommen. Das hat ihn natürlich sofort ... ... Palme gebracht. Sie
5 hat ihm geraten, sich endlich um eine Stelle zu bewerben, aber er schlägt ja jeden Rat ... ... Wind. Er *will* ja nicht arbeiten und geht jedem Angebot ... ... Weg. Und wenn sie
7 ihm auch immer wieder damit ... ... Ohren liegt, er kümmert sich nicht darum und lebt weiter ... ... Tag hinein. Kein Wunder, daß sie manchmal ... ... Haut fährt! Es wird
9 nicht mehr lange dauern, dann setzt sie ihm den Stuhl ... ... Tür; dann sitzt er aber ... ... Tinte! Sie verdient sauer das Geld, und er wirft es ... ... Fenster! Wenn er glaubt,
11 daß das so weitergehen kann, dann hat er die Rechnung ... ... Wirt gemacht. Soll er sich doch endlich ...... Staub machen! Aber wenn er ganz allein ist, fällt er bestimmt bald ...
13 ... Räuber. Und das will sie doch auch nicht; sie liebt ihn doch so sehr! Ach, soll er doch endlich mal sein Leben ...... Hand nehmen! Aber wenn er schon mal eine Arbeit
15 angefangen hat, findet er bestimmt bald ein Haar ...... Suppe. Sie müßte ihm genauer ... ... Finger sehen. Stattdessen fällt sie dem Faulenzer ... ... Hals, sobald er nach
17 Hause kommt!

§ 62 Funktionsverbgefüge

Vorbemerkungen

1. In der Sprache der Wissenschaft und der Verwaltung findet man oft Sätze mit bekannten einfachen Verben wie *kommen*, *bringen*, *nehmen*, *stellen* usw. Diese Verben haben kaum mehr eine eigene Bedeutung: Sie sind ein Teil eines Gefüges (aus Präposition, Akkusativ- bzw. Dativobjekt und Verb) und haben selbst nur noch eine grammatische Funktion.
2. So entsteht ein Funktionsverbgefüge, das in seiner Form nicht mehr verändert werden kann. Sowohl die Präposition wie der Gebrauch oder das Fehlen eines Artikels sind festgelegt.

Für das nächste Jahr *stellte* der Finanzminister neue Steuergesetze *in Aussicht*. Selbstverständlich *werden* die Steuererhöhungen bei der Bevölkerung *auf Ablehnung stoßen*. Die neue Steuerreform soll so schnell wie möglich *zum Abschluß gebracht werden*.

Die folgende Liste ist nur eine Auswahl:

1. auf Ablehnung stoßen
2. etwas zum Abschluß bringen / zum Abschluß kommen
3. etwas in Angriff nehmen
4. jdn. / etwas in Anspruch nehmen
5. etwas zum Ausdruck bringen / zum Ausdruck kommen
6. etwas in Aussicht stellen / in Aussicht stehen
7. etwas in Betracht ziehen
8. etwas in Betrieb setzen / nehmen
9. etwas unter Beweis stellen
10. etwas in Beziehung setzen / in Beziehung stehen
11. etwas in Brand setzen / in Brand geraten
12. jdn. / etwas zur Diskussion stellen / zur Diskussion stehen
13. jdn. / etwas unter Druck setzen / unter Druck stehen
14. jdn. zur Einsicht bringen / zur Einsicht kommen
15. etwas in Empfang nehmen
16. etwas zu Ende bringen / zu Ende kommen
17. zu einem Entschluß kommen / zu einem Ergebnis kommen
18. etwas in Erfahrung bringen
19. jdn. in Erstaunen setzen oder versetzen
20. etwas in Erwägung ziehen
21. etwas in Frage stellen / in Frage stehen / in Frage kommen
22. in Gang kommen
23. im eigenen Interesse (oder dem eines anderen) liegen
24. etwas in Kauf nehmen
25. in Konflikt geraten / kommen mit jdm. oder etwas
26. etwas in Kraft setzen / in Kraft treten
27. auf Kritik stoßen
28. jdn. zum Lachen / Weinen bringen
29. von Nutzen sein
30. etwas zur Sprache bringen / zur Sprache kommen

Anmerkung

Beachten Sie die Bedeutungsunterschiede:

Man *bringt* die Konferenz gegen Mitternacht *zum Abschluß*.
Die Konferenz *wird* gegen Mitternacht *zum Abschluß gebracht*.
Gegen Mitternacht *kommt* die Konferenz *zum Abschluß*.

Man *setzte* das Gesetz *in Kraft*.
Das Gesetz *wurde in Kraft gesetzt*.
Das Gesetz *trat in Kraft*.

Übungen

1 Verwenden Sie bei Ihrer Antwort den angegebenen Ausdruck.

Hat die neue Verordnung schon Gültigkeit? (26a) Ja, sie *wurde* schon *in Kraft gesetzt*.

1. Wurde der neue Gesetzentwurf von der Opposition abgelehnt? (1) (bei der Opposition)
2. Wollen die Wissenschaftler ihre Studie jetzt abschließen? (2a)
3. Glauben Sie, daß die Arbeit vor Jahresende abgeschlossen wird? (2b)
4. Will man dann eine neue Forschungsarbeit beginnen? (3)
5. Wird man Wissenschaftler einer anderen Fakultät zu Hilfe holen? (4) (die Hilfe von ... soll ...)

6. Wollte der Künstler in seinem Bild den Wahnsinn des Krieges ausdrücken? (5a)
7. Ist es ihm gelungen, in seinem Bild den Wahnsinn des Krieges deutlich auszudrükken? (5b) (Ja, in dem Bild ...)
8. Kündigt die Forschungsgruppe neue Erkenntnisse auf dem Gebiet der Genforschung an? (6a)
9. Sind ganz neue Erkenntnisse zu erwarten? (6b) (Ja, es stehen ...)
10. Wurden bei der Untersuchung der Kranken auch ihre Lebensumstände berücksichtigt? (7)
11. Haben Sie die Gebrauchsanweisung gelesen, bevor Sie die Maschine angestellt haben? (8)
12. Konnte der Angeklagte seine Unschuld beweisen? (9)
13. Wurde der politische Gefangene bearbeitet (13a), so daß er nicht wagte, die Wahrheit zu sagen?
14. Sahen die Demonstranten ein (14b), daß sie bei der Bevölkerung keine Unterstützung fanden? (zu der Einsicht)
15. Empfing der Sieger im Tennis den Pokal gleich nach dem Spiel? (15)

2 Ebenso:

1. Haben die Schüler ihre Gemeinschaftsarbeit noch vor den Ferien beendet? (16a)
2. Hast du auch gehofft, daß der Redner bald Schluß machen würde? (16b) (zum Ende)
3. Konnte die junge Frau sich nicht entschließen (17a), die Arbeit anzunehmen? (zu dem Entschluß)
4. Versuchten die Journalisten denn nicht, etwas über die Konferenz der Außenminister zu erfahren? (18) (Doch, sie ...)
5. Überraschte der Zauberkünstler die Kinder mit seinen Tricks? (19)
6. Sicher mußte viel bedacht werden, bevor man die neue Industrieanlage baute? (20) (Ja, vielerlei mußte ...)
7. Bezweifelte jemand den Sinn dieses Beschlusses? (21a) (Ja, ein Teilnehmer ...)
8. Ist die Rücknahme des Beschlusses ausgeschlossen? (21c) (Ja, eine Rücknahme ...)
9. Stimmt es, daß Dieselmotoren bei großer Kälte nicht laufen wollen? (22)
10. Sind Sie bereit, bei der langen Fußtour Unbequemlichkeiten auf sich zu nehmen? (24)
11. Hat es bei deiner Schwarzmarkttätigkeit Schwierigkeiten mit der Polizei gegeben? (25) (Ja, ein paarmal ...)
12. Stimmt es, daß das neue Gesetz ab nächsten Monat gelten soll? (26b)
13. Wurde das neue Gesetz nicht allgemein kritisiert? (27) (Doch, ...)
14. Sind denn deine Karate-Kenntnisse zu irgend etwas nütze? (29) (Ja, bei einem Überfall können ...)
15. Sind unsere Probleme in der Versammlung besprochen worden? (30b)

Lösungen § 40 Nr. 6:

1. der Blauwal 2. die Spitzmaus 3. die Giraffe 4. die Antilope 5. die Kobra 6. der Pazifische oder Stille Ozean 7. 10900 m 8. Australien 9. in der Antarktis 10. auf Hawaii 11. an den Küsten der Antarktis 12. am 21. Dezember 13. am 21. Juni 14. Wasserstoff (chem. Zeichen: H) 15. am 3. Juli (!) 16. am 2. Januar (!)

Anhang

Die wichtigsten Kommaregeln

I Ein Komma wird gesetzt

1. zwischen vollständige Hauptsätze:
   Sie sah ihn streng an, und er schwieg.
   Alle lachten, aber er machte ein unglückliches Gesicht.
   Es regnete, trotzdem fuhr er mit dem Fahrrad ins Büro.
2. zwischen Hauptsatz und Nebensatz:
   Ich freue mich, wenn du kommst.
   Obwohl er uns verstand, antwortete er nicht.
3. zwischen verschiedene Nebensätze:
   Ich weiß, daß ich ihm das Geld bringen muß, weil er darauf wartet.
4. zwischen gleichrangige Satzglieder und Satzaussagen. Nur vor *und* und *oder* steht kein Komma:
   In der gestohlenen Tasche waren Schlüssel, Geld, Ausweise und persönliche Sachen.
   Du mußt endlich den Professor, seinen Assistenten oder den Tutor danach fragen.
   Im Urlaub wollen wir lange schlafen, gut essen, viel baden und uns einmal richtig erholen.
5. vor erweiterten Infinitivkonstruktionen:
   Er hofft, im Herbst eine bessere Stellung zu bekommen.
6. vor Infinitivkonstruktionen mit *um ... zu, ohne ... zu, anstatt ... zu*:
   Er ging zur Polizei, um seinen Paß abzuholen.

II In Kommas eingeschlossen werden

1. Relativsätze:
   Der Apfelbaum, den er selbst gepflanzt hatte, trug herrliche Früchte.
2. Appositionen:
   Die Donau, der längste Fluß Europas, mündet ins Schwarze Meer.
3. Partizipialsätze:
   Er schlief, von der anstrengenden Reise erschöpft, zwölf Stunden lang.

III Kein Komma steht

1. zwischen Satzaussagen, die mit *und* oder *oder* verbunden sind:
   Er brachte den vergessenen Brief zurück und bat um Entschuldigung.
   Ihr müßt die Rechnung bezahlen oder einen Rechtsanwalt um Rat bitten.
2. zwischen gleichrangigen Nebensätzen, die mit *und* oder *oder* verbunden sind:
   Er kam nicht, weil er sich nicht wohl fühlte oder weil er keine Lust hatte.
3. bei der Infinitivkonstruktion ohne Zusatz:
   Er wagte nicht zu widersprechen.

Liste der starken und unregelmäßigen Verben

Vorbemerkungen

1. Die nachfolgenden Verben sind vielfältig verwendbar, d. h. ihre Bedeutung variiert je nach dem Gebrauch von Präfixen, Präpositionen usw., z. B. *brechen*:
   Der Verlobte hat *sein Wort* (A) gebrochen.
   Der Junge hat den Ast *ab*gebrochen.
   Vier Häftlinge sind aus dem Gefängnis *aus*gebrochen.
   Der Gast hat das Glas *zer*brochen.
   Er hat *sich* den Arm gebrochen.
   Der junge Mann hat *mit* seinen Eltern gebrochen.
   Der Kranke hat *dreimal am Tag* gebrochen.
2. Die Angaben (N = Nominativ, D = Dativ, A = Akkusativ, Inf.-K. = Infinitivkonstruktion) weisen auf den einfachen Gebrauch der Verben hin. Wenn ein Verb nur bedingt mit einem Fall gebraucht wird, steht die Angabe in Klammern. Wenn ein Verb nur mit Orts- oder Zeitangaben oder mit einem Präpositionalobjekt gebraucht wird, steht keine Angabe.

Infinitiv	**3. Pers. Sg. Präsens**	**3. Pers. Sg. Imperfekt**	**3. Pers. Sg. Perfekt**	**Gebrauch**
backen	er bäckt (backt)	er backte (buk)	er hat gebacken	A
befehlen	er befiehlt	er befahl	er hat befohlen	D + Inf.-K.
beginnen	er beginnt	er begann	er hat begonnen	A
beißen	er beißt	er biß	er hat gebissen	A
bergen	er birgt	er barg	er hat geborgen	A
bersten	er birst	er barst	er ist geborsten	–
betrügen	er betrügt	er betrog	er hat betrogen	A
bewegen[1]	er bewegt	er bewog	er hat bewogen	A + Inf.-K.
biegen	er biegt	er bog	er hat gebogen	A
bieten	er bietet	er bot	er hat geboten	D A
binden	er bindet	er band	er hat gebunden	A
bitten	er bittet	er bat	er hat gebeten	A + Inf.-K.

[1] *bewegen* (stark): Was hat ihn bewogen, so schnell abzufahren?
bewegen (schwach): Der Polizist bewegte den Arm.

Infinitiv	3. Pers. Sg. Präsens	3. Pers. Sg. Imperfekt	3. Pers. Sg. Perfekt	Gebrauch
blasen	er bläst	er blies	er hat geblasen	(A)
bleiben	er bleibt	er blieb	er ist geblieben	–
braten	er brät (bratet)	er briet	er hat gebraten	A
brechen	er bricht	er brach	er ist / hat gebrochen	(A)
brennen	er brennt	er brannte	er hat gebrannt	–
bringen	er bringt	er brachte	er hat gebracht	D A
denken	er denkt	er dachte	er hat gedacht	–
dingen[2]	er dingt	er dang	er hat gedungen	A
dreschen	er drischt	er drosch	er hat gedroschen	A
dringen[3]	er dringt	er drang	er ist / hat gedrungen	–
dürfen	er darf	er durfte	er hat gedurft	–
empfehlen	er empfiehlt	er empfahl	er hat empfohlen	D + Inf.-K. DA
erlöschen[4]	er erlischt	er erlosch	er ist erloschen	–
erschrecken[5]	er erschrickt	er erschrak	er ist erschrocken	–
erwägen	er erwägt	er erwog	er hat erwogen	A
essen	er ißt	er aß	er hat gegessen	A
fahren[6]	er fährt	er fuhr	er ist / hat gefahren	(A)
fallen	er fällt	er fiel	er ist gefallen	–
fangen	er fängt	er fing	er hat gefangen	A
fechten	er ficht	er focht	er hat gefochten	–
finden	er findet	er fand	er hat gefunden	A
flechten	er flicht	er flocht	er hat geflochten	A
fliegen[7]	er fliegt	er flog	er ist / hat geflogen	(A)
fliehen	er flieht	er floh	er ist geflohen	–
fließen	er fließt	er floß	er ist geflossen	–
fressen	er frißt	er fraß	er hat gefressen	A
frieren	er friert	er fror	er hat gefroren	–
gären[8]	er gärt	er gor	er ist gegoren	–
gebären	sie gebiert (gebärt)	sie gebar	sie hat geboren	A
geben	er gibt	er gab	er hat gegeben	DA
gedeihen	er gedeiht	er gedieh	er ist gediehen	–

[2] *dingen:* heute nur noch „einen Mörder dingen = der gedungene Mörder“

[3] *ist / hat gedrungen:* Das Wasser ist in den Keller gedrungen. – Er hat auf die Einhaltung des Vertrages gedrungen.

[4] *erlöschen* (stark): Das Feuer erlosch im Kamin.
löschen (schwach): Die Feuerwehr löschte das Feuer.

[5] *erschrecken* (stark): Das Kind erschrak vor dem Hund.
erschrecken (schwach): Der Hund erschreckte das Kind.

[6] *ist / hat gefahren:* Er ist nach England gefahren. – Er hat den Wagen in die Garage gefahren.

[7] *ist / hat geflogen:* Wir sind nach New York geflogen. – Der Pilot hat die Maschine nach Rom geflogen.

[8] *gären* (stark): Der Most gor im Faß.
gären (schwach): Schon Jahre vor der Revolution gärte es im Volk.

Infinitiv	3. Pers. Sg. Präsens	3. Pers. Sg. Imperfekt	3. Pers. Sg. Perfekt	Gebrauch
gehen	er geht	er ging	er ist gegangen	–
gelingen	es gelingt	es gelang	es ist gelungen	D + Inf.-K.
gelten	er gilt	er galt	er hat gegolten	–
genesen	er genest	er genas	er ist genesen	–
genießen	er genießt	er genoß	er hat genossen	A
geschehen	es geschieht	es geschah	es ist geschehen	–
gewinnen	er gewinnt	er gewann	er hat gewonnen	(A)
gießen	er gießt	er goß	er hat gegossen	A
gleichen	er gleicht	er glich	er hat geglichen	D
gleiten	er gleitet	er glitt	er ist geglitten	–
glimmen	er glimmt	er glomm	er hat geglommen	–
graben	er gräbt	er grub	er hat gegraben	(D) A
greifen	er greift	er griff	er hat gegriffen	(A)
haben	er hat	er hatte	er hat gehabt	A
halten	er hält	er hielt	er hat gehalten	(A)
hängen[9]	er hängt	er hing	er hat gehangen	–
hauen	er haut	er hieb (haute)	er hat gehauen	A
heben	er hebt	er hob	er hat gehoben	A
heißen	er heißt	er hieß	er hat geheißen	(N) AA
helfen	er hilft	er half	er hat geholfen	D
kennen	er kennt	er kannte	er hat gekannt	A
klimmen	er klimmt	er klomm	er ist geklommen	–
klingen	er klingt	er klang	er hat geklungen	–
kneifen	er kneift	er kniff	er hat gekniffen	A
kommen	er kommt	er kam	er ist gekommen	–
können	er kann	er konnte	er hat gekonnt	A
kriechen	er kriecht	er kroch	er ist gekrochen	–
laden	er lädt	er lud	er hat geladen	A
lassen[10]	er läßt	er ließ	er hat gelassen	(D) A
laufen	er läuft	er lief	er ist gelaufen	–
leiden	er leidet	er litt	er hat gelitten	–
leihen	er leiht	er lieh	er hat geliehen	D A
lesen	er liest	er las	er hat gelesen	A
liegen	er liegt	er lag	er hat gelegen	–
lügen	er lügt	er log	er hat gelogen	–
mahlen	er mahlt	er mahlte	er hat gemahlen	A
meiden	er meidet	er mied	er hat gemieden	A
melken	er melkt	er molk (melkte)	er hat gemolken	A
messen	er mißt	er maß	er hat gemessen	A
mögen	er mag	er mochte	er hat gemocht	A

[9] *hängen* (stark): Die Kleider hingen im Schrank.
hängen (schwach): Sie hängte die Kleider in den Schrank.

[10] *lassen* (stark): Sie ließ die Kinder zu Hause.
veranlassen (schwach): Die Behörden veranlaßten die Schließung des Lokals.

Infinitiv	3. Pers. Sg. Präsens	3. Pers. Sg. Imperfekt	3. Pers. Sg. Perfekt	Gebrauch
müssen	er muß	er mußte	er hat gemußt	–
nehmen	er nimmt	er nahm	er hat genommen	DA
nennen	er nennt	er nannte	er hat genannt	AA
pfeifen	er pfeift	er pfiff	er hat gepfiffen	A
preisen	er preist	er pries	er hat gepriesen	A
quellen	er quillt	er quoll	er ist gequollen	–
raten	er rät	er riet	er hat geraten	D + Inf.-K.
reiben	er reibt	er rieb	er hat gerieben	A
reißen[11]	er reißt	er riß	er hat / ist gerissen	–
reiten[12]	er reitet	er ritt	er ist / hat geritten	(A)
rennen	er rennt	er rannte	er ist gerannt	–
riechen	er riecht	er roch	er hat gerochen	(A)
ringen	er ringt	er rang	er hat gerungen	–
rinnen	er rinnt	er rann	er ist geronnen	–
rufen	er ruft	er rief	er hat gerufen	A
salzen	er salzt	er salzte	er hat gesalzen	A
saufen	er säuft	er soff	er hat gesoffen	A
saugen	er saugt	er sog (saugte)	er hat gesogen (gesaugt)	(A)
schaffen[13]	er schafft	er schuf	er hat geschaffen	A
scheiden[14]	er scheidet	er schied	er hat / ist geschieden	(A)
scheinen	er scheint	er schien	er hat geschienen	–
scheißen	er scheißt	er schiß	er hat geschissen	–
schelten	er schilt	er schalt	er hat gescholten	A (AA)
scheren	er schert	er schor	er hat geschoren	(D) A
schieben	er schiebt	er schob	er hat geschoben	A
schießen	er schießt	er schoß	er hat geschossen	(A)
schlafen	er schläft	er schlief	er hat geschlafen	–
schlagen	er schlägt	er schlug	er hat geschlagen	A
schleichen	er schleicht	er schlich	er ist geschlichen	–
schleifen[15]	er schleift	er schliff	er hat geschliffen	A
schließen	er schließt	er schloß	er hat geschlossen	A
schlingen	er schlingt	er schlang	er hat geschlungen	(A)
schmeißen	er schmeißt	er schmiß	er hat geschmissen	A
schmelzen[16]	er schmilzt	er schmolz	er hat / ist geschmolzen	A
schneiden	er schneidet	er schnitt	er hat geschnitten	(A)

---

[11] *hat / ist gerissen:* Das Pferd hat an dem Strick gerissen. – Der Strick ist gerissen.

[12] *ist / hat geritten:* Er ist durch den Wald geritten. – Er hat dieses Pferd schon lange geritten.

[13] *schaffen* (stark): Am Anfang schuf Gott Himmel und Erde.
schaffen (schwach): Ich habe die Arbeit nicht mehr geschafft.

[14] *hat / ist geschieden:* Der Richter hat die Ehe geschieden. – Er ist ungern von hier geschieden.

[15] *schleifen* (stark): Er hat das Messer geschliffen.
schleifen (schwach): Er schleifte den Sack über den Boden.

[16] *hat / ist geschmolzen:* Das Wachs ist geschmolzen. – Sie haben das Eisenerz geschmolzen.

Infinitiv	3. Pers. Sg. Präsens	3. Pers. Sg. Imperfekt	3. Pers. Sg. Perfekt	Gebrauch
schreiben	er schreibt	er schrieb	er hat geschrieben	(D) A
schreien	er schreit	er schrie	er hat geschrie(e)n	–
schreiten	er schreitet	er schritt	er ist geschritten	–
schweigen	er schweigt	er schwieg	er hat geschwiegen	–
schwellen[17]	er schwillt	er schwoll	er ist geschwollen	–
schwimmen[18]	er schwimmt	er schwamm	er ist / hat geschwommen	–
schwingen	er schwingt	er schwang	er hat geschwungen	(A)
schwören	er schwört	er schwor	er hat geschworen	(D) A
sehen	er sieht	er sah	er hat gesehen	A
sein	er ist	er war	er ist gewesen	N
senden[19]	er sendet	er sandte (sendete)	er hat gesandt (gesendet)	(D) A
singen	er singt	er sang	er hat gesungen	A
sinken	er sinkt	er sank	er ist gesunken	–
sinnen	er sinnt	er sann	er hat gesonnen	–
sitzen	er sitzt	er saß	er hat gesessen	–
sollen	er soll	er sollte	er hat gesollt	–
spalten	er spaltet	er spaltete	er hat gespalten	A
speien	er speit	er spie	er hat gespie(e)n	–
spinnen	er spinnt	er spann	er hat gesponnen	A
sprechen	er spricht	er sprach	er hat gesprochen	A
sprießen	er sprießt	er sproß	er ist gesprossen	–
springen	er springt	er sprang	er ist gesprungen	–
stechen	er sticht	er stach	er hat gestochen	(A)
stehen	er steht	er stand	er hat gestanden	–
stehlen	er stiehlt	er stahl	er hat gestohlen	D A
steigen	er steigt	er stieg	er ist gestiegen	–
sterben	er stirbt	er starb	er ist gestorben	–
stieben	er stiebt	er stob	er ist gestoben	–
stinken	er stinkt	er stank	er hat gestunken	–
stoßen[20]	er stößt	er stieß	er hat / ist gestoßen	–
streichen	er streicht	er strich	er hat gestrichen	A
streiten	er streitet	er stritt	er hat gestritten	–
tragen	er trägt	er trug	er hat getragen	(D) A
treffen	er trifft	er traf	er hat getroffen	A
treiben[21]	er treibt	er trieb	er hat / ist getrieben	(A)

[17] *schwellen* (stark): Seine linke Gesichtshälfte ist geschwollen.
schwellen (schwach): Der Wind schwellte die Segel.

[18] *ist / hat geschwommen:* Der Flüchtling ist durch die Elbe geschwommen. – Er hat drei Stunden im Schwimmbad geschwommen.

[19] *senden* (stark): Sie hat mir ein Weihnachtspäckchen gesandt.
senden (schwach): Um 20 Uhr werden die Nachrichten gesendet.

[20] *hat / ist gestoßen:* Ich habe mich an der Küchentür gestoßen. – Er ist mit dem Fuß gegen einen Stein gestoßen.

[21] *ist / hat getrieben:* Sie hat die Kühe auf die Weide getrieben. – Das Boot ist an Land getrieben.

Infinitiv	3. Pers. Sg. Präsens	3. Pers. Sg. Imperfekt	3. Pers. Sg. Perfekt	Gebrauch
treten[22]	er tritt	er trat	er ist / hat getreten	–
trinken	er trinkt	er trank	er hat getrunken	A
tun	er tut	er tat	er hat getan	A
verbleichen	es verbleicht	es verblich	er / es ist verblichen	–
verderben[23]	er verdirbt	er verdarb	er hat / ist verdorben	(DA)
verdrießen	es verdrießt	es verdroß	es hat verdrossen	A
vergessen	er vergißt	er vergaß	er hat vergessen	A
verlieren	er verliert	er verlor	er hat verloren	A
verschwinden	er verschwindet	er verschwand	er ist verschwunden	–
verzeihen	er verzeiht	er verzieh	er hat verziehen	D A
wachsen	er wächst	er wuchs	er ist gewachsen	–
waschen	er wäscht	er wusch	er hat gewaschen	(D) A
weichen[24]	er weicht	er wich	er ist gewichen	–
weisen	er weist	er wies	er hat gewiesen	D A
wenden	er wendet	er wandte (wendete)	er hat gewandt (gewendet)	(A)
werben	er wirbt	er warb	er hat geworben	(A)
werden	er wird	er wurde	er ist geworden	N
werfen	er wirft	er warf	er hat geworfen	A
wiegen[25]	er wiegt	er wog	er hat gewogen	A
winden	er windet	er wand	er hat gewunden	A
wissen	er weiß	er wußte	er hat gewußt	A
wollen	er will	er wollte	er hat gewollt	A
wringen	er wringt	er wrang	er hat gewrungen	A
ziehen[26]	er zieht	er zog	er hat / ist gezogen	A
zwingen	er zwingt	er zwang	er hat gezwungen	A + Inf.-K.

[22] *ist / hat getreten:* Er ist ins Zimmer getreten. – Er hat mir auf den Fuß getreten.
[23] *hat / ist verdorben:* Er hat mir alle Pläne verdorben. – Das Fleisch ist in der Hitze verdorben.
[24] *weichen* (stark): Der Bettler wich nicht von meiner Seite.
weichen (schwach): Die Brötchen sind in der Milch aufgeweicht.
[25] *wiegen* (stark): Der Kaufmann wog die Kartoffeln.
wiegen (schwach): Die Mutter wiegte ihr Kind.
[26] *hat / ist gezogen:* Das Pferd hat den Wagen gezogen. – Er ist in eine neue Wohnung gezogen.

Liste der verwendeten grammatischen Begriffe

(deutsche Begriffe nach der DUDEN-Grammatik)

das Adjektiv (das Eigenschaftswort)	*grün, breit, alt, mutig*
das Adverb (das Umstandswort)	Er kommt *heute.* (Frage: wann?) Er steht *dort.* (Frage: wo?) Er spricht *schnell.* (Frage: wie?)
die adverbiale Angabe	Er kommt *jeden Freitag um acht Uhr.* (Frage: wann?) Er wohnt *in der Gartenstraße neben dem Postamt.* (Frage: wo?) Er läuft *auf die Straße.* (Frage: wohin?) Er spricht *mit leiser Stimme.* (Frage: wie?)
adversativ	= zur Angabe eines Gegensatzes: Ich kenne alle Wörter, *aber* ich verstehe den Satz nicht.
alternativ	= zur Angabe einer anderen Möglichkeit: Entweder gelingt das Experiment, *oder* wir müssen wieder von vorne anfangen.
der Akkusativ (der 4. Fall, Wenfall)	= im Satz: 1. das Akkusativobjekt (Frage: wen? oder was?): Ich sehe *den Berg.* 2. der Akkusativ der Zeit: Er kommt *jeden Freitag.* (Frage: wann?) 3. der Akkusativ der Maßangaben (Frage: wie lang? usw.): Der Tisch ist *einen Meter lang.* Der Säugling ist *einen Monat alt.*
der Aktivsatz	= die Handlung geht von bestimmten Personen oder Sachen aus. Siehe auch: Passivsatz. *Herr Müller gräbt seinen Garten um.* *Das Schiff versinkt im Ozean.*
die Apposition (der Beisatz)	Herr Meyer, *unser neuer Kollege,* ist sehr sympathisch.
der Artikel (das Geschlechswort)	1. der bestimmte Artikel: Singular: *der, die, das* Plural: *die* 2. der unbestimmte Artikel: Singular: *ein, eine, ein* Plural: artikellos
das Attribut (die Beifügung)	1. das Adjektivattribut: der *grüne* Baum, *frische* Luft 2. das Genitivattribut: der Bruder *meines Mannes* 3. attributive Angaben: der Kongreß *in der alten Oper* die Nachrichten *um 20 Uhr* im *Hamburger* Hafen
der Dativ (der 3. Fall, Wemfall)	= im Satz: Das Dativobjekt (Frage: wem?): Ich vertraue *meinem Nachbarn.*
die Deklination (die Beugung von	Nominativ: *der Mann* Genitiv: *des Mannes*

Substantiv, Artikel, Pronomen und Adjektiv)	Dativ: *dem Mann* Akkusativ: *den Mann* usw.
das Demonstrativpronomen (das hinweisende Fürwort)	= zum Hinweis auf bestimmte Personen oder Sachen: *Dieser* Turm ist der älteste der Stadt. Wie man das macht, *das* weiß ich nicht.
die direkte Rede	Er sagte: „*Ich gehe jetzt.*“ Er fragte: „*Gehst du jetzt?*“ Er befahl; „*Geh jetzt!*“
der Diphthong (der Doppellaut)	= zusammengesetzt aus zwei Vokalen: *au, ei, eu*
die Endung	siehe „der Stamm“
der Fall	siehe „der Kasus“
feminin	= weiblich: *die Frau, die Beamtin, die Polin, die Bank, die Hoffnung*
final	= zur Angabe einer Absicht, eines Zwecks: 1. finaler Nebensatz: *Damit der Fall geklärt wird,* muß ich folgendes sagen ... 2. finale Infinitivkonstruktion: *Um den Fall zu klären,* muß ich folgendes sagen ... 3. finale Angabe mit Präposition: *Zur Klärung des Falles* muß ich folgendes sagen ...
die Frage	1. die direkte Frage: „*Kommst du bald?*“ „*Wann kommst du?*“ 2. die indirekte Frage: Sie fragte, *ob er bald komme.* Sie fragte, *wann er komme.* 3. der Fragesatz als Nebensatz: Ich weiß nicht, *ob er kommt.* Ich weiß nicht, *wann er kommt.*
Funktionsverben	= Verben, die mit einem Akkusativobjekt eine feste Verbindung bilden: Sie *trifft eine Entscheidung.* Er *legt Beschwerde ein.*
Funktionsverbgefüge	= feste Verbindung aus Verb, Präposition und Akkusativobjekt: Er *bringt* das Problem *zur Sprache*. Man *kam* schnell *zu einem Ergebnis*.
das Futur	1. die bestimmte Zukunft: Ich *gehe morgen* zum Finanzamt. 2. die vermutete Zukunft: Im Lauf der nächsten Jahre *werden* wir uns *wohl wiedersehen.*
der Genitiv (der 2. Fall, Wesfall)	= im Satz: 1. das Genitivobjekt (Frage: wessen?): Man klagte ihn *des Diebstahls* an. 2. das Genitivattribut: Der Vortrag *des Professors* war interessant.
das Genus (= das Geschlecht)	maskulin, feminin, neutral

der Hauptsatz
= ein vollständiger, unabhängiger Satz. Das konjugierte Verb steht in der Position II:
Er *gab* mir das Buch zurück.

das Hilfsverb
haben, sein, werden

der Imperativ
= die Befehlsform:
Gib mir die Hand!
Denkt an die Zukunft!
Bitte warten Sie!

das Imperfekt
= die Vergangenheitsform im schriftlichen Bericht:
1. Aktiv: Er *studierte* Chemie.
2. Passiv: Er *wurde verhaftet.*

das Indefinitpronomen (das unbestimmte Fürwort)
= Zur Bezeichnung von unbestimmten Personen / Sachen:
Jemand hat mich angerufen.
Manches Küchengerät ist unnütz.

der Indikativ
= die Konjugation in der Wirklichkeitsform. Siehe auch: Konjunktiv.
ich sage, ich habe gesagt; du läufst, du bist gelaufen

die indirekte Rede
= Wiedergabe einer direkten Rede durch eine andere Person:
Er sagte, *er gehe in die Kirche.*
Er sagte, *er sei in die Kirche gegangen.*

der Infinitiv
= unkonjugierbare Grundform des Verbs:
1. Infinitiv Präsens Aktiv: *üben, kommen*
2. Infinitiv Perfekt Aktiv: *geübt haben; gekommen sein*
3. Infinitiv Präsens Passiv: *geübt werden*
4. Infinitiv Perfekt Passiv: *geübt worden sein*

die Infinitivkonstruktion
1. die von bestimmten Verben abhängige Infinitivkonstruktion:
   Er versuchte, den Bewußtlosen aus dem Wasser zu ziehen.
2. die Infinitivkonstruktion mit „um, ohne, anstatt“:
   Er besucht den Kurs, *um Englisch zu lernen.*
   Er ging vorbei, *ohne mich anzusehen.*
   Sie reden nur, *anstatt zu handeln.*

instrumental
= zur Angabe eines Mittels oder Instruments:
1. instrumentaler Nebensatz:
   Sie fanden den Weg aus dem Urwald, *indem sie einem Fluß folgten.*
2. instrumentale Angabe mit Präposition:
   Mittels (Mit Hilfe) eines Kompasses bestimmen die Seeleute ihren Kurs.

intransitive Verben
= Verben, die kein Akkusativobjekt bei sich haben können:
Er *geht* nach Hause.
Der Schrank *steht* in der Ecke.
Das Mädchen *gefällt* mir nicht.

der irreale Konjunktiv
= Konjunktiv der Nicht-Wirklichkeit:
1. der irreale Wunschsatz:
   Wenn sie doch käme! / Käme sie doch!
2. der irreale Bedingungssatz:
   Wenn ich Geld hätte, führe ich nach Italien.
3. der irreale Vergleichssatz:
   Er tat so, *als ob er krank wäre.*

die Kardinalzahl (die Grundzahl)	*eins, zwei, drei . . . hundert, tausend . . . (1, 2, 3 . . .)*
der Kasus (der Fall)	Nominativ, Genitiv, Dativ, Akkusativ
kausal	= zur Angabe eines Grundes (Frage: warum?) 1. kausaler Hauptsatz: Sie kommt heute nicht, *denn wir haben uns gestritten.* Wir haben uns gestritten; *darum kommt sie heute nicht.* 2. kausaler Nebensatz: Sie kommt heute nicht, *weil wir uns gestritten haben.* 3. kausale Angabe mit Präposition: *Wegen unseres Streits* kommt sie heute nicht.
der Komparativ	= vergleichende Steigerungsform: 1. als Adjektivattribut: Der Sekretär ist *längere* Zeit im Geschäft als sein Chef. 2. als Adverb: Der Sekretär ist *älter* als sein Chef.
konditional	= zur Angabe einer Bedingung: 1. realer Bedingungssatz: *Wenn er nicht kommt,* fahren wir ohne ihn. 2. irrealer Bedingungssatz: *Wenn er jetzt noch käme,* könnten wir ihn mitnehmen.
das konjugierte Verb	= im Satz: Das Verb mit der personalen Endung: Er *geht* zu Fuß zur Schule. Du *hast* dich erkältet. Wir *kamen* zu spät *an.* . . . , als er gefragt *wurde.* . . . , weil ihr nicht gekommen *seid.*
die Konjugation (die Beugung des Verbs)	*ich gehe* *wir gehen usw.* *du gehst* *er geht*
die Konjunktion (das Bindewort)	= ein satzverbindendes Wort: 1. Hauptsatzkonjunktionen: Er geht voran, *und* ich folge ihm. Du hast dich nicht verändert; *darum* habe ich dich sofort erkannt. 2. Nebensatzkonjunktionen: Sein Sohn erbte alles, *als* er starb. Er bekam die Erbschaft, *weil* er fleißig und tüchtig war.
der Konjunktiv	= die Konjugation in der Möglichkeitsform: 1. Konjunktiv I = siehe „indirekte Rede" 2. Konjunktiv II = siehe „irrealer Konjunktiv"
konsekutiv	= zur Angabe der Folge: 1. konsekutiver Nebensatz: Er war *so* aufgeregt, *daß er stotterte.* Er hatte keine Kinder, *so daß sein Neffe alles erbte.*
der Konsonant (der Mitlaut)	*b, c, d, f, g, h* usw.
konzessiv	= zur Angabe der Einschränkung: 1. konzessiver Hauptsatz: Ich kann ihn nicht leiden, *aber ich lade ihn doch ein.* Ich kann ihn nicht leiden, *trotzdem lade ich ihn ein.*

2. konzessiver Nebensatz:
Ich lade ihn ein, *obwohl ich ihn nicht leiden kann.*
3. konzessive Angabe mit Präposition:
Trotz meiner Abneigung lade ich ihn ein.

lokal
= zur Ortsangabe (Frage: wo? oder wohin?)
1. lokale Adverbien oder lokale adverbiale Angaben:
Dort liegt der Brief. (Frage: wo?)
Im Zug sprach mich ein Herr an. (Frage: wo?)
Wir wollen *auf den Berg* steigen. (wohin?)
2. lokaler Nebensatz:
Ich weiß nicht, *wo meine Brille ist.*
Ich weiß nicht, *wohin ich meine Brille gelegt habe.*

maskulin
= männlich: *der Mann, der Bäcker, der Pole, der Schrank, der Staat*

modal
= zur Angabe der Art und Weise (Frage: wie?)
1. modale Adverbien oder modale adverbiale Angaben:
Seine Höflichkeit war mir *angenehm.*
Mit freundlichen Worten erklärte er mir meine Fehler.
2. modaler Nebensatz:
Er verhielt sich *so, wie ich es erwartet hatte.*
3. modaler Vergleichssatz:
a) realer Vergleichssatz:
Er verhielt sich *genauso wie früher.*
b) irrealer Vergleichssatz:
Er tat *so, als ob er alles wüßte.*

das Modalverb
können, wollen, müssen usw., *lassen*

der Modus (die Aussageweise)
= Indikativ, Konjunktiv

der Nebensatz
= ein abhängiger, unvollständiger Satz. Das konjugierte Verb steht am Ende des Nebensatzes (Ausnahmen siehe § 18ff., 28, 54 II):
Er versteht mich, *weil* er mich *kennt.*

neutral
= sächlich: *das Kind, das Pferd, das Land, das Fenster, das Parlament*

der Nominativ (der 1. Fall, Werfall)
= im Satz: Das Subjekt (Frage: wer? oder was?):
Der Polizist zeigte uns den Weg.

das Nomen
= siehe „das Substantiv"

das Objekt
= im Satz:
1. das Akkusativobjekt (Frage: wen? oder was?):
Wir lieben *den Wein* und *die Musik.*
2. das Dativobjekt (Frage: wem?):
Der Lehrling widerspricht *dem Meister.*
3. das Genitivobjekt (Frage: wessen?):
Der Händler wurde *des Betrugs* verdächtigt.

die Ordinalzahl (die Ordnungszahl)
der *erste,* der *zweite* ... der *hundertste* ... *(1., 2. ... 100.)*

der Passivsatz
= nur die Handlung selbst ist wichtig, die handelnden Personen sind unbekannt oder uninteressant. Siehe auch: Aktivsatz.
Hier *wird eine Straße gebaut.*

das Partizip Perfekt (das Mittelwort der Vergangenheit)	Er ist *gekommen.* Er hat mich *erkannt.* Er ist *eingeschlafen.* Das Dokument ist *gefälscht* worden.
das Partizip Präsens (das Mittelwort der Gegenwart)	= Infinitiv + *d: lachend, weinend* 1. als Adverb (Frage: wie?): Das Kind lief *weinend* in die Küche. 2. als Adjektivattribut: Das *weinende* Kind lief in die Küche.
die Partizipialkonstruktion	= Erweiterung eines adjektivisch gebrauchten Partizips: 1. Partizip Präsens (I): Das *am Ende der Straße liegende* Hotel ... = Das Hotel, das am Ende der Straße liegt, ... 2. = Partizip Perfekt (II): Die *durch ein Erdbeben zerstörte* Stadt ... = Die Stadt, die durch ein Erdbeben zerstört worden ist, ...
der Partizipialsatz	= Erweiterung eines adverbial gebrauchten Partizips: Die Zuschauer zeigten, *Beifall klatschend und laut jubelnd,* ihre Zustimmung.
das Perfekt	= die Vergangenheitsform im mündlichen Bericht: 1. im Aktiv: Ich *bin* gestern zu spät *gekommen.* Wir *haben* das Paket zur Post *gebracht.* 2. im Passiv: Gestern *ist* mein Freund *operiert worden.*
das Personalpronomen (das persönliche Fürwort)	1. zur Bezeichnung von Personen: *Ich* gehe nach Hause. Leider hast *du* mir nicht geantwortet. *Ihr* habt alles verdorben. 2. als Ersatz für vorher schon genannte Personen oder Sachen: Ich kenne meine Freundin. *Sie* ist sehr zuverlässig. Der Schüler fragte. Der Lehrer antwortete *ihm.*
der Plural	= die Mehrzahl: *Wir spielen* mit *den Kindern.*
das Plusquamperfekt	= die vorzeitige Vergangenheitsform, meist im schriftlichen Bericht: 1. im Aktiv: Weil er seinen Schlüssel *vergessen hatte,* mußte er bei uns übernachten. 2. im Passiv: Weil die Fahrpreise *erhöht worden waren,* fuhren noch mehr Leute im eigenen Auto.
das Possessivpronomen (das besitzanzeigende Fürwort)	= zur Bezeichnung des Besitzes oder der Zugehörigkeit: *Mein* Bruder studiert in München. Er ärgert sich über *seinen* Kollegen. Ich habe *Ihren* Brief leider noch nicht beantwortet.
Prädikatsnominativ	= zur Ergänzung der Verben *sein* und *werden* usw.: *Die Biene ist ein Insekt.*
das Präfix	siehe „die Vorsilbe" und der „Verbzusatz"

die Präposition (das Verhältniswort)	mit Akkusativ: *für, gegen* usw. mit Dativ: *aus, bei* usw. mit Akkusativ oder Dativ: *auf, unter* usw. mit Genitiv: *während, wegen, trotz* usw.
das Präpositionalobjekt	= abhängig von Verben mit Präpositionen: Ich verlasse mich *auf seine Ehrlichkeit.* Er fürchtet sich *vor seinem Examen.*
das Präsens	= die Gegenwartsform im mündlichen Bericht, auch für allgemeingültige Aussagen: 1. im Aktiv: Was *tust* du? – Ich *höre* Musik. Die Erde *kreist* um die Sonne. 2. im Passiv: Ich *werde verfolgt.* Seit Jahrtausenden *werden* die gleichen mathematischen Regeln *angewandt.*
das Präteritum	= siehe „das Imperfekt"
das Pronomen (das Fürwort)	1. siehe „das Demonstrativpronomen" 2. siehe „das Indefinitpronomen" 3. siehe „das Personalpronomen" 4. siehe „das Possessivpronomen" 5. siehe „das Reflexivpronomen" 6. siehe „das Relativpronomen"
das Pronominaladverb	= anstelle eines schon genannten präpositionalen Objekts: (Er denkt an seine Heimat.) Er denkt *daran,* in seine Heimat zurückzukehren.
das Rangattribut	*Nicht* der Angeklagte, sondern das Gericht muß die Tat beweisen. *Auch* seine Stimme sollte gehört werden.
das Reflexivpronomen (das rückbezügliche Fürwort)	= mit einem Verb verbunden, bezieht es sich auf das Subjekt zurück: Er beschäftigt *sich* nur mit seinen Tauben.
das Relativpronomen (das bezügliche Fürwort)	der Mann, *der* . . . die Frau, *die* . . . das Kind, *das* . . . usw.
der Relativsatz	im Nominativ: Kinder, *die viel Süßigkeiten essen,* haben oft schlechte Zähne. im Genitiv: Der Bauer, *dessen Scheune abgebrannt war,* erhielt Schadenersatz. im Dativ: Man hat den Ingenieur, *dem ein Fehler nachgewiesen wurde,* entlassen. im Akkusativ: Spät abends kam ein Gast, *den niemand kannte.*
die Rektion der Verben	= gibt an, welchen Kasus bestimmte Verben verlangen.
der Singular	= die Einzahl: *Ich lese die Zeitung.*
der Stamm und die Endung	Stamm: Endung: *geb* *en* du *lach* *st*

	ihr *könnt* *et* des *Kind* *es* *schön* *er* usw.
die Stammformen	= Verbformen, aus denen man alle anderen Konjugationsformen ableiten kann: *lachen,* er *lachte,* er hat *gelacht* *gehen,* er *ging,* er ist *gegangen*
das Subjekt	= im Satz: Der Satzteil im Nominativ (Frage: wer? oder was?): *Die Sonne* steht hoch am Himmel. Endlich kam *er* zum Essen.
das Substantiv	= das Hauptwort als Einzelwort, groß geschrieben, meist mit Artikel: *die Sonne, der Mond,* Plural: *die Sterne*
der Superlativ	= höchste Steigerungsstufe: 1. als Adjektivattribut: Der 21. Juni ist der *längste* Tag des Jahres. 2. als Adverb: Um Weihnachten sind die Tage *am kürzesten.*
temporal	= zur Angabe der Zeit (Frage: wann?) 1. temporaler Hauptsatz: Es blitzte und donnerte, *dann begann es zu regnen.* 2. temporaler Nebensatz: *Als er starb,* war er 85 Jahre alt. 3. temporale Angaben: *Am 3. Juli* beginnen die Ferien. *Jeden Morgen* fährt er nach Darmstadt.
transitive Verben	= Verben, die ein Akkusativobjekt bei sich haben können: Sie *bauen einen Staudamm.* Er *steckte den Geldschein* in die Tasche.
trennbare Verben	= Verben mit einem Verbzusatz, der abgetrennt werden kann: Er *reist* um 23 Uhr *ab.*
der Umlaut	*ä(äu), ö, ü*
untrennbare Verben	= Verben mit einer Vorsilbe, die nicht abgetrennt wird: Er *zerreißt* den Brief.
das Verb (das Zeit- oder Tätigkeitswort)	1. wird als Einzelwort im Infinitiv angegeben: *essen, abreisen, erkennen, sich unterhalten* 2. wird im Satz in der konjugierten Form gebraucht: *er ißt, er reiste . . . ab, er erkennt, er unterhält sich*
der Vokal (der Selbstlaut)	*a, e, i(ie), o, u*
die Vorsilbe	= eine Silbe, die vor ein Verb oder ein abgeleitetes Substantiv, Adverb usw. gestellt wird, z. B. *be-, er-, ge-, ver-:* *be*kennen, das *Be*kenntnis; die *Be*kanntschaft, *be*kannt; *ver*wenden, die *Ver*wendung; die *Ver*wandtschaft, *ver*wandt
der Verbzusatz	= ein sinntragendes Wort – meist eine Präposition –, die vor ein Verb, ein abgeleitetes Substantiv, Adverb usw. gestellt wird, z. B. *ab-, aus-, ein-, fort-, vor-, zurück-:* *aus*zeichnen, die *Aus*zeichnung, *aus*gezeichnet; *fort*schreiten, der *Fort*schritt, *fort*schrittlich
das Zustandspassiv	= das Partizip Perfekt mit *sein* kann einen Zustand bezeichnen (Frage: wie?): Die Stadt *ist zerstört.*

Index

A

B

C

D

E

F

G

H

I

J

K

L

M

N

O

P

R

S

T

U

V

W

Z